VENGEANCE

LE GLAIVE DE DIEU

DU MÊME AUTEUR

Série DAMNÉ

Tome 1, *L'Héritage des cathares*, Montréal, Hurtubise, 2010

Tome 2, *Le Fardeau de Lucifer*, Montréal, Hurtubise, 2010

Tome 3, *L'Étoffe du Juste*, Montréal, Hurtubise, 2011

Tome 4, *Le Baptême de Judas*, Montréal, Hurtubise, 2011

Série LE TALISMAN DE NERGAL

Tome 1, *L'Élu de Babylone*, Montréal, Hurtubise, 2008

Tome 2, *Le Trésor de Salomon*, Montréal, Hurtubise, 2008

Tome 3, *Le Secret de la Vierge*, Montréal, Hurtubise, 2008

Tome 4, *La Clé de Satan*, Montréal, Hurtubise, 2009

Tome 5, *La Cité d'Ishtar*, Montréal, Hurtubise, 2009

Tome 6, *La Révélation du Centre*, Montréal, Hurtubise, 2009

Autres titres chez Hurtubise

Complot au musée, Montréal, Hurtubise, 2006

Spécimens, Montréal, Hurtubise, 2006

Fils de sorcière, Montréal, Hurtubise, 2004

Au royaume de Thinarath, Montréal, Hurtubise, 2003

Chez d'autres éditeurs

Complot au musée, Archambault, Montréal, 2008

Cap-aux-Esprits, Gatineau, Vents d'Ouest, 2007

2 heures du matin, rue de la Commune. Une enquête de Philémon Dandrejean, détective privé, Sherbrooke, GGC Éditions, 2002
(avec Thomas Kirkman-Gagnon)

Le mystère du manoir de Glandicourt. Une enquête de Philémon Dandrejean, détective privé, Sherbrooke, GGC Éditions, 2001
(avec Thomas Kirkman-Gagnon)

Le fantôme de Coteau-Boisé, Sherbrooke, GGC Éditions, 2000

Gibus, maître du temps, Sherbrooke, GGC Éditions, 2000

L'étrange Monsieur Fernand, Sherbrooke, GGC Éditions, 2000
(avec Thomas Kirkman-Gagnon)

Hervé Gagnon

VENGEANCE

LE GLAIVE DE DIEU

Tome 1

Hurtubise

Catalogage avant publication de Bibliothèque et Archives nationales du Québec et Bibliothèque et Archives Canada

Gagnon, Hervé, 1963-

Vengeance

Sommaire : t. 1. Le glaive de Dieu.

ISBN 978-2-89723-052-4 (v. 1)

I. Titre. II. Collection : Le glaive de Dieu.

PS8563.A327V46 2013 C843'.6 C2012-941960-5
PS9563.A327V46 2013

Les Éditions Hurtubise bénéficient du soutien financier des institutions suivantes pour leurs activités d'édition :

- Conseil des Arts du Canada ;
- Gouvernement du Canada par l'entremise du Fonds du livre du Canada (FLC) ;
- Société de développement des entreprises culturelles du Québec (SODEC) ;
- Gouvernement du Québec par l'entremise du programme de crédit d'impôt pour l'édition de livres.

Conception graphique : René St-Amand
Illustration de la couverture : Éric Robillard (Kiros)
Maquette intérieure et mise en pages : Martel en-tête

ISBN : 978-2-89647-052-4 (version imprimée)
ISBN : 978-2-89647-053-1 (version numérique PDF)
ISBN : 978-2-89647-054-8 (version numérique ePub)

Dépôt légal : 1er trimestre 2013
Bibliothèque et Archives nationales du Québec
Bibliothèque et Archives Canada

Diffusion-distribution au Canada :
Distribution HMH
1815, avenue De Lorimier
Montréal (QC) H2K 3W6
www.distributionhmh.com

Diffusion-distribution en Europe :
Librairie du Québec/DNM
30, rue Gay-Lussac
75005 Paris FRANCE
www.librairieduquebec.fr

Imprimé au Canada

www.editionshurtubise.com

À Thomas et Marian,
qui ont découvert l'essentiel

1

Saint-Jean-d'Acre, 8 novembre 1290

DANS LES RUES ÉTROITES du quartier musulman, Malik essayait de presser le pas sans trop en avoir l'air. Non pas qu'il eût peur de se trouver dehors en pleine nuit. Toute sa vie, ce voisinage avait été le sien et il s'y sentait en sécurité. Ses amis, ses complices et ses clients ne lui voulaient aucun mal. Ses ennemis le craignaient et savaient qu'il valait mieux ne pas se frotter à lui. Malencontreusement ceux qui pour l'heure le suivaient, paraissaient l'ignorer. Ils se faisaient discrets, mais Malik avait l'oreille fine et l'instinct aiguisé. Il les avait repérés voilà une quinzaine de minutes. Leur présence avait sûrement quelque chose à voir avec ce qu'il transportait. Le fait qu'on le suive ainsi lui démontrait la valeur de sa marchandise.

Après une vie entière à voler des broutilles et des breloques pour les revendre, cette fois, il avait la certitude d'avoir un trésor qui rapporterait gros. À plus forte raison que les objets avaient été découverts à Jérusalem, sous les ruines du temple de Salomon, dans une voûte dont personne n'avait jamais soupçonné l'existence jusqu'à ce qu'une dalle cède sous le poids d'une femme. Heureusement, Malik avait des contacts un peu partout dans la ville trois fois sainte et on l'avait prévenu, tout en gardant la voûte pour empêcher quiconque d'y entrer. Il s'y était rendu aussitôt et ne l'avait pas regretté.

Après avoir grassement récompensé les deux brigands qui lui avaient réservé le premier choix, il était descendu dans la voûte, torche en main. L'espace n'était pas assez haut pour qu'il se tienne debout. Il s'agissait d'un cube en pierres bien ajustées que le poids du sol n'avait pas déplacées. Au premier coup d'œil, Malik avait été désappointé. Puis il avait remarqué le coffre dans le coin. Il s'était accroupi et en avait éclairé la surface couverte de poussière. Il avait soufflé dessus pour découvrir un bois foncé. De l'ébène. Son cœur s'était mis à battre lorsqu'il avait aperçu, incrustées sur le couvercle, douze émeraudes. Une véritable fortune. Il osait à peine imaginer ce que pouvait contenir un coffre si fastueusement orné.

D'un doigt tremblant, le brigand avait touché le coffre, qui était aussitôt tombé en morceaux, trahissant son grand âge. Il s'était empressé de récupérer les émeraudes pour les glisser dans ses vêtements. Si d'autres que lui apprenaient leur existence, sa vie ne vaudrait pas cher. Puis il avait écarté les débris pour en retirer le contenu : deux tablettes recouvertes de caractères d'un genre qu'il n'avait jamais vu.

Perplexe, il les avait examinées dans la lumière de sa torche. Elles étaient manifestement très anciennes et précieuses. Après tout, quelqu'un avait pris la peine, voilà très longtemps, d'aménager cette voûte sous le temple du roi d'Israël pour les abriter dans un coffre serti de joyaux. Il n'avait même pas eu à réfléchir pour déterminer à qui il les proposerait en premier. Après s'être assuré que les émeraudes étaient bien en sécurité dans sa poche, il était sorti de la voûte en affichant un air défait et contrarié.

— Alors ? s'était informé un des brigands.

— Il n'y avait que ces vieilles choses couvertes de gribouillis, avait-il répondu en exhibant négligemment les tablettes. Je pourrai peut-être les vendre pour quelques louis à un infidèle. Mais je vous remercie tout de même de votre aide.

Il avait laissé là les deux hommes pour retourner chez lui et mettre les émeraudes en sécurité. Ces tablettes valaient mille fois plus que les joyaux qui ornaient leur coffre, il en avait la certitude même s'il ne pouvait pas les déchiffrer. Les chrétiens paieraient le gros prix pour les obtenir. Malheureusement, les seuls qui restaient encore dans tout le pays se trouvaient à Acre – et encore, plus pour très longtemps. C'était donc le chemin qu'il avait pris dès qu'il avait été certain de ne pas être suivi par ses complices du moment.

Comme la plupart des brigands, Malik avait trouvé dans la présence des envahisseurs chrétiens une source aussi inespérée que lucrative de profits. Certes, les infidèles n'aimaient guère ceux qu'ils appelaient avec mépris « Sarrasins ». La plupart s'étaient croisés non pas par conviction religieuse, mais par appât du gain. Malik avait même entendu dire que tous ceux qui faisaient la guerre au nom de leur Église et de leur pape voyaient leurs péchés remis d'avance et obtenaient une part de tout le butin accumulé. Malgré cela, mis à part leurs prêtres, la plupart étaient des réalistes. Ils avaient compris voilà longtemps qu'il valait mieux entretenir des relations civilisées avec la population locale que la combattre sans cesse. Après tout, la collaboration des musulmans leur facilitait grandement la vie dans un pays qu'ils comprenaient encore mal, même s'ils y étaient établis depuis deux siècles.

De tous les chrétiens, les Templiers avaient toujours été les mieux disposés envers les musulmans. En période de paix, ils les traitaient même avec un certain respect. Comme tous les autres, ils étaient cupides et n'hésitaient pas à tuer et à piller pour obtenir les richesses qu'ils convoitaient. De tous les envahisseurs, ils étaient aussi, et de loin, les plus redoutables combattants. Ils laissaient les champs de bataille jonchés de morts et de blessés, et instillaient la peur dans le cœur de leurs adversaires les plus braves. À la différence des autres chrétiens cependant, ils étaient bien plus que des soldats. Parmi leurs officiers se trouvaient des savants avides de connaissances. Ceux-ci collectionnaient tous les livres et documents sur lesquels ils pouvaient mettre la main, et qu'ils payaient toujours rubis sur l'ongle. Ils s'empressaient de les traduire pour les envoyer en Occident, où la sagesse et la science semblaient être des denrées rares.

Depuis une dizaine d'années déjà, Malik leur avait vendu des parchemins, des livres et des objets anciens achetés ou volés, souvent pour des sommes dérisoires, quelquefois pour de petites fortunes. Au fil des ans, ses relations avec le frère Aigremont, qui vivait enfermé dans la bibliothèque de la commanderie d'Acre, s'étaient particulièrement développées. Ils ne seraient jamais véritablement des amis. La religion et la guerre les en empêchaient. Mais ils se respectaient, ce qui était encore plus important en affaires.

Évidemment, le temps était loin d'être idéal pour commercer avec les Templiers. L'envahisseur chrétien avait été poussé dans ses derniers retranchements et la rumeur courait que sous peu, Acre elle-même serait assiégée par les forces du sultan Al-Ashraf. Que la fin de l'occupation approchât ne faisait aucun doute et, à terme, même les terribles Templiers seraient vaincus ou, à tout le moins, chassés. Malgré la source de revenus qu'ils constituaient, Malik n'en serait pas fâché, comme tout bon musulman. Auparavant, il profiterait une dernière fois de leur bourse apparemment sans fond. Les deux tablettes lui rapporteraient certainement une belle somme.

Pour cela, il devait d'abord s'assurer de rester en vie. Ce serait vraiment trop bête d'être assassiné alors que, pour la première fois depuis qu'il s'était engagé dans une vie de petit filou, il avait peut-être tiré le gros lot. Il soupira. Il aurait dû tuer les deux petits bandits qui avaient gardé la voûte au lieu de les récompenser. Ainsi, ils seraient demeurés muets et le secret aurait été préservé. Par contre, le fait qu'on le suivît confirmait la valeur des deux tablettes enveloppées dans une vieille couverture de laine. Il les serra contre sa poitrine et continua à marcher d'un pas régulier afin de ne pas alerter ses poursuivants et ainsi leur indiquer qu'il les avait repérés. En matière de survie, à défaut de jouir de l'avantage du nombre, la finesse était préférable à la force brute. L'avantage du terrain était aussi essentiel. Or, Malik connaissait ce quartier comme le creux de sa main. Il y était né, y avait grandi et ne l'avait jamais quitté.

Il bifurqua à droite dans une ruelle sombre et marcha pendant une minute en luttant contre l'envie de se retourner. Puis il tourna brusquement sur sa gauche, s'enfonçant toujours plus dans les méandres du quartier. Cette fois, Malik ralentit un peu pour tendre l'oreille. Il perçut les pas de ses poursuivants, prudents et discrets. Ce n'était pas de bon augure. De toute évidence, ils étaient aguerris. Ils se trouvaient aussi un peu plus loin qu'avant et leur marche semblait plus hésitante. Sans doute se demandaient-ils laquelle des ruelles, dans l'écheveau complexe et confus du quartier qu'elles formaient, il avait empruntée.

Dans ce labyrinthe, il lui eût été facile de s'évanouir en fumée, mais il voulait en avoir le cœur net. Il ne prisait guère d'être la proie, lui qui avait toujours été le prédateur. Si la chose était possible, il établirait leur identité. Ensuite, seulement, il les tuerait.

À l'intersection suivante, il repéra une mangeoire en pierre et s'y dirigea. Il déposa les tablettes au fond et les recouvrit de foin. Cela fait, il revint se blottir contre le mur de la maison qui faisait le coin et tira de son fourreau le sabre à lame courbe qui ne quittait jamais sa hanche. Puis il attendit, immobile et prêt à frapper.

Les hommes qui le suivaient arrivèrent quelques minutes plus tard et s'arrêtèrent au carrefour de trois ruelles, exactement comme Malik l'avait prévu. Chacun tenait un long poignard, ce qui confirmait leurs intentions. Ils semblaient hésitants et se consultaient à voix basse. Vu l'obscurité, le brigand n'apercevait que leur silhouette, mais cela lui suffisait amplement pour déterminer que l'adversaire n'était pas à prendre à la légère. Leur maintien, leur façon d'économiser leurs mouvements, tout trahissait que les trois inconnus étaient dangereux.

Après une bonne minute de conciliabule, ils se séparèrent. Comme Malik l'avait espéré, ils avaient décidé de suivre chacun une ruelle. Seuls, ils devenaient des proies plus faciles. Dans le noir, il sourit, leva son sabre et attendit, aux aguets. Les pas de l'homme étaient lents et prudents. Sans doute se méfiait-il d'une embuscade. Et il avait raison. Dès qu'il passa le coin de la maison, le truand frappa. Le sifflement sec de sa lame troubla le silence de la nuit. L'instant d'après, la tête de l'inconnu gisait sur le sol, à quelque distance du corps dont elle venait d'être séparée et dont la main tenait toujours le poignard. Il résista à l'envie de fouiller le mort. Il aurait toujours le temps de le faire lorsque tout serait terminé. Il se contenta de tirer le corps derrière le coin, puis retourna ramasser la tête et la jeta au même endroit.

Il reprit sa place et sourit dans la nuit. Rien ne valait une bonne embuscade. L'approche était peut-être moins honorable que le combat singulier, mais frapper un adversaire qui ne s'y attendait pas était beaucoup plus sûr. Puis il inspira et laissa échapper un cri bref, mais assez puissant pour attirer l'attention des deux autres inconnus.

Il n'eut pas à attendre très longtemps pour entendre des pas. Une silhouette surgit d'une des ruelles et s'immobilisa à l'intersection. Son sabre levé, Malik l'encouragea mentalement à s'approcher, mais sans succès. L'homme attendait son comparse, qui apparut bientôt. Après un court conciliabule, ils semblaient avoir établi la provenance du cri et, ensemble, se dirigeaient vers la mort.

Si Malik avait appris une chose des Templiers, c'était qu'il était préférable d'estropier d'abord l'adversaire pour le rendre inoffensif. Il laissa les pas s'approcher jusqu'au dernier instant. Dès qu'il entrevit un pied passer le coin, il abattit sa lame et trancha net la jambe au-dessus du genou. Puis il se pencha juste à temps pour éviter le poignard de l'autre homme, qu'il sentit lui effleurer les cheveux. Il roula sur lui-même et se remit sur pied. Lorsque l'homme se retourna, désorienté, il ne vit pas la lame qui lui ouvrit la gorge de part en part. Seul le gargouillement liquide lui certifia que le coup avait porté. Puis vint le clapotis des jets de sang qui s'écoulaient avec une force décroissante. Lorsque lui parvint le bruit sourd du corps qui s'écrasait au sol, l'homme était déjà mort.

Malik observa les alentours pour s'assurer que la brève escarmouche n'avait pas attiré l'attention. Puis il s'accroupit près des cadavres pour les fouiller, tout en sachant qu'il ne trouverait rien sur eux qui eût permis de les identifier. La première qualité d'un assassin était de savoir protéger son anonymat. À cet instant précis, la lune sortit de derrière un nuage et Malik ne put s'empêcher d'écarquiller les yeux en voyant le visage des hommes qu'il venait de tuer. Que faisaient des juifs dans le quartier musulman ?

Les infidèles étaient des malappris et des barbares. Ils ignoraient tout de la plus élémentaire courtoisie. On n'avait offert à Malik ni à boire, ni a manger, ni même un siège. Or, il était planté là depuis trop longtemps déjà.

La bibliothèque était étouffante. Non pas en raison de la chaleur qu'y faisait régner le feu ronflant dans la grande cheminée, ou de la poussière qui s'y accumulait et qui chatouillait le nez de Malik, ou même à cause de la hauteur étourdissante des tablettes, le long des murs, qui croulaient presque sous le poids des livres et des manuscrits et qui donnaient à quiconque le sentiment d'être minuscule et insignifiant. Non, si elle était si étouffante, c'était en raison de l'atmosphère lourde et tendue qui y régnait depuis une bonne heure déjà. Depuis, en fait, que le frère Aigremont avait posé le regard sur les deux tablettes.

Au départ, le Templier avait paru sceptique. Contrarié, même. Malik savait bien que le vieil homme avait beaucoup à faire. Pour l'ordre du Temple comme pour tous les chrétiens encore réfugiés dans Acre, le temps était compté. Aigremont consacrait sans doute la moindre minute dont il disposait à sélectionner les livres qu'il ferait charger dès maintenant sur les navires de l'ordre, ceux qu'il ferait évacuer lorsque la forteresse tomberait aux mains du sultan Al-Ashraf, et ceux qu'il devrait se résigner à laisser. Connaissant l'amour immodéré d'Aigremont pour ses grimoires et ses parchemins, Malik ne doutait pas que ce choix devait représenter pour lui une véritable torture. Aussi avait-il anticipé l'impatience de son client.

Mais il avait suffi au Templier de jeter un coup d'œil aux caractères étranges pour que son attitude change du tout au tout. Il avait d'abord froncé les sourcils et ses lèvres s'étaient pincées. Puis son visage s'était crispé de concentration. Il avait relevé la tête et, avec une précaution étonnante pour un moine soldat entraîné à estropier et à tuer, il avait déposé la première sur la table. Il en avait fait autant pour la deuxième. Malik aurait juré que, sous ses yeux ébahis, Aigremont avait vieilli de vingt ans en quelques secondes.

Depuis, penché sur les deux objets, le dos voûté, ses longs cheveux formant un mince rideau gris et huileux de chaque côté de son visage, il agissait comme si Malik n'était pas là. S'éclairant avec quelques chandelles, il consultait ponctuellement des grimoires qu'il avait été prendre sur les tablettes d'un pas pressé, se parlant à lui-même comme un pauvre d'esprit, avant de reporter son attention sur l'étrange écriture.

De toute évidence, plus le frère Aigremont progressait, plus il était troublé. Il suffisait de voir l'anxiété se peindre sur sa face et de l'entendre chuchoter pour lui-même. Malik, lui, ne voulait qu'être payé et s'en aller. Le plus tôt serait le mieux. Il se priverait même du plaisir de marchander et accepterait sans rechigner ce qui lui était offert. Les douze émeraudes suffiraient amplement pour assurer ses vieux jours. L'important était de s'éloigner de ces tablettes. Il n'avait pas du tout aimé qu'on essaie de le tuer pour les récupérer. Même s'il les jetait aux ordures, on continuerait à le cibler.

Malik savait qu'on ne gagnait jamais rien à montrer son impatience pendant qu'une transaction prenait forme. Il se fit violence pour ne pas se dandiner comme un gamin pressé de partir.

— Alors, frère Aigremont? demanda-t-il d'une voix qu'il garda neutre.

Le Templier prit beaucoup de temps avant de réagir, mais finit par tourner vers lui des yeux rougis par l'effort de lire dans la mauvaise lumière. Il écarta distraitement ses cheveux de son visage, qui se révéla ravagé par un sentiment que Malik n'arriva pas à identifier. L'horreur ? La terreur ? Le désespoir ? Dans le regard qui semblait voir à travers lui, il y avait une fièvre brûlante qui lui fit peur.

Sans lui répondre, le frère Aigremont se frotta le bas du visage avec une main qui avait longtemps tenu l'épée avant de la troquer pour la plume. Puis il reporta son attention sur les tablettes, comme si Malik ne l'avait jamais interpellé.

— Non… grommela-t-il en tournant frénétiquement les pages d'un gros livre. Non, non, non. J'ai certainement fait erreur. Je n'en sais pas assez. Il faudrait quelqu'un de plus savant que moi… Un de ces Sarrasins, peut-être…

Malik attendit encore une trentaine de minutes, pendant que, devant lui, le frère Aigremont s'agitait toujours plus. Il décida de forcer la situation et, doucement, s'approcha du Templier jusqu'à être en mesure de regarder par-dessus son épaule.

— Je vous avais bien dit qu'il s'agissait d'un trésor, déclara-t-il en forçant un ricanement confiant. Maintenant, mon ami, si vous voulez discuter d'un juste prix, je pourrai vous laisser tranquille et vous aurez tout loisir d'étudier ces tablettes après mon départ.

Le frère Aigremont tourna lentement la tête vers lui et lui décocha un regard qui le glaça jusqu'aux os tant il était désespéré.

— Oui, dit-il en hochant lentement la tête. Oui, c'est un trésor. Un trésor maudit.

— Maudit ?

— Vois toi-même.

Le Templier se leva difficilement et fit un pas de côté pour lui céder sa place. Pour la forme, Malik se pencha sur les deux tablettes, dont le contenu l'indifférait. Pour être enfin payé, il devait jouer.

— Je ne sais pas lire cette écriture, admit-il. Qu'est-ce que ça raconte ?

Le Templier ouvrit un tiroir dans le côté de la table et se mit à y fouiller. Sans regarder Malik, il répondit d'un ton traînant et empreint d'une profonde tristesse.

— Je ne suis pas certain des détails, mais en gros, que tout est faux, soupira-t-il avec une infinie lassitude. Tout ce qu'on nous a enseigné ; toutes nos croyances ; tous nos espoirs ; tout ce pour quoi nous nous sommes battus ; tous nos morts. Tout cela était vain. Creux. Futile. Depuis le début, on nous a trompés.

— Je ne suis par sûr de comprendre, dit Malik, interdit, en tournant la tête vers lui.

— Tant mieux, répondit Aigremont. Personne ne doit comprendre. Ni même savoir.

Leurs regards se croisèrent. Celui du Templier était brillant de folie. Lorsque Malik vit l'éclair métallique traverser l'espace qui les séparait, il était déjà trop tard. Le poignard s'enfonça pointe vers le haut dans son ventre jusqu'à la garde sans rencontrer beaucoup de résistance. Aigremont avait beau être aussi desséché que les livres qui étaient ses seuls compagnons, il demeurait Templier et maîtrisait l'art de tuer. Le petit brigand savait, avant même de la sentir, que la lame allait remonter dans sa poitrine pour lui percer le cœur. Il n'eut même pas le temps d'avoir mal.

Lorsque Malik s'écroula sur le sol de la bibliothèque, la vie le quittait déjà. Ses dernières pensées furent des questions. Que pouvait-il donc y avoir sur ces tablettes pour qu'on le tue, alors qu'il ne savait même pas les lire ? Qu'est-ce qui avait fait si peur au frère Aigremont ? Surtout, qui allait profiter des douze émeraudes trouvées dans les ruines ?

2

Montréal, 12 septembre 1866

En sortant du bâtiment à plusieurs étages, coin Sainte-Catherine et Saint-Laurent, Jean-Baptiste-Michel Leclair prit la direction du quartier Hochelaga, vers l'est. L'air de septembre était doux et agréable, même si une certaine lourdeur annonçait la pluie. Malgré son épuisement, il goûtait ses déambulations solitaires et tardives dans la ville endormie. Chaque matin et chaque soir, il lui fallait marcher une heure entre chez lui et l'usine, et cela lui convenait parfaitement. Parfois, il faisait route avec quelques compagnons d'infortune, mais ce soir-là, il était seul.

Il était épuisé, comme toujours après une journée de travail. L'usine de chaussures Fogarty était un enfer dont il ne s'échappait qu'après avoir actionné sans relâche, de douze à seize heures par jour, la manivelle d'une machine qui apposait les semelles sur les chaussures, sous le regard d'épervier de contremaîtres qui ne cherchaient qu'une excuse pour déduire de son salaire la moindre seconde d'oisiveté. C'était à peine s'il avait droit à cinq minutes pour manger et à une pause pour ses besoins naturels. Et encore, il était chanceux. Pour les femmes et les enfants, c'était pire, et pour un salaire moindre. Six jours sur sept, tous gagnaient une maigre pitance qui leur permettait tout juste de mal nourrir et loger leur famille jusqu'à ce qu'un accident de travail les jette à la rue.

Mais Baptiste ne se plaignait pas. Il avait appris depuis longtemps comment échapper à la monotonie du travail en laissant son esprit dériver pendant que ses mains se livraient à leur tâche. Et puis, l'usine était une cachette idéale et c'était tout ce qui comptait. Après tout, pourquoi l'ennemi le chercherait-il parmi les dizaines de milliers d'ouvriers pauvres ? L'anonymat augmentait ses chances de survie.

Pour le commun des mortels, Baptiste Leclair n'était qu'un ouvrier non qualifié parmi les multitudes d'autres qui avaient envahi Montréal depuis une vingtaine d'années. Il frotta distraitement l'intérieur de son poignet gauche, où était visible une de ses cicatrices en équerre. Rares étaient les travailleurs qui ne portaient pas quelques marques d'accident et personne n'aurait l'idée de s'intéresser aux siennes. Le jour de ses seize ans, lorsqu'il les avait reçues devant les dirigeants de la commanderie, il avait fait couler son propre sang sur deux crânes en jurant de venger ceux qui avaient été sacrifiés sur le bûcher parce qu'ils avaient eu le malheur de veiller sur un secret qu'ils n'avaient pas demandé à connaître. Des années plus tard, son père lui avait transmis la clé du secret qu'il avait juré de garder jusqu'à sa mort et de transmettre à son propre fils dans les mêmes circonstances. La chose était d'autant plus importante, avait-il insisté, que sa lignée était la seule qui restait depuis que l'autre avait été brutalement éliminée.

Un siècle s'était écoulé depuis, sans que rien d'autre survienne. Malgré cela, il ne se passait pas une journée sans que Baptiste s'en inquiète un peu, comme le lui avait recommandé son père. Tel était le lot qu'il avait accepté ce soir-là, agenouillé devant l'autel et les crânes.

L'image de Charlotte et de leur fils, Joseph-Bernard-Mathieu, lui vint en tête et il sourit sans s'en rendre compte. Il adorait sa femme de tout son être et remerciait Dieu de l'avoir placée sur son chemin. Elle méritait tellement mieux que les robes banales et la vie sans artifices qu'il arrivait à lui offrir avec son salaire de miséreux. Le petit Bernard, lui, représentait leur bonheur commun depuis presque deux ans. Il serait élevé dans la modestie, bien sûr, mais recevrait une bonne éducation. Il en aurait besoin. Le succès de la Vengeance pourrait en dépendre.

Un roulement de tonnerre retentit et fut aussitôt suivi de quelques gouttes de pluie. Puis l'orage se déchaîna et il se mit à tomber des cordes. Contrarié, Baptiste remonta le collet de son paletot usé et pesta en accélérant le pas, faisant contre mauvaise fortune bon cœur. S'il perdait le plaisir de sa promenade nocturne, il gagnait celui d'être plus vite auprès de Charlotte. L'échange était plus qu'équitable.

Lorsqu'il bifurqua dans Frontenac, il était déjà trempé jusqu'aux os. Quelques minutes plus tard, il avait atteint Hochelaga, où il vivait dans un de ces appartements miteux et trop petits qui étaient le lot des ouvriers. Malgré l'orage, il s'arrêta devant son immeuble, comme il le faisait toujours. Quand les lumières étaient éteintes, il savait qu'il devait entrer sur la pointe des pieds pour ne pas réveiller Charlotte et le petit. Il sourit en constatant que la chambre était encore éclairée. Peut-être sa femme l'attendait-elle pour lui offrir un peu de cette volupté qu'ils aimaient tant partager, même si la naissance de Bernard avait quelque peu modéré leurs ardeurs ?

Il allait se diriger vers la porte de l'immeuble lorsqu'il crut entrevoir quelque chose du coin de l'œil. Il s'immobilisa, les sourcils froncés. Il attendit un peu et se crispa en voyant de nouveau une silhouette passer derrière la fenêtre. Il était trop tard pour avoir des visiteurs et, de toute manière, jamais les rares amis qu'ils avaient n'étaient admis au-delà du salon. Quiconque se trouvait dans leur chambre n'avait rien à y faire.

Sans hésiter, Baptiste s'élança à toutes jambes. Il avait toujours su que cela pouvait survenir. Son père l'en avait prévenu. Il contourna l'immeuble jusqu'à la ruelle sur laquelle donnait la chambre de son fils, à l'arrière. Ce n'était pas un hasard s'il avait choisi un logement au rez-de-chaussée, même si cela impliquait de supporter les bruits et les odeurs de la rue. De cette façon, il avait deux accès à l'intérieur au lieu d'un seul. Toute bête traquée savait que son terrier devait disposer de plus d'une sortie.

Parvenu à la fenêtre, il retira sa veste trempée, la roula et la plaqua contre un carreau sur lequel voilà longtemps il avait tracé une croix avec une pointe de métal pour l'affaiblir. D'un coup de coude, il brisa le verre et se crispa en espérant que le tintement des éclats sur le plancher n'avait pas été entendu. Il se fit violence pour patienter une longue minute. Rien. Soulagé, il passa la main dans le carreau brisé, déverrouilla la fenêtre et la fit remonter. Il se glissa à l'intérieur et, sur la pointe des pieds, en évitant de marcher sur le verre brisé, il s'approcha du berceau. Le petit Bernard dormait profondément. Lorsqu'il le prit, l'enfant entrouvrit les yeux et gazouilla faiblement avant de se rendormir. Il l'enveloppa dans sa couverture. Son enfant serré contre son cœur, il retourna à la fenêtre et choisit, parmi les éclats de verre qui jonchaient le sol, le plus long et effilé, qu'il glissa dans la poche de son pantalon. Puis il sortit sans prendre la peine de refermer la fenêtre. Le carreau brisé attirerait l'attention de toute façon.

Il se remit à courir sous la pluie battante et sortit en trombe de la ruelle, son précieux fardeau serré contre sa poitrine. Il franchit un pâté de maison vers l'est et s'engagea dans la ruelle suivante sans réfléchir. N'importe quel endroit en retrait conviendrait, tant qu'il était assez loin de chez lui. Haletant, il repéra un appentis branlant. La porte résista et il l'ouvrit d'un coup de pied. Il entra, s'agenouilla et déposa l'enfant sur le plancher mouillé, puis retira le pendentif en étain qui ne l'avait pas quitté depuis la naissance de son fils. Les larmes qui mouillaient ses joues se diluant dans l'eau de pluie, il passa la chaînette au cou de son fils. Il caressa tendrement les cheveux blonds qu'il ne reverrait plus.

Il sortit sans regarder derrière, de crainte que sa détermination ne faiblisse, et se rua en sens inverse. Revenu à son immeuble, il reprit son souffle, tira sa clef de sa poche, déverrouilla la porte et entra comme si de rien n'était. Sans chercher à déguiser sa présence, s'efforçant même de siffloter, il traversa le couloir jusqu'à sa chambre, écarta la porte entrouverte et entra. La lampe à huile était allumée sur la table de chevet.

Il avait à peine franchi le seuil qu'un bras puissant lui encercla le torse, emprisonnant ses bras, et qu'un couteau fut appuyé sur sa gorge. Baptiste ne fut pas surpris et ne se débattit que pour donner le change. Près du lit se tenait un homme grand et extrêmement maigre, émacié même. Droit comme un chêne, il gardait la tête penchée vers le sol, comme s'il méditait. Il avait le crâne dégarni et ce qui lui restait de cheveux blancs était coupé ras. Sur sa soutane trop grande reposait une grande croix en argent suspendue à une chaîne. Un jésuite, de toute évidence. Une moue cruelle retroussant un peu ses lèvres minces, il releva la tête pour détailler Baptiste d'un regard froid, clinique, à travers les lunettes qu'il portait perchées au bout d'un long nez. Ses oreilles étaient grandes et décollées. Ses petits yeux brillaient d'une lueur exaltée qui n'annonçait rien de bon.

Le regard de Baptiste glissa vers le lit et, sous l'édredon, il devina la forme de Charlotte. Un sanglot d'angoisse lui remonta dans la gorge et franchit ses lèvres sans qu'il s'en rende compte. L'amour de sa vie, la mère de son fils, allait mourir. Les jambes lui manquèrent et, en l'empêchant de s'effondrer, l'homme qui le retenait lui entailla un peu la peau de la gorge. Baptiste ne le sentit même pas.

— Elle est vivante, ne crains rien. Ton fils aussi. Pour l'instant, en tout cas, dit le prêtre d'une voix monocorde et à peine audible, du genre de celle qu'il devait utiliser dans le confessionnal.

Un troisième homme émergea de derrière la porte toujours ouverte. Il devait faire au moins une tête de plus que Baptiste. L'air simiesque, il semblait dépourvu de cou et sa tête s'enfonçait dans ses épaules massives. Son visage était marqué par les coups qu'il avait encaissés et, si on en jugeait par la façon dont il était écrasé, son nez avait été cassé à plusieurs reprises. Une brute épaisse comme en on rencontrait parfois dans le port. Il s'approcha du lit conjugal et fit voler l'édredon, dévoilant Charlotte, immobile dans la robe de nuit que Baptiste aimait tant lui enlever. Elle était attachée à la tête et au pied du lit par les poignets et les chevilles. Sa bouche était bâillonnée à l'aide d'une lanière de tissu déchirée à même le drap.

Le taupin se pencha et lui administra trois claques au visage, semblant goûter chacune. Elle ouvrit brusquement les yeux et l'incompréhension troubla son regard. Puis elle revint entièrement à elle et chercha éperdument dans la chambre. Son regard trouva son mari et elle se mit à se débattre pour tenter de se libérer de ses entraves en gémissant piteusement.

— Pour que ta femme et ton bébé vivent, il te suffit de me donner la clé, dit le prêtre.

— Tu sais bien que je ne le ferai pas, rétorqua Baptiste en réprimant un sanglot. Ils mourraient de toute façon.

— Bon…

Le jésuite fit un signe de la tête au colosse. Celui-ci fouilla dans la poche intérieure de sa veste et en tira des pinces tranchantes qu'il exhiba fièrement. Puis il saisit l'auriculaire de la pauvre femme avec l'instrument et serra. Le cri qui monta à travers le bâillon fit presque éclater de douleur le cœur de Baptiste. Le doigt fut tranché net à la phalange et le sang gicla sur le mur.

— À toi d'interrompre ses souffrances, insista le jésuite.

— C'est après moi que tu en as, pas elle ! grogna Baptiste. Elle ignore tout de cette histoire !

— La fin justifie les moyens, ricana le prêtre en haussant nonchalamment les épaules.

Le prêtre donna un nouvel ordre silencieux au tortionnaire qui, d'un geste précis, sectionna l'annulaire. Le doigt orné de l'anneau que Baptiste y avait passé le jour de leurs noces tomba sur le plancher. La pauvre femme haleta quelques instants puis perdit conscience.

— Faire couler le sang me répugne, insista le jésuite. Je préférerais de loin mettre fin à cet obscène petit jeu. Il te suffit de m'aider.

— Charlotte… Je t'aime, dit Baptiste d'une voix étranglée à sa pauvre épouse inconsciente sur le lit.

Puis il ferma les yeux et prit une grande inspiration pour se donner le courage d'aller jusqu'au bout.

Il glissa la main dans sa poche de pantalon, en tira l'éclat de verre qu'il avait ramassé dans la chambre de Bernard et le planta dans la cuisse de l'homme qui le retenait. Un hurlement de douleur monta et l'emprise sur sa poitrine se relâcha. Les bras libres, Baptiste arracha son arme de fortune de la chair où elle était enfoncée et, d'un même geste, se l'enfouit profondément dans la gorge. Il éprouva un étrange détachement en sentant la lame lui ouvrir le gosier. Un sang chaud à l'odeur cuivrée en gicla par pulsations et inonda sa main.

— Vengeance ! croassa-t-il avant que l'air qui faisait bouillonner le sang dans la plaie ne refuse de se rendre jusqu'à ses poumons.

— Non ! gronda le prêtre, le visage contorsionné par la rage, en se précipitant vers lui, la main tendue comme s'il pouvait empêcher un fait déjà accompli.

Les jambes de Baptiste s'engourdirent et cessèrent de le porter. Devant ses yeux, le monde s'embruma. Quand il s'effondra sur le sol, il souriait. Sa dernière pensée fut une prière pour que survivent l'enfant et la Vengeance.

Catastrophé, le prêtre resta planté au milieu de la chambre, les bras ballants, alors que son homme blessé tenait sa cuisse ensanglantée en grimaçant. Il finit par jeter un coup d'œil à Charlotte, toujours inconsciente.

— Achevez-la, ordonna-t-il d'une voix éteinte.

— Et le petit ?

— Tuez-le aussi. Il ne doit rester aucun témoin. Et ensuite, brûlez tout.

— L'immeuble au complet va y passer. Les autres locataires…

— Ils n'ont aucune importance !

Une heure plus tard, un incendie causé par une lampe à huile malencontreusement renversée faisait rage dans l'édifice qui abritait le petit logis de Jean-Baptiste-Michel Leclair. Dans les décombres, on retrouva les corps calcinés de l'homme et de la femme, mais pas celui de leur enfant.

3

Montréal, 13 avril 1886

L'AIR DE L'AUBE était frais. Le soleil était levé depuis moins d'une heure et une brume un peu fantomatique enveloppait la petite clairière encerclée d'épinettes et de pins. La fraîche n'affectait en rien les deux hommes qui se battaient.

De loin, on aurait pu croire qu'ils étaient jumeaux. À peu près du même âge, les deux étaient blonds, portaient les cheveux courts et, contrairement à la plupart des hommes, n'avaient ni barbe, ni moustache. Ils étaient grands et minces, leurs muscles luisants de sueur malgré la température. Agiles et gracieux comme des chats, ils dansaient l'un autour de l'autre en sautillant sur la pointe de pieds, lançant des coups secs dont la plupart étaient bloqués ou esquivés, comme si chacun connaissait par cœur le répertoire, les stratégies et les réactions de son adversaire.

L'un d'eux laissa partir un direct qui atteignit l'autre à la hauteur du cœur, écrasant la médaille de la Vierge qui ne le quittait jamais.

— Ho ! Hé ! protesta la victime en toussotant un peu. On ne frappe pas la Sainte Vierge, impie, mécréant !

En guise de réponse, l'intimé asséna à son adversaire un uppercut qui perça sa garde et s'écrasa sur la pointe de son menton. Sonnée, la victime recula un peu en vacillant. Sentant sa faiblesse, son opposant fonça comme un fauve sur une proie blessée. Les coups se mirent à pleuvoir, bloqués de peine et de misère par les deux gants qui protégeaient le visage et les coudes qui couvraient les côtes. Mais quelques-uns traversèrent le rempart, provoquant des grognements de douleur et faisant ramollir davantage les genoux du combattant.

— Alors, dis à la Sainte Vierge de s'enlever du chemin si elle ne veut pas se faire tabasser, elle aussi, persifla l'agresseur avec une arrogance taquine.

Puis, un retentissant direct de la droite s'écrasa sur la joue gauche du pugiliste et lui fit tourner la tête. Étourdi, l'homme tomba lourdement sur les fesses. Assis dans l'herbe, il se frotta le visage avec l'épais gant de cuir usé qui enrobait sa main.

— Aïe ! s'écria-t-il avec un large sourire. Lever la main sur un prêtre ! Tu devrais avoir honte !

Celui qui l'avait envoyé au tapis laissa échapper un grand rire franc et sonore, puis lui tendit une main gantée de cuir rembourré. La victime la saisit et se remit debout en grognant.

— Petit curé geignard, se moqua le vainqueur. Je t'ai à peine effleuré. Si tu n'aimes pas te faire frapper, à l'avenir, nous jouerons aux dames, comme des petits vieux. Sinon, dis quelques messes de moins, entraîne-toi un peu plus et tu te feras peut-être moins moucher le nez !

— Que tu dis ! Tu m'as pris par surprise, c'est tout, renifla le prêtre avant d'expulser un crachat sanguinolent et de tâter son nez rougi et douloureux.

— À force de manier le goupillon et de bénir à gauche et à droite, ton bras s'est affaibli.

— Sacrilège ! Je t'attendrai pour entendre ta confession ce soir, après la messe !

— Me confesser ? À toi ? Pour que tu puisses ensuite utiliser mes secrets les plus intimes contre moi ? Tu peux toujours attendre !

— Libertin !

— Fillette !

Tout en se taquinant, les deux individus détachèrent les lacets qui liaient leurs gants sur leurs poignets et les enlevèrent, puis ouvrirent et fermèrent les mains à quelques reprises pour en chasser l'engourdissement. Chacun passa le bras autour des épaules de l'autre et, ensemble, ils quittèrent la clairière en direction du collège, tout dans leur attitude trahissant le plaisir qu'ils éprouvaient à être ensemble.

Pierre et Adrien Moreau étaient cousins, mais ils étaient aussi proches que des frères. Depuis aussi longtemps qu'ils puissent s'en rappeler, ils avaient été ensemble, collés l'un à l'autre comme ces siamois qu'on pouvait voir dans les fêtes foraines qui s'installaient pour quelques jours dans les parcs de Montréal. Leur air de famille était évident, même si Pierre avait les yeux bleus et le visage plus anguleux qu'Adrien qui, lui, avait les yeux verts et les traits délicats. Ils avaient grandi ensemble dans des maisons mitoyennes achetées par les frères Hubert et Xavier Moreau, eux-mêmes inséparables, alors qu'ils étaient encore de jeunes importateurs de vins et spiritueux. Ils avaient ensuite été pensionnaires en même temps au Collège de Montréal. Puis Adrien s'était orienté vers la prêtrise et avait joint les rangs des novices du Séminaire de Saint-Sulpice, alors que Pierre avait opté pour la vie laïque et l'enseignement de l'histoire. Ils se côtoyaient donc encore chaque jour au collège. Jamais un différent ne les avait séparés, hormis les querelles enfantines. Si l'amour fraternel existait, Pierre et Adrien Moreau en étaient l'incarnation.

À treize ans, ils avaient découvert la boxe, par désir de trouver une façon de se bagarrer amicalement, de se tirailler et de rigoler. Non pas cette boxe brutale et grossière à poings nus que l'on pouvait encore voir de temps à autre dans des endroits mal famés, et qui se terminait parfois par la mort d'un des combattants, mais celle, noble et humanisée par les règles du marquis de Queensbury, qui mettait l'accent sur l'agilité et l'intelligence des adversaires. Dans ce sport, point d'étouffements, de prises de tête ou de coups portés quand l'adversaire était au sol, mais le respect de l'autre et l'esprit sportif. Depuis lors, ils la pratiquaient plusieurs fois par semaine, appréciant la camaraderie qu'elle entretenait et le bien-être que l'on ressentait après quelques rounds d'effort bien senti. Aussi, parce que, nonobstant leurs vingt-deux ans, ils y trouvaient un prétexte à jouer ensemble.

Les messieurs de Saint-Sulpice toléraient cette petite excentricité. La plupart des prêtres qui vivaient et enseignaient au collège et au séminaire qui le jouxtait, les connaissaient depuis qu'ils étaient garçons et étaient bien au fait du lien qui les unissait. Au plus leur avait-on demandé d'être discrets pour ne pas susciter l'émulation chez les autres garçons, les bons pères ne souhaitant pas se retrouver avec une centaine de boxeurs en herbe sur les bras. Malgré cela, la rumeur s'était rapidement répandue et il n'était pas rare que des dizaines d'élèves se glissent en dehors des murs avant l'aube pour assister à quelques rounds, se laissant aller jusqu'à les taquiner lorsqu'ils recevaient un coup particulièrement solide. Cette complicité tacite contribuait sans doute au fait que Pierre et Adrien étaient des professeurs très appréciés de leurs élèves, l'un d'histoire du Canada, de l'Europe et de l'Antiquité, l'autre de latin et d'histoire sainte.

La famille Moreau croyait fermement aux mérites d'une solide éducation et elle était proche des sulpiciens, dont elle avait souvent aidé à financer les œuvres charitables. Aussi Hubert et Xavier Moreau, commerçants prospères, hommes réputés et respectés, n'avaient-ils pas lésiné sur la dépense pour offrir à leurs fils une place au Collège de Montréal. Dans le cas d'Hubert, la décision avait peut-être été précipitée par le fait qu'un homme seul pouvait difficilement s'occuper d'un fils, même unique.

Aussi loin que Pierre pût s'en souvenir, sa mère avait été sujette à un délire de persécution qui créait de terribles tempêtes dans son esprit vulnérable. Les médecins avaient fini par diagnostiquer une neurasthénie – une espèce de vague mal de vivre, de tristesse nerveuse perpétuelle qui décolorait la vie et que l'on ne savait pas vraiment soigner. Après quelques années, à bout de ressources, son mari avait dû se résoudre à la confier aux soins des sœurs de la Providence, qui l'avaient ensuite transférée à l'asile Saint-Jean-de-Dieu après sa construction en 1875. Sans doute l'avait-il fait autant pour éviter l'embarras que lui causait la condition de son épouse en société que par compassion.

Depuis lors, Hermine Moreau, née Lafrance, se desséchait parmi les aliénés. Pierre ne l'avait jamais vraiment connue. Voilà cinq ans, il avait tenté de la visiter, mais du parloir où il attendait qu'on l'amenât, des cris lui étaient parvenus ; les cris d'une mère qui hurlait qu'elle ne voulait pas voir son fils, qu'elle ne le connaissait pas. Il était reparti, à la fois triste et soulagé, et n'avait plus tenté de la contacter depuis.

Le résultat de l'internement de sa mère et des occupations professionnelles de son père avait été que, durant toute son enfance, il n'avait vu ce dernier qu'épisodiquement, pendant les vacances d'été. Si elle s'était un peu raffermie depuis, sa relation avec lui était restée distante et malaisée.

Adrien avait pour sa part senti l'appel de Dieu et y avait répondu, embrassant la prêtrise avec la même énergie qu'il abordait un match de boxe. Quant à Pierre, les sulpiciens avaient détecté chez lui un talent particulier pour l'histoire et l'avaient encouragé, développé et poli. À la fin de son séjour au collège, le jeune homme en savait autant que ses professeurs sur les trois derniers millénaires d'histoire et il était allé de soi qu'on lui offrît une position de professeur. Il l'avait acceptée avec plaisir, car elle lui permettait d'œuvrer dans l'institution qui était devenue sa véritable maison, et de partager ses connaissances tout en continuant à les approfondir. Il enseignait depuis maintenant trois ans déjà et en goûtait chaque instant. Comme Adrien, il avait trouvé sa voie.

— Tu vas avoir le nez enflé, fit-il remarquer à Adrien en entrant dans le collège par une porte dérobée à l'arrière du bâtiment.

— Tu crois ? demanda l'autre en reniflant.

— Définitivement, le railla Pierre.

— Je te tannerai les fesses la prochaine fois, protesta le prêtre.

— Des promesses, toujours des promesses, insista Pierre, taquin.

— Une promesse de curé ! corrigea son cousin. Ça vaut la parole de Dieu !

Pierre s'esclaffa devant cette boutade un peu sacrilège. Une sonnette résonna dans les couloirs.

— C'est l'heure du déjeuner, déclara Adrien. Nous avons tout juste le temps de nous laver avant le début des cours. Il ne faudrait pas que tu empestes ce soir pour ta belle Julie.

— Jaloux, rétorqua Pierre. Si ta soutane était de bronze, tu sonnerais l'appel à laudes tous les matins !

Avant qu'Adrien n'ait trouvé une répartie à lui servir, Pierre s'éloignait en riant à pleine gorge, heureux d'avoir eu le dernier mot.

4

*L*E VISAGE D'UN HOMME. *Toujours le même. Pierre ne le voit pas bien. Il semble émerger d'une brume épaisse, du genre qu'il imagine flotter dans un cimetière plein de revenants affamés et mauvais. Le visage est dur, tendu. L'étranger s'approche. Il est très grand et blond. Pierre est certain qu'il s'agit d'un ogre qui va le dévorer tout cru. Il geint. Il essaie de crier, d'appeler à l'aide, mais il en est incapable. Il a trop peur. Il se met à pleurer.*

L'homme empoigne fermement Pierre et lui plaque la main sur la bouche. Il grogne comme un monstre sorti de la garde-robe. Il sent la sueur et ses vêtements sont moites. Il le tire de son lit et le prend sous son bras comme un sac de patates. Pierre se débat comme un diable, mais il est impuissant devant la force de la créature. Ses larmes mouillent les doigts qui l'empêchent de respirer librement.

Sans retirer la main de son visage, l'homme sort par la fenêtre de la chambre en emportant son fardeau impuissant. Dans le couloir, des voix et des cris parviennent aux oreilles de Pierre. Des mots dont il ne comprend pas le sens.

L'homme s'élance dans la ruelle. Les jambes et les bras de Pierre sont ballotés par la puissance de ses enjambées. Papa et maman lui ont interdit d'aller dans la ruelle tout seul. Ils disent que c'est dangereux. Il se met à gigoter de plus belle et mord la main qui lui couvre la bouche. La peau épaisse et dure goûte le sel et la poussière. L'homme émet un grondement contrarié et lui écrase le bas du visage encore plus fort. Pierre a du mal à respirer. Alors, il cesse de débattre.

Une fois dans la ruelle, la créature semble hésiter un peu. Puis elle le dépose sur le sol, quelque part. Pierre ne sait pas où il se trouve. Il a trop peur pour réfléchir. Puis une drôle de chaleur l'enveloppe, comme s'il se vautrait dans un lit douillet. Il se rendort.

Montréal, 16 avril 1886

Lorsque Pierre s'éveilla, il était assis, les yeux grands ouverts et le corps rigide. Ses muscles étaient si crispés qu'ils tremblaient et lui faisaient mal. Il haletait et sa chemise de nuit était trempée de sueur. Ses mains serraient fort ses draps. Au pied du lit, un immense chat multicolore dont le ventre débordait sur les côtés était assis, le regardait fixement de ses yeux verts et émit un miaulement sonore.

— Oui, oui, Siméon, ronchonna Pierre avec une pointe d'impatience somnolente. Ça vient, espèce de goinfre.

Il inspira profondément à plusieurs reprises et secoua la tête pour chasser les images angoissantes qui traînaient dans sa tête. Il se frotta énergiquement le visage et se leva. Après quelques secondes à se réorienter, il arracha ses draps trempés et les jeta dans le coin de la chambre. Il les laverait plus tard. Le chat sur ses pas, grinçant comme un torturé, il se rendit jusqu'à l'armoire qui se trouvait sur le mur opposé et y prit des draps propres, dont il recouvrit le vieux matelas creusé par le poids de quelques décennies de dormeurs.

Lorsqu'il eut achevé sa tâche, il enleva sa chemise de nuit mouillée et l'envoya rejoindre les draps sales. Frissonnant, il s'approcha du lave-mains, empoigna le pichet et versa un peu d'eau tiède dans un verre. Assoiffé, il but à grandes gorgées. Ensuite, il remplit à moitié le bassin et lava en vitesse la sueur qui le mouillait des pieds à la tête, puis se sécha énergiquement avec une serviette de crin. Lorsqu'il fut propre, il se sentit mieux.

Il savait très bien qu'il ne se rendormirait pas. Il en allait toujours ainsi lorsqu'il faisait ce cauchemar. Il jeta un coup d'œil dehors par l'unique fenêtre de la petite chambre minable qu'il louait dans cette pension de la rue Saint-Laurent, coin Guilbault. Elle était juste assez grande pour faire huit pas dans une direction donnée. Faute de bibliothèque et de tablettes, des livres étaient empilés un peu partout. L'endroit était propre mais étouffant, et il y passait le moins de temps possible. Il sourit en songeant qu'au fond, c'était Adrien qui avait fait le bon choix. Au séminaire, il était logé, nourri et entretenu comme un coq en pâte. Pour lui, point de privation ni de soucis monétaires. Mais pour cela, il avait renoncé à un plaisir indicible. Pour Pierre Moreau, ce plaisir se nommait Julie Fontaine.

Le jour se levait et il n'aurait pas à attendre des heures avant de se mettre en marche pour la journée. Il retourna dans l'armoire qui lui tenait aussi lieu de penderie, y choisit des vêtements parmi le peu qu'il possédait et s'habilla. Sa chemise jaunie au col un peu élimé devrait faire l'affaire encore quelque temps. Il enfila son pantalon, se chaussa et noua sa cravate devant le petit miroir qui était accroché à l'intérieur de la porte de l'armoire. Il se regarda et fit la moue. Il avait l'air de ce qu'il était : un petit professeur pas très riche qui portait de vieux vêtements.

Il considéra le pot de confiture et la miche de pain bien entamée qui trônaient sur la petite table bancale où il prenait ses repas et corrigeait ses copies. Non. Après sa mauvaise nuit, il méritait un petit-déjeuner décent, arrosé d'un café noir bien chaud. Comme il était tôt, il aurait amplement le temps de marcher jusqu'au collège et de manger en compagnie des élèves. Il en aurait besoin pour traverser la journée sans trop somnoler.

Il ouvrit un paquet de papier ciré dans lequel se trouvaient les retailles de viande achetées la veille chez le boucher et en mit une poignée dans le bol du chat, qui se précipita en ronronnant et se mit à dévorer.

— Tu sais, Siméon, je crois que tu ne m'aimes vraiment que quand je te nourris, gros ingrat, ricana Pierre en caressant le dos de la bête sans qu'elle juge bon de s'interrompre.

Puis il entrouvrit la fenêtre pour que le félin puisse aller et venir selon ses envies sur la corniche jusqu'à l'escalier de secours. Il passa sa veste, ramassa les copies qu'il avait corrigées jusqu'aux petites heures, les fourra dans sa mallette de cuir, sortit et verrouilla la porte. Il s'engagea dans l'escalier de la maison de chambres et descendit les deux étages en silence, dans l'espoir d'éviter madame Simoneau, sa logeuse, qui s'entêtait à lui faire la conversation. À cette heure matinale, elle dormait probablement encore et c'était parfait ainsi.

Pierre descendit un pâté de maisons rue Saint-Laurent et s'engagea à droite dans Sherbrooke. Chaque matin, hiver comme été, qu'il neige, qu'il pleuve ou qu'il grêle, il marchait près d'une heure pour se rendre au Collège de Montréal. Il ne s'en plaignait pas. Il aimait cet exercice qui lui dégourdissait le corps et lui éclaircissait l'esprit. Il en profitait pour réfléchir, réviser mentalement la leçon du matin ou simplement laisser son esprit errer.

De si bonne heure, l'élégante rue était presque déserte. Aucun carrosse n'y circulait encore et les boutiques étaient fermées. À mesure qu'il remontait vers l'ouest, Pierre admira pour la millième fois les somptueuses demeures bourgeoises qui la bordaient, le plus souvent blotties derrière de grands arbres sur les branches desquels la fin d'avril déposait les premiers bourgeons. Entre ces murs vivaient des hommes d'affaires importants, grands décideurs de l'industrie et de la politique. Un univers de richesse et d'influence auquel lui, petit professeur d'histoire, n'aurait jamais accès. Au mieux, il enseignerait à leurs enfants.

Les restes de son cauchemar s'insinuaient encore dans ses pensées et il avait du mal à les en chasser. Depuis une dizaine d'années, ses mauvais rêves l'avaient pratiquement laissé tranquille. Mais ils étaient revenus en force voilà un an. Il savait bien qu'ils étaient la façon un peu tordue qu'avait trouvée son esprit pour évacuer son anxiété. Et Dieu seul savait à quel point il était nerveux depuis qu'il avait demandé la main de Julie. Ce soir-là, après un souper en compagnie de sa douce et de ses parents, il avait pris son courage à deux mains et s'était retiré dans le fumoir avec Émile Fontaine. Après avoir accepté le verre de porto et le cigare que le notaire, toujours jovial et souriant, lui offrait, il avait réussi à formuler sa demande d'une voix chevrotante, certain d'être rejeté par le prospère homme d'affaires en raison de la modestie de ses moyens et de ses perspectives d'avenir limitées. Monsieur Fontaine faisait partie de cette petite bourgeoisie canadienne-française à laquelle Pierre ne pourrait jamais légitimement aspirer. Pendant ce qui lui avait paru comme une éternité, l'homme l'avait toisé de haut à travers son pince-nez en tirant des bouffées de son cigare, semblant le détailler comme on évalue du bétail. Intimidé, Pierre avait cru qu'il allait se mettre à fondre ou avoir un accident dans son pantalon. Puis, fier de son coup, le notaire avait éclaté d'un grand rire et lui avait administré une retentissante claque sur l'épaule.

— Mais qu'est-ce que tu attendais pour la faire, cette grande demande, mon pauvre Pierre ? Bien sûr, que je te la donne, cette main, voyons ! s'était-il écrié.

Il s'interrompit un instant et brandit un index solennel, l'air théâtral.

— Si ma Julie est d'accord, évidemment, précisa-t-il. Ma fille unique est plus précieuse que la prunelle de mes yeux et je veux son bonheur. Es-tu celui qui peut le lui donner, Pierre ?

— Oh oui, monsieur, répondit le jeune professeur, transporté d'allégresse. Je ferai tout pour qu'elle soit heureuse. Même si je ne suis pas riche, ajouta-t-il en ravalant sa salive, sachant fort bien qu'il s'agissait là de son point faible.

— L'argent est un détail, mon garçon, répondit le notaire en souriant à pleines dents. Il suffit de savoir comment en obtenir et de posséder les relations pour y arriver. En temps et lieu, nous verrons à cela.

Monsieur Fontaine écrasa son cigare dans un grand cendrier en verre taillé, vida le fond de son verre et lui entoura affectueusement l'épaule avec son bras.

— Viens. Tu as quelque chose à demander à Julie, non ? dit-il avec un clin d'œil complice. Surtout, n'oublie pas de t'agenouiller. Les femmes adorent ça.

Julie avait accepté sans aucune hésitation et passé aussitôt à son doigt la modeste bague de fiançailles qu'il était parvenu à acheter à force d'économiser. Sous le regard attendri de ses parents, qui avaient assisté à la grande demande, elle s'était jetée à son cou en pleurant de joie. Jamais Pierre n'avait ressenti de bonheur plus entier. Dès lors, il avait eu le sentiment que sa vie avait un sens, que son travail contribuait à construire un avenir pour eux deux. Depuis, il mettait de côté chaque dollar de son maigre salaire d'enseignant pour éventuellement acheter une maison dans laquelle ils pourraient être heureux et qu'ils rempliraient d'enfants. Elle ne serait pas cossue, mais elle serait leur foyer et c'était tout ce que Pierre souhaitait.

Sa douce et tendre Julie. Si Dieu faisait vraiment des dons, elle était celui que Pierre avait reçu. Il avait fait sa connaissance voilà deux ans, pendant un bal de Noël auquel il ne s'était rendu qu'à contrecœur parce qu'Adrien avait insisté pour qu'il s'amuse un peu. Il avait revêtu son costume le moins usé et avait prévu s'éclipser dès qu'il le pourrait. Puis il avait aperçu la jeune femme, assise avec quelques amies. Il en avait eu le souffle coupé. Une bonne partie de la soirée, il l'avait admirée de loin, n'osant pas se risquer à l'inviter à danser, elle qui n'appartenait pas au même monde. Mais Julie Fontaine n'était pas comme les autres femmes. Elle avait remarqué l'attention qu'il lui portait et, loin de s'en offusquer, en avait paru flattée. Au mépris de l'étiquette la plus élémentaire, c'était elle qui avait fini par se diriger vers lui pour lui faire remarquer que la soirée avançait et que s'il désirait danser, il devrait se décider à le lui demander bientôt. Ne sachant si elle se jouait cruellement du pauvre petit professeur mal habillé ou si elle était sincère, il avait bafouillé la question. Elle avait échappé un rire cristallin qui avait pénétré dans l'oreille de Pierre pour se loger à tout jamais dans son cœur. Puis elle avait déposé sur la table un carnet de bal sans doute fort bien rempli, et avait accepté. À l'instant précis où la jeune fille avait mis sa main dans celle qu'il lui tendait galamment, sa vie avait été complètement bouleversée. Ils n'avaient plus cessé de se fréquenter par la suite.

Jolie petite rousse juste un peu rondelette, la demoiselle Fontaine exsudait la santé et la joie de vivre. Elle était rieuse, espiègle et d'une intelligente vive. Pierre avait du mal à ne pas la voir chaque jour. En sa présence, le temps semblait s'arrêter et leurs discussions s'éternisaient jusqu'à ce qu'un raclement de gorge discret de madame Fontaine lui fasse comprendre qu'il était temps pour lui de partir.

Il l'aimait d'un amour profond. Il la désirait aussi avec une violence dont il ne se serait pas cru capable. Il anticipait les décennies de volupté d'un mariage heureux et passionné. Il pouvait lire dans les yeux de Julie une passion équivalente qui ne demandait qu'à être relâchée et dont il lui tardait de profiter. Depuis leurs fiançailles, d'ailleurs, elle était devenue plus entreprenante. Alors qu'il n'était parvenu, jusque-là, qu'à lui voler quelques chastes baisers, elle lui permettait maintenant de l'embrasser à pleine bouche. De temps à autre, lorsqu'il était certain qu'ils ne seraient pas surpris, elle le laissait même effleurer ses seins opulents. Pierre ne pouvait plus se passer de Julie. Il la voulait pour lui seul, nuit et jour, corps et âme.

Il secoua la tête pour chasser ces pensées dont il n'arrivait pas à avoir honte. Dans un peu plus d'une heure, il serait en classe et il devait avoir les idées claires. Chastes, aussi. Les fils de bourgeois aisés, pensionnaires de surcroît, n'étaient pas toujours faciles, sans qu'ils se comportent pour autant comme des monstres. Contrairement à la plupart de ses collègues, surtout les prêtres qui ne croyaient qu'en une discipline inflexible, il aimait sincèrement ses élèves et leur laissait une liberté qu'ils appréciaient. Il ne les considérait pas comme des cruches vides mais comme des récipients à remplir et avides de l'être. Pour qui savait les prendre, ils pouvaient se montrer curieux et agréables. En participant à leur éducation, Pierre avait le sentiment d'être utile. Il contribuait à former des jeunes hommes qui, après leur baccalauréat en rhétorique, se dirigeraient vers les professions libérales. Autant d'avocats, de notaires et de médecins qui, un jour, se rappelleraient peut-être de leur petit professeur d'histoire avec un peu d'affection. Du moins, c'était ce qu'il espérait, songea-t-il en souriant.

Et puis, c'était un véritable plaisir d'enseigner au Collège de Montréal. Construit sur le flanc du mont Royal voilà moins de trente ans, il était vaste, éclairé et moderne. Ses classes étaient bien équipées. Son cabinet de physique et d'histoire naturelle, en particulier, faisait l'envie de bien des collèges. Les jardins qui l'entouraient étaient magnifiques et on y respirait encore l'air pur et sain de la campagne, dont la ville, couverte d'un nuage de suie permanent qui salissait tout, était privée depuis des décennies.

Parvenu devant le collège, il s'arrêta un instant pour admirer le bâtiment de pierre grise, comme il le faisait quelques secondes tous les matins, beau temps, mauvais temps. Avec son pavillon central et ses ailes perpendiculaires de quatre étages, il était à la fois simple et majestueux. Pas un matin depuis le jour où, encore tout jeune, il en avait franchi les portes pour la première fois, n'avait-il éprouvé autre chose que du plaisir à s'y trouver. Il s'y sentait chez lui. Et c'était normal. Il avait grandi à l'intérieur de ces murs bien plus que dans le foyer familial. Tout comme Adrien, qui avait également choisi d'y rester.

Pierre franchit la grille, laissant derrière lui la rue Sherbrooke qui commençait à s'éveiller. Il gravit le chemin en pente vers l'entrée principale et entra dans l'institution. Après quelques détours dans les couloirs, il parvint au réfectoire, où les élèves étaient en train de manger. Ils paraissaient sages et conversaient à mi-voix, mais Pierre ne s'y trompa pas : il pouvait voir dans les yeux de plusieurs cette lueur espiègle qui annonçait une journée mouvementée. Comme le voulait l'expression consacrée, ils sentaient une tempête.

Il inspira, résigné, et se servit deux cafés en plus de rôties bien beurrées et d'un bol de gruau. Il en aurait besoin. Heureusement, il était invité à souper chez les Fontaine. D'expérience, il savait que le simple fait de se perdre dans les yeux d'un bleu presque violet de son adorée effacerait comme par enchantement toutes les frustrations de la journée.

5

PIERRE SORTIT DU COLLÈGE encore plus éreinté qu'il ne l'avait craint. Percevant sa fatigue, ses élèves avaient méthodiquement repoussé les limites de sa patience, comme seuls savaient le faire des garçons de cet âge. Il avait eu besoin de toute son autorité pour maintenir un semblant d'ordre dans la classe, menaçant même d'imposer une dissertation de douze pages pour le lendemain matin, sans trop de succès. Il avait fini par s'incliner et, au lieu d'exiger le silence, il avait lancé une discussion ouverte sur les relations entre les premiers colons de la Nouvelle-France et ceux qu'ils avaient appelés les « Sauvages ». Comme toujours, les jeunes s'étaient révélés beaucoup plus ouverts d'esprit et plus tolérants que les adultes, s'insurgeant contre la façon dont les Indiens d'Amérique avaient été traités et se demandant de quel droit les chrétiens avaient voulu leur imposer leur foi. De telles opinions risquaient fort d'indisposer les autorités religieuses du collège et d'attirer quelques remontrances au professeur qui avait l'audace de les laisser s'exprimer dans sa classe, mais Pierre avait la conviction profonde que l'esprit critique était un outil essentiel pour modeler une vie et il ne désirait surtout pas les en priver. Au contraire, il avait modelé tout son enseignement sur ce principe.

De toute façon, Gérard Mofette, le supérieur, avait l'habitude de ce qu'il considérait comme les frasques d'un jeune original. Dès qu'il était entré en fonction, Pierre s'était fait un point d'honneur de convaincre le sévère sulpicien qu'il était bon que les élèves voient autre chose que les quatre murs des classes. À force de persuasion, il avait obtenu l'autorisation d'emmener parfois ses classes en expédition dans les rues de Montréal. Ainsi, ils avaient vu l'ancienne demeure du gouverneur Claude de Ramezay, rue Notre-Dame, maintenant un peu délabrée et occupée par la Cour des magistrats ; le musée de l'Art Association of Montreal, Square Phillips, où l'on pouvait admirer une quantité étonnante de tableaux de maîtres ; le musée de la Natural History Society of Montreal, coin Cathcart et University, où étaient exposées d'authentiques momies égyptiennes et des milliers de spécimens de toutes sortes, des animaux naturalisés aux minéraux ; les deux tours devant le collège, qui remontaient au fort de la Montagne construit en 1685, n'avaient pas été oubliées non plus. Pour Pierre, les édifices, les rues, les paysages, les lieux publics constituaient autant de livres ouverts qui ne demandaient qu'à être lus et sur lesquels il s'appuyait pour faire revivre le passé avec ses élèves. Comme il y réussissait bien, le supérieur le tolérait, même s'il semblait souvent regretter de lui avoir offert une position.

Lorsque la fin des cours arriva enfin, c'est avec un immense soulagement qu'il regarda ses élèves sortir en fermant ses livres. Il se laissa choir dans sa chaise, ferma les yeux et profita quelques instants du silence. À cause de sa courte nuit, il était vidé, mais cela n'avait aucune importance. Il était attendu à dix-neuf heures chez les Fontaine et savait qu'il trouverait dans le sourire de Julie et la gentillesse de ses parents une énergie nouvelle. Auparavant, s'il hélait un fiacre, il avait le temps de se rendre à la paroisse Notre-Dame-de-Grâce, où il devait rencontrer le curé pour lui annoncer son intention de se marier et faire préparer la publication des bans.

Pierre était assis dans un petit bureau à l'entrée du presbytère. Le curé, un gros homme rougeaud dont la panse menaçait à tout instant de faire sauter quelques boutons de sa soutane, était assis de l'autre côté de la table et prenait des notes dans un cahier.

— Alors, nous disons Pierre Moreau, marmonna-t-il en écrivant la langue sortie entre les lèvres. Votre date de naissance ?

— Le 7 janvier 1864.

— Le prénom de votre père ?

— Hubert.

Le curé interrompit ses écritures et quitta son cahier des yeux.

— Hubert Moreau ? L'importateur de vins et spiritueux ? demanda-t-il.

— Celui-là même. Il est partenaire dans l'entreprise avec son frère, Xavier. Vous le connaissez ?

— Seulement de réputation, comme à peu près tout le monde. On en dit beaucoup de bien, ainsi que de ses produits. Et les prénom et nom de fille de votre mère ?

— Hermine Lafrance.

— Vos parents se sont-ils mariés dans cette paroisse ?

— Non, mais j'y ai été baptisé.

— Très bien. Et vous désirez vous marier, c'est bien ça ?

— Oui.

— Le nom de votre fiancée ?

— Julie Fontaine, fille légitime d'Émile Fontaine et de Gertrude Normand.

Le curé releva un peu brusquement la tête, affichant un air d'approbation.

— La fille du notaire Fontaine ? Ma foi, vous vous êtes trouvé un bien bon parti, mon garçon. Quoique…

Il dévisagea Pierre avec un drôle d'air.

— Quoique quoi ? insista Pierre.

— Eh bien, c'est que… la rumeur court que l'homme entretient des fréquentations, disons, peu recommandables.

Interloqué, Pierre soutint son regard.

— Je… Je ne vois pas très bien ce que vous voulez entendre, répondit-il en haussant les épaules.

— En êtes-vous certain ? insista le prêtre en relevant un sourcil inquisiteur.

— Euh… oui. Peut-être que si vous étiez un peu plus précis…

Le curé fit un petit geste impatient de la main, comme s'il cherchait à chasser une mouche agaçante.

— Bah ! Ce n'est pas la peine, dit-il. Il ne s'agit sans doute que de médisances répandues par des mauvaises langues jalouses de sa réussite.

Il posa son crayon, ramassa le cahier et se leva.

— Je vais chercher les registres. Attendez-moi, je reviens dans une minute.

En se dandinant un peu, le gros curé se dirigea vers une porte au fond du bureau. Lorsqu'il l'ouvrit, une femme aux cheveux blancs recula brusquement, visiblement embarrassée.

— Tu écoutes encore aux portes, Marguerite ? lui reprocha sèchement le curé.

La vieille bredouilla des explications que le prêtre ne sembla pas prendre la peine d'écouter, habitué aux petites manies de sa servante. Il passa devant elle et la laissa plantée là. La vieille fronça les sourcils et dévisagea brièvement Pierre, recula lentement et disparut.

Tout en se demandant si la servante n'était pas un peu simplette, il se questionna distraitement sur les fréquentations douteuses auxquelles le curé avait fait allusion lorsque celui-ci réapparut, deux grands livres reliés en cuir sur les bras. Il les posa sur le bureau, soulevant au passage un petit nuage de poussière, ouvrit le premier, se mouilla l'index et se mit à en tourner les pages.

— Bon, alors voyons cela… 1864… Ah, nous y voilà ! Maintenant, le baptême…

Son index descendit la page ligne par ligne, puis la page suivante. Il fronça les sourcils et recommença son manège.

— Tiens, c'est curieux.

— Quoi donc ?

— Êtes-vous bien certain d'avoir été baptisé dans cette paroisse ?

— Mais oui. C'est ce que mon père m'a toujours dit, répondit Pierre, interdit.

— Pourtant, je ne trouve aucun baptême pour Pierre Moreau, fils d'Hubert et de dame Hermine Lafrance.

Le curé se tapota la lèvre avec l'index.

— Essayons le registre des naissances.

Il changea de livre et se remit à fouiller.

— Pas d'acte de naissance non plus, déclara-t-il après un moment, visiblement intrigué.

— Vous avez bien cherché ?

— La paroisse a à peine une trentaine d'année. Les registres ne sont pas encore si épais que l'on ne puisse s'y retrouver. De toute évidence, il y a eu erreur.

Le curé soupira, une moue dubitative sur les lèvres.

— Vos parents sont-ils toujours vivants ?

— Oui.

— Alors, vous feriez bien de leur demander des précisions. Vos actes de naissance et de baptême sont sans doute dans une autre paroisse. Il suffira de savoir laquelle et vous n'aurez aucun mal à faire publier vos bans.

— Très bien… dit Pierre, déboussolé. C'est ce que je ferai.

Il se leva et le curé fit de même. Les deux se donnèrent la main.

— Je suis désolé de ce contretemps, mon garçon, dit le prêtre avec sincérité. Mais ce n'est rien de grave. Ça se produit parfois. Vous vous marierez, je vous l'assure. Le grand jour est pour quand ?

— Nous pensions à juin de l'an prochain.

— Je vous souhaite tout le bonheur du monde, mon fils.

Le prêtre lui adressa un sourire franc et plein de bonté qui illumina son visage bouffi. Puis il traça le signe de croix dans l'air et le bénit. Pierre le remercia et quitta le presbytère, ne sachant trop quoi penser. Le soir même, avant de se rendre chez les Fontaine, il passerait chez son père pour clarifier la situation. Ce serait un prétexte pour le voir, ce qu'il ne faisait pas assez souvent.

Marguerite Deblois écarta un peu les rideaux du salon pour regarder le jeune homme s'éloigner. Elle avait écouté à la porte, comme elle le faisait toujours lorsque le curé devait fouiller dans les registres de la paroisse. C'était la tâche qu'on lui avait confiée, comme à bien d'autres dans les paroisses de la province et d'ailleurs. Elle et les autres étaient les yeux de Dieu, à l'affût du Mal.

Elle avait veillé si longtemps qu'elle en était venue à croire que seule la mort la soulagerait de sa vaine responsabilité. Depuis un peu plus de vingt ans, comme tous les autres, elle avait vécu d'espoir. Et voilà que sans prévenir, celui qu'ils cherchaient tous se présentait peut-être de son propre chef. Le jeune homme qui venait de sortir du presbytère était né en 1864. Il était blond aux yeux bleus. Sa naissance et son baptême n'étaient pas enregistrés là où il le croyait. Évidemment, cela ne prouvait rien. Mais le devoir de Marguerite Deblois était de rapporter toute piste potentielle et c'était ce qu'elle ferait.

Elle drapa son châle sur ses épaules, mit son chapeau, ramassa son sac et traversa la cuisine. Elle allait sortir lorsque le curé lui demanda où elle allait comme ça. Elle prétexta un manque de légumes frais pour le potage du soir, ce qui satisfit le gourmand.

Elle quitta le presbytère aussi vite que le lui permettaient ses vieilles jambes aux chevilles enflées. Elle avait quelqu'un à voir immédiatement.

6

COMME LA MAJORITÉ des bourgeois canadiens-français de Montréal, Hubert Moreau habitait une demeure de la rue Saint-Denis. Depuis le malheureux internement de sa femme, voilà déjà plus de quinze ans, il vivait seul dans une maison en brique brune de deux étages, devenue beaucoup trop grande pour lui. Beaucoup trop pleine de vieux souvenirs aussi. À la connaissance de Pierre, son père n'avait jamais demandé la dissolution de son mariage, comme il eût sans doute été en droit de le faire, lui que la folie avait privé d'une épouse légitime, d'une vie de couple normale et du bonheur que la famille doit apporter. Il ne semblait pas non plus avoir eu de maîtresse ou, si tel avait été le cas, il était demeuré d'une discrétion exemplaire, ce qui était tout à son honneur. Ayant maintenant franchi le cap de la cinquantaine, il n'avait fait que travailler pour bâtir l'entreprise qu'il partageait avec son frère Xavier, le père d'Adrien. En définitive, depuis le jour où il avait abandonné sa femme entre les mains des aliénistes, il n'avait pas vécu. Il avait existé.

Lorsque Pierre parvint devant la maison où il avait grandi, il s'arrêta. À droite, partageant un mur commun, se trouvait celle de l'oncle Xavier. Chaque fois qu'il y venait, il ressentait le même sentiment de vide en regardant la brique brune et la toiture mansardée. Il savait que son père n'y vivait pas seul, mais bien en compagnie perpétuelle de la tristesse et de la nostalgie. Il n'aurait su dire s'il travaillait tant pour oublier un sentiment de trahison ou simplement son malheur. Sans doute un peu des deux.

Depuis que Pierre fréquentait Julie et, surtout, depuis la grande demande, ces visites l'affectaient encore davantage et, malgré qu'il s'en sentît coupable, il les espaçait autant qu'il le pouvait. Son père et sa mère représentaient l'échec d'une vie à deux, même s'ils l'avaient sans doute abordée avec le même enthousiasme rêveur que Julie et lui. Malgré cela, leur mariage s'était tragiquement effondré. Il n'en restait plus que des ruines arides sur lesquelles rien ne pourrait jamais plus fleurir, à part l'amertume. Alors qu'ils avaient eu un fils et qu'ils auraient dû être heureux, la neurasthénie leur avait tout pris.

C'était dans ces moments, alors que sa garde était baissée, que la crainte qu'il refoulait refaisait surface. Peut-être sa mère ne l'avait-elle pas désiré ? Peut-être avait-elle sombré dans la folie parce qu'elle était incapable de faire face à la maternité ? Peut-être aussi la grossesse avait-elle simplement déclenché une condition latente ? Dans un cas comme dans l'autre, cela signifiait que son existence, à lui, avait provoqué une catastrophe ; que sa naissance avait ruiné la vie de ses parents. Seul Adrien était au courant de ces réflexions. Il n'avait jamais osé en discuter avec son père, de peur d'en obtenir confirmation. Il préférait rester dans l'ignorance. De toute façon, Hubert Moreau était un homme de peu de mots. Il n'aimait pas s'éterniser sur quelque chose d'aussi futile que des sentiments. Pour lui, tout était simple : chaque homme jouait sa partie avec les cartes que la vie lui avait données, sans se plaindre ni regarder derrière, et faisait de son mieux.

Pierre se tenait devant la maison depuis quelques minutes, le corps un peu raide, lorsqu'il se décida enfin à gravir les marches de la galerie. Une fois à la porte, il frappa à l'aide du butoir en bronze patiné de vert-de-gris qui s'était toujours trouvé là. Il attendit un peu et le visage surpris de son père apparut derrière le rideau écarté. L'instant d'après, ils se tenaient face à face de chaque côté du seuil. Hubert Moreau dévisagea son fils avec l'air un peu étonné qu'il affichait chaque fois qu'il le trouvait à sa porte.

— Pierre ? fit le grand homme mince à la chevelure prématurément blanchie et au visage creusé de rides par les soucis.

— Bonjour, papa. Comment allez-vous ?

— Bien. Très bien. Et toi ?

Monsieur Moreau se rendit compte qu'il bloquait l'embrasure et s'écarta avec empressement pour céder le passage à son fils.

— Mais entre, mon garçon, l'invita-t-il. Entre donc.

Pierre obtempéra et pénétra dans le vestibule. Il lui suffit d'un bref coup d'œil pour confirmer une fois encore que rien n'avait changé dans la maison de son enfance. De là où il se tenait, il pouvait entrevoir des parties du salon, de la cuisine et de la salle à manger, et tout était exactement comme au jour où sa mère était partie pour ne plus revenir, comme si le temps s'était arrêté ce jour-là. Cette maison n'était pas une demeure ; c'était un instant figé, un mausolée érigé pour quelqu'un qui n'était pas encore mort. La tristesse qui s'en dégageait était presque palpable. Il ne manquait que la poussière et les toiles d'araignée, et l'ambiance aurait été tout à fait sinistre. Heureusement, une femme de ménage passait une fois par semaine. Mais tout y restait sombre et déprimant. Comme toujours, les tentures étaient tirées, même si le soleil n'était pas encore couché. Animal nocturne, son père vivait terré dans le noir.

— Tu… Tu aurais dû m'avertir, bredouilla monsieur Moreau. Si j'avais su, j'aurais préparé un petit quelque chose et je t'aurais offert à souper.

Pierre força un sourire. Il n'ignorait pas que non seulement son père ne savait pas cuisiner, mais qu'il n'avait plus jamais mangé à la maison depuis le jour fatidique. Il s'arrangeait pour prendre ses trois repas à l'extérieur, soit à la boutique, soit lors d'un rendez-vous d'affaires, soit chez l'oncle Xavier, dont la femme, tante Simone, était un véritable cordon-bleu.

— Je ne fais que passer, se contenta-t-il de répondre. Je suis invité chez les Fontaine.

— Viens au moins t'asseoir un peu, insista son père en le prenant par le coude pour l'entraîner vers le salon. Tu boiras bien quelque chose ?

— Je ne dirais pas non à un verre de ce scotch que vous vendez au notaire.

— Bien !

Monsieur Moreau lui désigna un fauteuil et se rendit à une petite table où il s'affaira à remplir deux verres à même un décanteur en verre. Pierre en profita pour l'observer de profil, comme il l'avait souvent fait. Il avait beau chercher, il ne s'était jamais trouvé de ressemblance particulière avec cet homme au teint olivâtre, aux yeux foncés, au nez fort et à la lèvre charnue.

— Il a du goût, ton futur beau-père, enchaîna monsieur Moreau en lui tendant son verre. Et des moyens, aussi ! Lagavulin single malt de l'île d'Islay, vieilli seize ans. Couleur vieil or, reflets ambrés, goût de tourbe et d'iode. Un vrai nectar. Auprès d'Émile Fontaine, tu deviendras vite un connaisseur.

— Bof, n'exagérons rien, ajouta Pierre en passant le liquide ambré sous son nez pour en humer le parfum corsé aux relents fruités, comme monsieur Fontaine lui avait appris à le faire. Je me contente de me laisser instruire agréablement.

Monsieur Moreau rit doucement à cette boutade puis but une gorgée avant de reporter son attention sur son fils.

— Alors, mon garçon ? s'enquit-il. Qu'est-ce qui t'amène ? Si tu as besoin d'argent, tu n'as qu'à…

L'homme d'affaires portait déjà la main à la poche de sa veste, sans doute pour en sortir un porte-monnaie toujours bien rempli.

— Non, l'arrêta Pierre. Tout va bien.

Il détestait ce geste inévitable de son père, qui tenait pour acquis qu'il venait quémander de l'argent chaque fois qu'il se présentait à sa porte, alors qu'il ne lui avait jamais demandé un seul sou. Sans s'en rendre compte, son paternel lui rappelait ainsi que, s'il avait accepté son choix de profession, il était conscient qu'un professeur d'histoire dans un collège ne roulerait jamais sur l'or. Sans doute eût-il préféré qu'il reprenne ses parts dans l'entreprise familiale. Malgré que ce ne fût rien d'autre que de bonnes intentions, Pierre s'en trouvait toujours un peu humilié.

— Par contre, j'ai besoin d'une information de votre part, reprit-il.

— Ah ? Quoi donc ?

Pierre lui relata sa visite au presbytère de la paroisse Notre-Dame-de-Grâce. Lorsqu'il arriva à la question des registres des naissances et des baptêmes, dont son nom était étrangement absent, il eut l'impression furtive que son père pâlissait, mais n'eut pas le temps de le confirmer avant que le verre de scotch ne cache le bas de son visage, monsieur Moreau avalant deux grandes gorgées en fermant les yeux.

— Je ne sais pas trop quoi faire, conclut Pierre. J'ai toujours cru que j'avais été baptisé à Notre-Dame-de-Grâce, mais j'ai dû mal comprendre. D'ici à ce que le mystère soit résolu, me voilà… apatride, en quelque sorte.

Cette fois, il n'y avait aucun doute possible. Monsieur Moreau était blême.

— Papa ? Vous vous sentez mal ? s'inquiéta-t-il en faisant mine de se lever.

— Moi ? Mais non ! Pas du tout, le rassura son père en lui faisant signe de se rasseoir. Je réfléchis, c'est tout. Il doit y avoir une erreur quelque part parce que c'est bien là que tu as été baptisé. Retournes-y et insiste un peu. Tu verras, tout s'éclaircira.

— Très bien. J'y verrai dès que j'aurai une minute.

— Et moi, je vais fouiller dans les tiroirs. Je dois bien avoir une copie de cet acte de baptême quelque part. Mais, tu comprends, c'était ta mère qui s'occupait de ces choses…

Ils se regardèrent en silence, aucun des deux ne sachant quoi dire.

— Alors ? Les affaires sont bonnes ? s'informa le fils, faute de mieux.

La conversation, superficielle et à bâtons rompus, dura une trentaine de minutes qui parurent des heures à Pierre, le temps de remplir une deuxième fois leur verre. Lorsque tous les sujets sans importance furent épuisés, il se leva.

— Je dois y aller, annonça-t-il.

— Déjà ? parut déplorer son père, ce qui ne l'empêcha pas de bondir aussitôt sur ses pieds, sans doute soulagé de pouvoir mettre fin hâtivement au malaise.

Monsieur Moreau sourit en le reconduisant vers l'entrée.

— N'en dis pas plus, mon garçon, rigola-t-il en lui tapotant l'épaule. J'ai été fiancé à une belle jeune femme moi aussi. Faire la cour, ça dévore les soirées !

Un lourd silence s'installa, aucun ne sachant que dire après l'allusion à Hermine Lafrance, sujet tabou s'il en était un.

— Bon, je vais y aller, balbutia Pierre.

Il allait sortir lorsqu'il hésita. Il s'était promis d'aborder un autre sujet avec son père. Un autre mystère à élucider.

— Papa ?

— Oui ?

— Des voleurs sont-ils jamais entrés ici ?

— Ici, dans cette maison ? Mais non.

— Pas d'incendie non plus ?

Hubert Moreau dévisagea son fils, les sourcils froncés par la perplexité.

— Jamais. Pourquoi ?

— Rien. C'est seulement un cauchemar que je fais souvent.

Il lui en traça les grandes lignes sans que son père l'interrompe, mais il vit bien que le visage ridé se crispait.

— L'explication est évidente, mon pauvre garçon, déclara monsieur Moreau lorsqu'il eut fini. Tu sais, quand le médecin est venu… euh… chercher ta mère pour l'emmener… là-bas, tu dormais. Il était accompagné de deux hommes qui ont dû la maîtriser.

Les yeux d'Hubert Moreau se mirent à rouler dans l'eau et il se mordilla les lèvres. Pendant un instant, il eut l'air d'avoir vingt ans de plus. Il se passa les mains sur la bouche, étirant la chair tombante de ses joues.

— Elle s'est débattue comme une furie, la pauvre chérie, confia-t-il d'une voix à peine audible, comme s'il revivait l'atroce épisode. Elle hurlait comme une bête enragée. Tu as sans doute entendu tout ça dans ton sommeil et c'est ce dont tu te souviens dans ton rêve.

À cet instant précis, Pierre ressentit une infinie pitié pour cet homme droit et fier qui, toute sa vie durant, avait porté seul la douleur et la honte de perdre celle qu'il aimait aux mains d'un rival contre lequel il était impuissant. Il fut pris d'une envie de le prendre et de le serrer dans ses bras. Mais il se retint. Hubert Moreau n'était pas un homme d'effusions et le contraindre à de pareilles manifestations l'eût humilié encore plus que d'avoir à raconter ce qu'il venait de révéler.

— Merci papa, se contenta-t-il de dire d'une voix gonflée par l'émotion.

Ils se serrèrent la main sans rien ajouter, tous les deux mal à l'aise, et Pierre sortit. Comme chaque fois qu'il revenait de la maison de la rue Saint-Denis, il ne put s'empêcher de déplorer qu'un père et un fils habitant si près l'un de l'autre ne se fréquentent pas davantage. Mais dans l'ensemble, cela valait mieux ainsi. Il ne pouvait pas s'imaginer traînant chaque jour l'étrange lourdeur dans l'estomac qu'il ramenait de sa maison natale.

Perplexe, Hubert Moreau regarda son fils s'éloigner. L'acte de baptême qu'il cherchait n'existait pas et, de toute façon, il n'aurait servi à rien. Il savait bien, lui, que le pauvre garçon ne se marierait jamais.

Avant que Pierre ne surgisse, le marchand avait prévu lire un peu et se coucher tôt, mais ses plans venaient de changer dramatiquement. Il devait, de toute urgence, rapporter ce qu'il venait d'apprendre. Quelques heures à peine s'étaient écoulées depuis la visite de Pierre au presbytère, mais, après vingt longues années, son anonymat était éventé, ce qui devait arriver tôt ou tard. La démarche de Pierre avait probablement éveillé l'attention de ceux qui guettaient. Si tel était le cas, la course venait de s'engager.

Hubert Moreau éprouva un pincement au cœur en songeant que Pierre courait un terrible danger. Il avait toujours su que cet instant viendrait. Après tout, n'était-ce pas spécifiquement à cette fin qu'il avait élevé son fils? Néanmoins, le fait de savoir qu'il n'était désormais plus qu'un pion dans une partie aux répercussions immenses attristait le marchand.

Dès que Pierre eut disparu, il prit un chandelier à sept branches qui trônait sur le grand buffet, en alluma les bougies et le plaça à la fenêtre. C'était le signal. Quelqu'un viendrait bientôt. Il s'assit dans le salon et attendit. Sa tâche se terminait et celle de son fils débutait.

7

Les idées noires quittèrent Pierre dès qu'il se présenta chez les Fontaine, rue Mansfield, entre Sherbrooke et Burnside. Ce fut Julie qui lui ouvrit et aussitôt, l'univers s'ensoleilla. L'air de rien, elle avait guetté son arrivée derrière les rideaux, comme elle le faisait toujours.

Sa robe marine faisait magnifiquement ressortir les cheveux roux qui lui drapaient les épaules comme un voile de feu. Ses yeux bleus étaient rieurs et ses lèvres charnues, que Pierre ne se lassait pas de goûter, se fendirent en un sourire qui n'avait rien de réservé. Elle regarda furtivement derrière elle pour s'assurer que personne ne l'observait. Satisfaite, elle lui encercla le cou de ses bras et l'embrassa avec ferveur, sa langue s'enfonçant dans sa bouche pour la fouiller avec ardeur. Comme toujours, elle émit un petit couinement d'excitation difficilement maîtrisée et Pierre sentit un frémissement parcourir tout son corps. Puis elle se détacha, haletante, arrangea ses cheveux, lissa sa robe sur ses formes amples, les pointes de ses seins poussant contre le tissu, et éventa de la main son visage aux pommettes rougies pour en chasser les chaleurs. Elle lui adressa un nouveau sourire dans lequel Pierre put lire la promesse des plaisirs à venir. Pour le reste de sa vie.

— Comment vas-tu ? demanda-t-elle d'une voix un peu rauque.

— Les élèves ont été des monstres, ricana-t-il. Mais maintenant, je me sens merveilleusement bien.

— Tu as les traits tirés, dit-elle en pinçant les lèvres. Tu es malade ?

— Ce n'est rien, ne t'inquiète pas. Je suis seulement un peu fatigué.

Julie plissa les paupières et l'observa d'un air inquisiteur. Lorsqu'elle adoptait cette attitude, il avait l'impression qu'elle pouvait lire en lui sans aucune difficulté. Il n'était jamais parvenu à lui cacher quoi que ce soit.

— Tu as encore eu un de tes cauchemars, c'est ça ? l'interrogea-t-elle, confirmant ce qu'il pensait.

— Juste un peu, répondit Pierre, son visage se plissant en une moue inconfortable. Et puis, j'ai un petit problème.

Il lui relata brièvement les événements survenus au presbytère quelques heures auparavant et le résultat de sa rencontre avec son père. Une ombre d'inquiétude balaya le joli visage toujours si ouvert.

— Vraiment ? fit-elle.

— Ne crains rien, Julie, je réglerai tout ça, je te le promets, l'assura Pierre, soudain pris de frayeur à l'idée qu'elle pourrait remettre en question leur union.

— Je suis certaine que ce n'est qu'un malentendu, déclara-t-elle avec légèreté. L'important, c'est que nous puissions nous marier.

— Rien ne m'en empêcherait ! Je me ferai protestant s'il le faut !

Elle l'embrassa sur la joue en riant et Pierre sourit. Une vie avec Julie Fontaine était, en effet, tout ce qui comptait. Il résista à l'envie de la prendre encore dans ses bras et d'enfouir son nez dans le creux de ce cou dont l'odeur le rendait fou.

— Je repasserai au presbytère quand j'aurai le temps, mais une certaine demoiselle rousse et jolie comme tout occupe presque toutes mes soirées, dit-il en lui caressant le bout du nez.

— Tu ne sembles pas t'en plaindre, le taquina-t-elle. En attendant, le repas sera bientôt servi.

D'un geste possessif lourd de séduction, elle réarrangea affectueusement les mèches sur son front, passa son bras dans le sien et l'entraîna vers le hall. Bras dessus, bras dessous, ils atteignirent la salle à manger et y trouvèrent monsieur Fontaine déjà installé à la place d'honneur, au bout de la longue table en acajou verni.

Sous la lumière du plafonnier au gaz, le crâne chauve encerclé par une couronne de cheveux gris d'Émile Fontaine luisait comme une bille. Peut-être pour compenser sa calvitie, il arborait d'abondants favoris. Comme toujours, il était vêtu d'un costume trois pièces sombre qu'il agrémentait d'une cravate. Lorsqu'il vit Pierre, un large sourire fit retrousser la fine moustache méticuleusement taillée qui ornait sa lèvre supérieure. Il se leva d'un trait, tira sur le bas de son gilet pour le remettre en place et déploya sa haute et mince charpente. D'un pas alerte, il vint rejoindre son futur gendre en quelques enjambées. Il lui serra la main avec énergie en saisissant son coude de l'autre main, comme c'était son habitude.

— Pierre! le salua-t-il, réjoui comme s'il ne l'avait pas rencontré depuis des semaines. C'est toujours un plaisir de te revoir.

— Tout le plaisir est pour moi, monsieur.

Sur les entrefaites, la mère de Julie apparut. Un peu plus enrobée que dans sa jeunesse, les cheveux à peine grisonnants remontés en chignon, les joues rougeaudes et l'œil espiègle dont sa fille avait hérité, elle était encore fort belle pour une femme de son âge et l'amour fervent que lui portait son mari était évident dans le regard concupiscent qu'il lui adressait parfois. Son visage s'illumina à la vue du jeune homme pour lequel elle ressentait une affection toute maternelle.

— Ah! Mon futur gendre, le savant professeur d'histoire! s'exclama-t-elle en se rendant à sa rencontre pour lui tendre les joues, qu'il effleura avec les siennes.

Elle fit deux pas vers l'arrière pour l'examiner des pieds à la tête, les poings sur les hanches, avec le même air critique que sa fille.

— Tu es maigre comme un fil, décréta-t-elle d'un ton péremptoire pour la millième fois depuis qu'elle le connaissait. Tu travailles trop et tu manges mal. Il est grand temps que Julie et toi soyez mariés pour qu'elle puisse te nourrir convenablement. Un homme seul finira toujours par mourir de faim. En attendant, heureusement, je suis là! Allez, assied-toi.

En coup de vent, elle quitta la salle à dîner pour ressurgir une minute plus tard avec un plat de service. Elle le déposa sur la table et, d'un geste théâtral, en ôta le couvercle pour révéler un gros rôti de bœuf au fumet exquis entouré de patates, de carottes et de navets cuits dans la graisse. Armée d'un long couteau de cuisine, elle y tailla quelques épaisses tranches, les agrémenta ensuite d'une montagne de légumes, arrosa le tout de jus et déposa l'assiette devant Pierre, qui sentit la salive lui remplir la bouche. Il eut du mal à patienter jusqu'à ce que tous soient servis, les gargouillements de son estomac le trahissant, au grand amusement de la famille. Sans doute affamé lui aussi, monsieur Fontaine dit un bénédicité hâtif et Pierre put enfin plonger son couteau dans la viande juteuse qui fondait dans la bouche, arrosée d'un bourgogne au goût riche. Suivit un succulent pudding aux pommes qu'il dévora avec un appétit tel que sa future belle-mère insista pour lui en servir une deuxième portion. Il enfourna le tout avec enthousiasme et surprit le sourire attendri que s'échangeaient la mère et la fille. Quel que soit leur âge, les femmes aimaient voir un homme apprécier ce qu'elles cuisinaient. Julie ne faisait pas exception. Elle ferait une merveilleuse épouse. Pierre lui sourit à travers sa coupe en prenant une gorgée.

La conversation alla bon train, passant des dernières nouvelles mondaines aux affaires ou au bénévolat de madame Fontaine. Le souper, régulièrement ponctué de rires francs, fut aussi agréable qu'à l'habitude. Chaque repas pris chez les Fontaine causait à Pierre un petit pincement au cœur, lui qui n'avait jamais vraiment connu ces joies toutes simples partagées en famille.

Lorsque tout le monde eut terminé, Pierre avait l'impression qu'il ne pourrait plus avaler une seule bouchée pour des jours. Pendant que la mère et la fille commençaient à desservir, monsieur Fontaine lui proposa de prendre un digestif dans le fumoir.

— Tu en as besoin, je crois, avait-il dit en se moquant sans malice.

— Votre épouse est une merveilleuse cuisinière, se justifia-t-il.

— Je sais. Je ne comprends pas comment, après plus de vingt ans de mariage, je suis toujours aussi maigre. Quoique j'aie quand même une ou deux hypothèses, ajouta-t-il en jetant un regard lascif sur le postérieur de sa femme, qui ondulait pendant qu'elle sortait avec le reste du rôti.

Pierre baissa les yeux, embarrassé par le commentaire un peu libertin de son futur beau-père, lui d'apparence pourtant si austère.

Une fois dans le fumoir dans lequel flottaient des relents sucrés de tabac, monsieur Fontaine referma la porte et versa deux verres de poire Williams. Les deux hommes prirent place dans de luxueux fauteuils ouvragés et recouverts de brocard.

— J'ai acheté ce divin breuvage à la boutique de ton père, l'informa-t-il en humant le fumet délicat. Il tient la meilleure qualité en ville.

— Mon oncle Xavier et lui en sont très fiers, répondit Pierre.

Après avoir savouré la liqueur dans ce silence que les hommes savent partager sans malaise, ils posèrent leurs verres sur le petit guéridon qui les séparait. Monsieur Fontaine ouvrit la boîte à cigares et la présenta à Pierre, qui en tira un. Connaissant maintenant le rituel approprié, il le fit passer sous son nez sur toute la longueur pour en humer le parfum, puis accepta le coupe-cigare de laiton pour en trancher l'extrémité. Il l'alluma à l'aide d'une allumette en bois et tira une longue bouffée de fumée riche et fruitée qu'il fit ressortir lentement par ses narines.

Il devait admettre qu'il adorait se retrouver en compagnie d'Émile Fontaine. Il avait l'impression de vivre avec son beau-père ce qu'il n'avait jamais vécu avec son propre père. Sans aucune gêne, il lui raconta les événements de la journée.

— Alors ? l'interpella le notaire à brûle-pourpoint. Ton mariage approche à grands pas. Un an, ça passe vite. Tu es toujours décidé à faire le grand saut ?

— Mais bien sûr ! Plus que jamais !

Il lui relata les contrariétés que lui avaient causées les registres paroissiaux et sa discussion subséquente avec son père. Le notaire Fontaine l'écouta sans l'interrompre, l'air songeur.

— Tu l'aimes, ma Julie, n'est-ce pas ? demanda-t-il enfin.

— Vous savez bien que oui, se défendit Pierre.

— Je te comprends, renchérit Fontaine avec un air rêveur. C'est une jeune femme magnifique. Sa mère et moi en sommes très fiers. Elle fera une bonne épouse et nous savons que tu prendras bien soin de notre unique enfant. Tu es nerveux ?

Pierre ricana.

— Un peu, admit-il. Mais j'ai surtout hâte.

— Ah, je me souviens, moi aussi, de l'attente interminable de la nuit de noces et des promesses qu'elle recèle.

— Ce n'est pas ce que je voulais dire, monsieur, dit Pierre en rougissant. Je…

— Allons, allons, l'interrompit charitablement le notaire en levant la main. Nous sommes entre hommes, mon garçon. Nous savons tous les deux que l'on ne se marie pas seulement pour s'assurer une bonne compagnie au crépuscule de la vie. Les plaisirs qu'on y trouve sont légitimes et ne pas les convoiter serait malsain. Ils font la différence entre un couple qui dure et un autre qui se dessèche. Je préfère savoir que ma fille partagera son lit avec un mari normalement constitué et doté de saines ardeurs qui saura satisfaire ses besoins.

Il se pencha vers Pierre avec un air de confidence.

— Entre nous, murmura-t-il, l'œil espiègle et le sourire lui faisant friser la moustache, je te souhaite que la fille tienne de la mère. Tu ne t'ennuieras pas, je te l'assure. Parfois, tu demanderas grâce. Et ensuite, tu la supplieras de recommencer.

Ne sachant quoi ajouter sans manquer de respect à la vertu de sa promise et de sa mère, Pierre sourit timidement et baissa les yeux vers son verre, les joues brûlantes, se concentrant sur le fond de liqueur de poire qu'il faisait tournoyer paresseusement.

— Mais dis-moi, reprit monsieur Fontaine en changeant brusquement de sujet comme il le faisait souvent, comment se portent tes finances ?

Pierre ravala sa salive. Il ne servait à rien de mentir. Le notaire était un homme d'affaires avisé qui avait fort bien réussi et il n'était pas naïf.

— Aussi bien qu'il est possible, je suppose, admit-il à regret, un peu honteux. J'économise tout ce que je peux et j'espère être en mesure de…

— Mais ton salaire est bien modeste et tu vois mal comment tu pourras loger convenablement ta femme, et plus tard ta famille, compléta charitablement le notaire en hochant la tête avec compréhension.

— C'est à peu près ça, oui. Mais je désire ce qu'il y a de mieux pour Julie.

Pierre soupira, déconfit.

— Peut-être devrais-je envisager une autre profession. Je suis certain que mon père m'accueillerait avec plaisir dans son entreprise, dit-il en réfléchissant à voix haute.

— Mais non ! Surtout pas ! Tu aimes ton métier et tu ne te verrais pas faire autre chose. Rassure-toi, je ne te demande pas de changer quoi que ce soit, dit le notaire avec bonhomie.

Il posa son verre sur le guéridon, appuya ses avant-bras sur ses cuisses, joignit les mains et le regarda avec intensité.

— Il existe des moyens de s'enrichir, même quand nos revenus sont modestes. En affaires, tout est question de relations. L'importance de tes amis et leur empressement à t'aider, c'est tout ce qui compte. Mais nous reparlerons de tout ça.

Il se leva d'un trait. Pierre l'imita et fut entraîné vers la salle à dîner.

— En attendant, je dois jouer mon rôle de père protecteur et l'heure des fréquentations décentes est passée, plaisanta-t-il. Allez, mon garçon, va dire au revoir à ta Julie et retourne faire ton devoir – ce qui, dans ton cas, consiste sans doute à corriger un tas de copies.

Julie toisa son père, les poings sur les hanches comme sa mère, la tête inclinée, l'air mécontent.

— Père, comment suis-je censée fréquenter mon fiancé si vous me le volez pour aller lui apprendre à fumer vos cigares qui empestent ?

— Je protège surtout ta vertu, belle enfant ! la taquina monsieur Fontaine en pinçant affectueusement la joue de sa fille unique. Va reconduire ton prince charmant à la porte et fais-lui tes adieux jusqu'à demain. Des adieux vertueux, évidemment.

Il adressa un clin d'œil complice à sa fille unique.

— Je n'entendrai et ne verrai rien, je te le promets.

Julie rougit et empoigna Pierre pour le tirer vers le hall. Une fois à la porte, sans prévenir, Pierre lui saisit la taille des deux mains et l'attira contre lui. Surprise, la jeune femme résista un peu puis se laissa aller. Lorsqu'elle eut compris la nature de ce qui appuyait sur son ventre, elle écarquilla les yeux puis sourit en appuyant un peu plus fort.

— Bientôt, bel amour, lui murmura-t-elle à l'oreille, le souffle court. Nous le ferons dix fois par nuit, de toutes les façons que tu pourras inventer. Je serai toute à toi. Je te le promets.

Elle lui mordit le cou, lui arrachant une inspiration sèche, puis prit ses distances.

— Bonne nuit, dit-elle en se léchant lascivement les lèvres.

Lorsque Pierre se mit en marche dans les rues de Montréal, il ne pensa qu'à une chose jusqu'à ce qu'il soit revenu à sa chambre.

8

Saint-Jean d'Acre, 13 avril 1291

SUR LA MURAILLE de Saint-Jean-d'Acre, Guillaume de Beaujeu, *magister* des chevaliers du Temple, observait le siège en se mordillant nerveusement la lèvre inférieure. Il n'était pas habitué au sentiment d'impuissance qui le tenaillait, lui que l'on considérait, à juste titre, comme un des plus grands stratèges militaires de son époque. Les rois s'en remettaient à son jugement et à son sens de la stratégie, et ce n'était que grâce à sa ruse que la mainmise des croisés sur la Terre sainte, qui tirait à sa fin, ne s'était pas effritée encore plus tôt.

Le vent faisait perpétuellement lever du sable qui lui brûlait les yeux et le faisait tousser, mais il passait tout de même ses journées et une grande partie de ses nuits sur le rempart nord. Tout autour, il ne voyait qu'une interminable mer de soldats et de cavaliers musulmans habilement menés par le sultan Al-Ashraf, déterminés à écraser une fois pour toutes les chrétiens qui avaient envahi leurs terres ancestrales. Il ne pouvait les en blâmer. Il aurait agi de la même manière.

Depuis une semaine, la ville était encerclée par les Sarrasins. Quatre énormes catapultes, de nombreux mangonneaux et balistes faisaient pleuvoir sur elle une incessante avalanche de pierres qui causaient des dommages de plus en plus difficiles à colmater, particulièrement aux tours qui étaient pratiquement inutilisables.

Acculés au mur, les Templiers, les hospitaliers et les chevaliers teutoniques présents avaient mis de côté les nombreuses dissensions qui avaient toujours opposé les ordres de moines soldats pour assurer ensemble une défense désespérée des remparts.

Voilà quelques jours, un messager avait réussi à franchir le blocus pour leur annoncer l'arrivée prochaine de renforts menés par Henri II de Jérusalem, mais malgré les deux cents chevaliers, les cinq cents fantassins et les vivres promis, Beaujeu ne se faisait pas d'illusion : Acre était la dernière place forte des croisés et elle ne tiendrait plus très longtemps. Dieu seul pouvait dire ce qu'il adviendrait de ses quarante mille habitants. Il savait que les quelques centaines de Templiers dont il disposait mourraient l'épée à la main, comme l'exigeait leur règle. Les hospitaliers et les chevaliers teutoniques en feraient autant, il n'en doutait pas. Les quinze mille soldats seraient peut-être moins courageux. Mais tout cela ne changerait rien. Une mort glorieuse était la seule porte de sortie.

— Maître Guillaume ? fit une voix.

Beaujeu tourna la tête et découvrit le frère Este à quelques pas de lui. Il était tout jeune et n'avait été initié que l'année précédente par Beaujeu lui-même. Les cheveux coupés ras, comme l'exigeait la règle de l'ordre, il n'avait même pas encore au menton la barbe fournie qui identifiait les Templiers. Malgré cela, il avait déjà connu le combat plus qu'il ne l'aurait dû, ce que prouvaient les deux doigts qui manquaient à sa main gauche. Son manteau blanc était souillé et déchiré à plus d'un endroit. Son armure était cabossée à la poitrine et sa cotte de mailles était endommagée. Il tenait son heaume sous son bras et attendait, la main sur le pommeau de l'épée qu'il portait à la taille. Un garçon devenu un homme bien trop vite.

— Oui ? s'enquit Beaujeu, plus impatiemment qu'il ne l'aurait voulu.

— Le frère Aigremont vous mande, maître Guillaume.

— Il devra attendre, rétorqua sèchement Beaujeu. Au cas où il ne l'aurait pas entendu dire, nous sommes assiégés de toutes parts. J'ai autre chose à faire que de m'occuper de ses vieux papiers.

— Il affirme que c'est urgent, insista le messager. Il avait l'air très troublé. Il m'a ordonné de vous dire qu'il en allait de la mission même de l'ordre et que rien ne devait vous empêcher de venir à lui.

Opinant, Beaujeu laissa échapper un long soupir d'impatience qui tenait du grondement. En presque deux siècles en Terre sainte, au fil des conquêtes, des pillages, des tractations financières et des échanges diplomatiques, les chevaliers du Temple avaient accumulé une masse impressionnante de manuscrits que les frères les plus lettrés de l'ordre travaillaient sans relâche à traduire. Il en avait résulté des découvertes importantes, certaines carrément étonnantes : des traités de médecine, d'astronomie, de mathématiques et de philosophie qu'on avait cru perdus et qui contenaient des connaissances depuis longtemps oubliées ; des documents qui remplissaient des vides importants dans l'histoire ; même quelques versions anciennes et plus ou moins orthodoxes des évangiles. Par contre, le temps n'était plus à l'étude, mais bien à la survie, et les frères traducteurs ne semblaient pas vouloir le comprendre. Particulièrement Aigremont, qui, depuis qu'Acre était menacée, s'entêtait à passer ses journées et ses nuits dans les caves humides du château comme si sa vie en dépendait.

Beaujeu et Aigremont de Lévis avaient grandi ensemble dans l'ordre et étaient amis depuis des décennies. Le maître du Temple avait appris à tolérer les caprices d'Aigremont mais ce dernier avait beaucoup changé au cours des dernières semaines. Il parlait peu, oubliait de manger et semblait manquer de sommeil. Il avait maigri et arborait en permanence un air hagard, presque hanté et dont Beaujeu se serait inquiété s'il en avait eu le temps. Il savait par ailleurs que son ami n'était ni stupide ni frivole. S'il le mandait d'urgence, c'était qu'il le jugeait nécessaire.

— Soit, soupira-t-il. Où est-il ?

— Dans la bibliothèque.

— Évidemment, grommela Beaujeu.

Sans même remercier le messager, il descendit du rempart en toute hâte et traversa la cour intérieure d'un pas pressé. Ami ou pas, il accorderait deux minutes à Aigremont, pas une de plus. Il entra, fila à travers la grande salle et s'engagea dans l'escalier en colimaçon dont il gravit les marches deux à deux malgré le poids de son armure, qui était devenue pour lui une seconde peau au fil des ans.

Il fit irruption dans la bibliothèque aux murs couverts de tablettes où étaient posés des monceaux de manuscrits et de livres méticuleusement recopiés à la main. Il repéra son vieil ami devant la fenêtre. Ses pas sur le plancher de pierre semblèrent le tirer d'une profonde réflexion et il se retourna lentement. En apercevant son visage, Beaujeu eut un choc. Aigremont était pâle et ses lèvres n'étaient plus qu'une mince ligne incolore et tremblante. Ses yeux étaient rouges et cernés comme s'il avait pleuré. Il semblait avoir dépassé depuis longtemps les limites de l'épuisement.

— Qu'y a-t-il, Aigremont ? s'enquit-il en se rendant près de lui pour le soutenir avant qu'il ne tombe.

— Quelque chose de… terrible, mon frère.

— Quoi ? Mais parle, par Dieu !

À ces mots, les lèvres d'Aigremont se mirent à frémir et des larmes jaillirent de ses yeux usés pour mouiller ses joues et se perdre dans sa barbe grisonnante. L'espace d'un instant, il eut l'air d'un vieillard débile. Il se dégagea des bras de Beaujeu et se rendit à la table où il passait tout son temps. Il y prit un parchemin et, d'un geste plein d'urgence, le tendit à Beaujeu.

— Lis toi-même.

Perplexe, Beaujeu saisit le document, le déroula et le parcourut des yeux. Lorsqu'il en eut terminé la lecture, il était aussi pâle que son vieil ami et ses mains tremblaient.

— Par les sabots du diable… murmura-t-il d'un mince filet de voix avant de ravaler sa salive. Es-tu absolument certain de ceci ?

— J'ai révisé des dizaines de fois en espérant avoir mal traduit. Il n'y a aucun doute, mon frère. Ce que tu as lu est authentique.

Il s'assit lourdement sur son tabouret et passa ses mains dans son épaisse chevelure grisonnante.

— Je sais qu'Acre n'en a plus pour longtemps, poursuivit-il. Je me suis hâté de terminer la traduction, à laquelle je travaille depuis des mois. Cette écriture est très ancienne. Elle n'est pareille à aucune autre. Mais pour mon plus grand malheur, et celui de toute la chrétienté, j'ai réussi. J'aurais dû le brûler, mais je ne pouvais pas m'y résoudre en sachant que je devrais porter seul ce fardeau jusqu'à ma mort.

Le maître des Templiers fit mine de se signer, mais il interrompit son geste et regarda sa main droite comme s'il ne l'avait jamais vue auparavant. Il resta là, interdit, pendant de longues minutes. Aigremont se contenta d'attendre, sachant trop bien que tout se bousculait dans la tête de son ami.

— Dieu a voulu que cette abomination parvienne jusqu'à l'ordre qui défend la foi depuis presque deux siècles, déclara Beaujeu d'une voix soudain déterminée en roulant le parchemin. C'est ce que nous continuerons à faire.

— N'as-tu rien compris de ce que tu viens de lire? cracha Aigremont avec amertume.

— Je ne suis pas sot! Mais j'ai aussi la foi et je ne laisserai pas un vieux document détruire la chrétienté! Dieu est Dieu et rien ne changera jamais cela, quel que soit le nom qu'on lui donne!

Aigremont baissa la tête.

— Tu es le maître de l'ordre et c'est à toi de décider. Mais ne devrais-tu pas en référer au chapitre?

— Acre est à un cheveu d'être prise. Je n'ai pas le luxe de convoquer un chapitre. Cette décision est la mienne et j'en assumerai le poids

— Mais elle lie l'ordre tout entier.

— Alors, qu'il en soit ainsi.

Beaujeu remit le parchemin sur la table et posa ses mains sur les épaules de son vieil ami.

— Je ne peux faire confiance qu'à toi, Aigremont. Tu dois sortir cette immondice d'ici avant que la cité ne tombe et que d'autres ne s'en emparent.

— Comment ?

Beaujeu abandonna son vieil ami et se mit à marcher de long en large, sa main droite frottant énergiquement sa barbe.

— Dans deux jours, nous tenterons une sortie, annonça-t-il enfin.

— As-tu perdu la raison ? Tu courrais droit à l'échec !

— Assurément. Mais nous devons à tout prix essayer de détruire les machines de guerre d'Al-Ashraf. Sinon, aussi bien nous rendre tout de suite. Quant à toi, tu en profiteras pour emporter l'original et la traduction. Je te donnerai un petit escadron d'hommes vêtus en pèlerins. Avec un peu de chance, tu pourras tirer parti de la confusion pour t'échapper. Si tu en sors vivant, file vers Paris sur le premier navire que tu pourras trouver et confie ce secret à nos frères en leur ordonnant de l'enfouir dans la voûte la plus profonde de la commanderie et de garder celle-ci en permanence verrouillée à double tour. Personne ne doit jamais poser les yeux sur cette chose sans l'autorisation expresse de mon successeur.

— Tu ne prévois pas sortir vivant d'ici… soupira le frère Aigremont.

— Non. Mais cela n'a aucune importance. L'ordre aura toujours un *magister*.

Deux jours plus tard, la sortie tentée en pleine nuit par Beaujeu et trois cents Templiers fut un échec retentissant. Les quelques survivants, dont le maître lui-même, parvinrent à peine à se réfugier derrière la muraille. Mais le frère Aigremont réussit à se faufiler dans la mêlée et à disparaître, emportant avec lui son terrible butin.

9

Montréal, 18 avril 1886

Les membres du groupe ne se rencontraient que rarement et lorsqu'ils le faisaient, c'était le plus souvent de nuit. Non pas qu'il fût suspect pour des religieux de se fréquenter ouvertement aux vu et au su de tous, mais les affaires dont ils traitaient étaient les plus secrètes de la sainte Église et exigeaient une complète clandestinité. Dans la sanglante partie de cache-cache qui se jouait depuis octobre 1307, personne n'était tout à fait ce qu'il semblait être et on ne pouvait jamais vraiment dire qui épiait dans l'ombre. Après tout, l'Église n'était pas la seule sur la piste du secret. La Bête, dont les sinistres tentacules sortaient tout droit de l'enfer, y tenait tout autant.

La nuit, les bureaux de l'évêché étaient déserts et leur présence ne serait pas ébruitée. Le prêtre séculier et le jésuite n'étaient pas particulièrement nerveux, n'éprouvant pas plus d'espoir qu'il ne fallait. Au fil des ans, les fausses alertes avaient été si nombreuses qu'ils avaient fini par devenir un peu désabusés. Leur devoir exigeait toutefois qu'ils étudient consciencieusement chaque nouvelle piste, comme ils l'avaient fait sans relâche depuis la disparition de Jean-Baptiste-Michel Leclair, vingt ans auparavant.

La mi-quarantaine alerte, les cheveux poivre et sel taillés en brosse, la mâchoire volontaire, une aura d'autorité tranquille émanant de lui, le jésuite assis bien droit dans sa chaise regardait devant lui en silence. La tension accentuait encore les rides viriles de ce visage qui dégageait une grande assurance. Au cours d'une vie consacrée à la cause, ses yeux noirs avaient vu les pires horreurs. Ses mains en avaient aussi commis plus que leur part. Le sang de la Bête les tachait, mais cela était juste et il n'en éprouvait ni scrupule ni regret. Depuis la glorieuse époque de l'Inquisition, alors que tout était plus facile, le bien-être de l'Église avait toujours justifié le meurtre, et ce qu'il traquait était mille fois pire que toutes les hérésies réunies. Le détenteur de cet objet ne serait rien de moins que l'Antéchrist annoncé par l'évangéliste Jean. Le jésuite était décidé à ne pas permettre cela, même s'il devait payer de sa vie, et tout dans son attitude traduisait cette détermination.

Le prêtre séculier, lui, était serein. Les mains croisées sur la table, le col romain de sa soutane enserrant son cou un peu empâté, il avait tout de ce qu'il était : un confortable fonctionnaire de l'Église. Grassouillet et rougeaud, plus jeune que le jésuite, la chevelure châtaine déjà clairsemée, il arborait l'air sympathique du bon curé de campagne tolérant et apprécié de ses ouailles. Cette allure lui avait toujours été utile, car elle ne suscitait aucune méfiance. Il en avait souvent tiré parti pour recevoir des confidences que d'autres n'avaient pu recueillir. Mais il n'était pas moins déterminé que l'autre.

Le grincement de la porte rompit le silence. Les deux hommes se retournèrent en même temps et accueillirent d'un mouvement de la tête la religieuse qui entrait. La femme, plus âgée qu'eux, leur rendit leur salutation. Elle tira la chaise vide et y prit place en silence, sa cornette lui cachant à demi le visage.

— Je déclare cette séance du *Gladius Dei*[1] ouverte, déclara le prêtre. Nous t'écoutons, ma sœur.

Sans préambule, la religieuse tira un papier de la poche de sa robe noire et le déplia avec méthode. Puis elle en sortit un lorgnon qu'elle posa sur son long nez mince. D'une voix calme et

1. Glaive de Dieu.

douce, conditionnée par plus de quatre décennies d'entière soumission au clergé masculin, elle s'apprêta à relater ce qui était ressorti des recherches effectuées depuis que Marguerite Deblois l'avait contactée deux jours auparavant. Dès lors, tout le réseau d'informateurs montréalais avait été mis à profit et les renseignements s'étaient vite accumulés. Il avait suffi d'une piste inédite et la lumière s'était faite, encore incomplète, mais déjà éclairante.

— Ils sont deux, déclara la sœur pour commencer.

Comme s'ils avaient été l'image l'un de l'autre, les deux hommes froncèrent les sourcils, affichant une mine perplexe.

— Que dis-tu là ? l'interrogea le jésuite, incrédule.

— Vous avez bien entendu, répéta la religieuse en haussant les épaules pour signifier son impuissance. Deux jeunes hommes qui correspondent aussi bien l'un que l'autre au profil de celui que nous recherchons.

— Explique-toi.

— Nous avions toujours cru que l'enfant avait été caché par l'*Opus Magnum*[1]. Nous avons eu tort. C'est l'absence d'acte de baptême rapportée par Marguerite qui nous a mis la puce à l'oreille, expliqua-t-elle. Nous avons fait le tour des orphelinats, ce à quoi nous n'avions jamais songé avant. Il s'avère que, selon les souvenirs d'une vieille religieuse, deux petits garçons ont été amenés à l'hospice Saint-Joseph le même jour, voilà une vingtaine d'années. Deux blonds, à peu près du même âge et dans le même état de négligence. Leurs parents n'ont jamais été retrouvés. Ils sont restés à peu près six semaines à l'orphelinat.

— Seulement ? se surprit le prêtre. Alors que la majorité y croupissent jusqu'à l'âge adulte ? Voilà qui est étonnant.

— C'est aussi ce que je me suis dit, mais il y a mieux : ils ont été adoptés le même jour par deux frères, Xavier et Hubert Moreau, qui possèdent à parts égales une société d'importation de vins et d'alcools fins. Des hommes tout à fait ordinaires, à

1. Grand Œuvre.

l'aise sans pour autant être riches. Aussi incolores, inodores et sans saveur qu'on peut l'être. Ils n'ont jamais possédé ni fait quoi que ce soit qui ait pu attirer l'attention.

— Je connais les frères Moreau, dit le jésuite, songeur, en se tapotant la lèvre supérieure avec le bout de l'index. De bons chrétiens. Ils ne ménagent pas les dons aux bonnes œuvres.

La religieuse fit une pause respectueuse pour s'assurer qu'il ne désirait rien ajouter. Lorsqu'elle en fut certaine, elle reprit.

— Nos deux petits ont grandi ensemble, comme les cousins qu'ils étaient officiellement. Ils ont toujours été très proches l'un de l'autre et le sont restés jusqu'à aujourd'hui.

L'air professoral, son lorgnon sur le bout du nez, la religieuse consulta le papier sur lequel elle avait griffonné ses notes.

— Alors… Voici ce que nous avons pu apprendre. Le futur marié en mal d'identité officielle s'appelle Pierre Moreau, les informa-t-elle. C'est le fils d'Hubert. Vingt-deux ans, professeur d'histoire depuis un peu plus de deux ans au Collège de Montréal. L'an dernier, il a commencé à fréquenter Julie Fontaine, fille légitime du notaire Émile Fontaine. Le mariage est prévu pour juin 1887.

— Un homme sans histoire, on dirait, remarqua le jésuite.

La religieuse releva la tête et lui adressa un petit sourire entendu.

— À ceci près qu'Émile Fontaine est un franc-maçon bien connu du clergé. Il fraye avec des libéraux anticléricaux et républicains de la pire espère, tous des Rouges, émules d'Honoré Beaugrand et abonnés à *La Patrie*. Nul doute qu'il finira par entraîner son gendre sur la même voie, si ce n'est déjà fait. Et vous savez aussi bien que moi que les francs-maçons ont quelque chose à voir avec ce qui nous occupe.

— Ils ne sont qu'une façade.

— Toute façade comprend une porte d'entrée, le corrigea-t-elle sur un ton de maîtresse d'école.

Elle reconsulta ses notes et leva l'index.

— Il appert aussi que sa mère, Hermine Moreau, née Lafrance, est internée depuis plus de quinze ans à l'asile Saint-Jean-de-Dieu.

— Hum, marmonna le prêtre, songeur. La folie de la mère ne signifie rien, mais la fréquentation d'ennemis de l'Église... Il y a matière à réflexion.

— Et l'autre ? demanda le jésuite.

La religieuse reporta son attention sur sa feuille.

— Adrien Moreau, fils de Xavier et cousin de Pierre. Même âge et même apparence générale. Pour le reste, par contre, on ne pourrait demander mode de vie plus opposé. Il a été ordonné prêtre voilà deux ans. Il est sulpicien et enseigne aussi au Collège de Montréal.

Le prêtre et le jésuite s'adressèrent un regard perplexe. Les sourcils froncés par la concentration, ce dernier se tapota longuement la lèvre avec l'index.

— D'après toi, s'enquit le jésuite auprès de la religieuse, lequel des deux est notre homme ?

— Pour l'instant, nous n'avons même pas de certitude qu'un des deux soit le bon, répondit-elle. Les faits concordent, bien qu'il puisse s'agir d'une simple coïncidence.

— Peut-être aussi l'un des deux détient-il déjà la clé, avança le prêtre. Et cela, nous n'avons pas le droit de le négliger. Savons-nous où ils habitent ?

La religieuse retira son lorgnon et lui tendit son papier, sur lequel était écrite, d'une écriture fine, l'adresse de Pierre.

— Pierre Moreau loue une chambre dans une pension un peu miteuse de la rue Saint-Laurent, dit-elle. L'autre, évidemment, vit au Grand Séminaire.

— Si l'un des deux est notre homme, tôt ou tard, il sera contacté par l'*Opus Magnum* et, si nous jouons nos cartes habilement, notre ennemi nous conduira lui-même à notre but, déclara le jésuite. Sinon, nous pourrons toujours en effacer la piste, ce qui reviendra au même. L'important est de les surveiller de près.

Le jésuite se leva brusquement en faisant crisser les pattes de sa chaise sur le linoléum, indiquant que la rencontre était terminée. Les deux autres en firent autant.

— Je me chargerai du petit professeur, annonça-t-il. Assuronsnous aussi de garder un œil sur le sulpicien.

Ils se dirigèrent vers une sortie discrète qui donnait à l'arrière de l'évêché. Le prêtre dit au revoir au jésuite et à la religieuse, puis referma. Il doutait que la fébrilité qu'il éprouvait lui permette de trouver le sommeil. Dans les jours à venir, les événements risquaient de se bousculer et il devait être frais et dispos, de corps comme d'esprit. Dès qu'il en saurait un peu plus, il télégraphierait les faits à ses supérieurs, à Rome.

Dehors, la religieuse et le prêtre montèrent dans le boghei qui les attendait dans la pénombre. Le cocher n'avait pas besoin d'adresse. Il s'agissait d'un homme à la solde du *Gladius Dei,* qui savait exactement où déposer chacun d'eux.

10

Montréal, 19 avril 1886

ASSIS DANS UN BUREAU encore tout neuf autour d'un verre de scotch coupé d'un peu d'eau de Seltz, un cigare de grande qualité entre l'index et le majeur, Émile Fontaine discutait calmement avec celui qui lui faisait face de l'autre côté d'une table de travail couverte de papiers. Ils étaient entre vieux amis et entre frères, l'ambiance était conviviale.

— Tu crois vraiment qu'il nous serait utile ? demanda l'homme, la mine un peu sceptique. Après tout, il n'est et ne sera jamais qu'un petit professeur chez les sulpiciens.

Il se cala dans son luxueux fauteuil en cuir, tira une bouffée de son cigare et attendit la réponse à sa question en faisant quelques ronds de fumée.

— Ses perspectives d'avenir ne sont pas particulièrement reluisantes, c'est vrai, admit le notaire après quelques instants. Pour être franc, il ne déborde pas d'ambition non plus. Il est heureux là où il est et il aime ce qu'il fait. Au fond, je me réjouis pour lui : il a trouvé sa voie. Mais il faut voir plus loin que la contribution financière qu'un candidat peut nous apporter. À mes yeux, son utilité réside ailleurs et elle pourrait bien s'avérer beaucoup plus importante que les quelques piastres qui serviraient à financer un journal ou un parti politique.

Intrigué, l'autre homme fit signe au notaire de poursuivre.

— Tu sais aussi bien que moi que l'émancipation de notre race est une affaire à long terme, mon frère, expliqua Fontaine. Elle ne se fera pas en une seule génération, ni même en deux ou trois. L'emprise du clergé sur la population est trop ferme pour cela. Nos idées doivent être distillées petit à petit dans l'esprit du peuple et avoir le temps de prendre racine, puis de croître lentement, comme un arbre qui deviendra solide. Et qui de mieux qu'un professeur pour les propager subtilement dans l'esprit d'une belle jeunesse bourgeoise qui sera un jour adulte et influente ? Peut-être ce jeune homme sera-t-il le premier d'un groupe d'enseignants qui feront avancer notre cause ? Qui plus est, il est instruit et a une fort belle plume qu'il nous serait facile de mettre à profit.

Le notaire fixait son interlocuteur sans rien dire, l'air entendu.

— Et puis, sait-on jamais ? dit-il. Il pourrait se révéler plus important qu'il ne le paraît.

— Et ses finances ?

— Nous verrons à ce qu'il s'enrichisse, évidemment, comme nous le faisons pour chacun de nos frères.

L'autre homme opina et sembla considérer les arguments qui venaient de lui être soumis avec une passion que son ami le notaire ne montrait pas souvent.

— Bien vu, Émile, dit-il enfin, admiratif. Mais crois-tu qu'il sera d'accord ? Après tout, il a passé la plus grande partie de sa vie auprès des prêtres de Saint-Sulpice et il les côtoie encore chaque jour. Il a tout du bon petit catholique.

— Il n'est pas très exubérant, mais ses opinions sont libérales et déjà beaucoup plus proches des nôtres que tu ne le crois. Et puis, être catholique n'exclut pas la tolérance.

L'homme avala une gorgée de scotch en acquiesçant puis ferma les yeux pour en goûter la chaleur qui lui descendait dans l'œsophage.

— Est-il prêt ?

— L'est-on jamais tout à fait ? ricana doucement Fontaine. Souviens-toi du jour où tu as été reçu. L'étais-tu, toi ?

— Grands dieux, non! s'esclaffa l'homme. J'avais tout juste vingt et un ans et je crevais de peur à l'idée que le curé puisse apprendre avec qui je frayais. Je me demandais dans quel pétrin je m'étais fourré. Pourtant, j'avais été recommandé par un oncle en qui j'avais entière confiance.

Monsieur Fontaine se pencha vers l'avant, dans l'attente de la décision qui approchait.

— Très bien, dit l'autre. Amène-le avec toi la semaine prochaine. Nous l'accueillerons parmi nous avec plaisir. Je préviendrai les autres de son initiation.

— Merci, mon frère, dit Émile Fontaine avec chaleur. Je me chargerai de lui procurer les attributs d'usage.

Les deux hommes se levèrent et firent tinter leurs verres.

— À l'émancipation de la race, dirent-ils en chœur.

— Et au triomphe de la vérité, ajouta l'interlocuteur du notaire.

Ils vidèrent leur verre et échangèrent une chaleureuse poignée de main en tenant chacun le coude droit de l'autre avec la main gauche.

— Tu prendras bien un autre verre? suggéra l'homme. J'ai une petite proposition pour toi. Du genre qui pourrait te rapporter beaucoup.

— Je t'écoute, dit monsieur Fontaine, ravi, pendant que son interlocuteur le servait.

— Il suffit de faire quelques placements à la Banque du Peuple.

Une heure plus tard, le notaire Émile Fontaine quittait le bureau de son ami avec la promesse de devenir un peu plus riche qu'il n'y était entré. Il résista à l'envie de se frotter les mains de satisfaction. Un nouveau candidat pour la loge était toujours une bonne chose. Quand il s'agissait de son futur gendre, c'était encore mieux.

11

Montréal, 24 avril 1886

Après un autre souper copieux et dignement arrosé, de mise chez sa future belle-mère, Pierre se trouvait de nouveau dans le fumoir en compagnie de monsieur Fontaine. Peut-être heureux de fréquenter un jeune homme qu'il voyait un peu comme le fils qu'il n'avait pas eu, le notaire semblait l'avoir définitivement adopté et beaucoup apprécier sa compagnie. La chose était d'ailleurs réciproque, quoique Pierre regrettât malgré tout de passer ne fût-ce que quelques précieuses minutes loin de Julie. Il eût préféré trouver un coin tranquille où enfouir son visage dans ses cheveux et dévorer la peau tendre de son cou.

Un verre de scotch à la main, un cigare entre les doigts, ils discutaient de choses et d'autres, comme ils en avaient maintenant pris l'habitude, et Pierre se sentait étonnamment détendu. Bien calé dans son luxueux fauteuil de cuir, la jambe droite croisée sur la gauche, monsieur Fontaine tira une bouffée de son cigare et souffla lentement la fumée en examinant pensivement le bout rougeoyant.

— Voilà quelques jours, commença-t-il sans lever les yeux, un ami m'a proposé une bonne affaire. La Banque du Peuple prévoit faire sous peu un appel de fonds et on m'offre de participer, en échange d'un taux d'intérêt rondelet. En un mois à peine, je récupérerai mon capital avec dix pour cent de bénéfices.

— Je vois, se contenta de dire Pierre en se demandant où monsieur Fontaine voulait en venir. C'est… très bien.

— Il n'y a qu'un problème…

— Lequel ?

— Présentement, je ne dispose pas de l'argent liquide nécessaire à l'investissement.

— Ah ? Voilà qui est dommage, alors.

Monsieur Fontaine fit une pause, tira sur son cigare et dévisagea Pierre à travers l'épaisse fumée à l'odeur sucrée.

— J'aimerais connaître ton opinion. Que devrais-je faire, selon toi ?

— Je… Je ne connais rien aux affaires, monsieur, vous le savez bien.

— Peut-être, mais tu as une cervelle, non ? Que te dit-elle ?

— Euh… Sans argent, il n'y a rien que vous puissiez faire. Vous allez manquer cette occasion, je suppose.

— Alors, selon toi, je devrais regarder passer une chance en or de faire des profits sans aucun risque ni effort ?

— J'en ai bien peur… Non ?

— Non, déclara calmement le notaire. Absolument pas. Au contraire, je dois absolument investir. Sinon, je n'aurai jamais d'argent à investir.

Interdit, Pierre le regarda se lever et aller remplir son verre à même une élégante carafe en cristal, posée sur une table de service près de la cheminée. Le notaire revint s'asseoir et avala une gorgée d'alcool ambré. Il soupira longuement, semblant soupeser les paroles qu'il entendait prononcer.

— Tu sais, depuis plus d'un siècle, c'est précisément cette mentalité de gagne-petit que notre bon clergé instille dans l'âme canadienne-française, déclara-t-il avec une pointe d'amertume en le regardant droit dans les yeux. L'Église s'assure que les nôtres n'aient aucune ambition ni imagination ; qu'ils aient peur du risque. La religion, la langue, la terre et la famille : voilà tout ce qui importe à ses yeux. Elle n'aime que les habitants qui travaillent dur pour une pitance, qui font des enfants à la chaîne et qui vont à la messe. Oh, bien sûr, elle tolère les notaires, les avocats et les médecins, à défaut pour nos familles de produire uniquement des prêtres et des fermiers! Mais les hommes d'affaires? Que Dieu nous en préserve! Quant au profit, il est considéré comme une ignominie, une honte tout juste bonne pour les vilains protestants! Pour les bons catholiques, la moindre richesse ouvre tout grand la porte de l'enfer!

Il tira une bouffée agressive de son cigare et avala une grande gorgée de scotch. Puis il inspira profondément, de toute évidence désireux de modérer son emportement.

— Pendant que nous nous contentons de peu pour gagner notre ciel, nos amis anglo-saxons, eux, ne se gênent pas. Ils investissent, ils construisent, ils produisent et ils vendent sans éprouver de scrupules ridicules. Montréal se développe à un rythme fou depuis un demi-siècle. Les usines se multiplient, les commerces aussi, les édifices montent de plus en plus haut, la haute finance se concentre ici, mais combien y a-t-il d'industriels et de capitalistes canadiens-français qui y contribuent? Quelques-uns, mais bien peu si l'on considère la proportion de la population que nous représentons. Le résultat net est que les Canadiens anglais sont les patrons et les Canadiens français, leurs ouvriers. Si nous écoutons nos prélats, nous n'engendrerons jamais qu'une génération après l'autre de porteurs d'eau, nés pour un petit pain et se contentant de peu. Nous continuerons à cultiver les cailloux dans des champs trop petits pour nourrir une famille, ou à nous arracher la vie dans des usines insalubres pour un salaire de misère. La pauvreté garantit peut-être le paradis à la fin de nos jours, mais en attendant, elle ne rend pas la vie plus facile. Ce n'est pas pour rien que l'emblème de la nation canadienne-française est le mouton! Nous suivons nos bergers comme un troupeau docile. Comprends-tu ce que je te dis?

Pierre était au fait des opinions libérales de son futur beau-père. Comme plusieurs autres, ce dernier souhaitait une société plus ouverte et tolérante, où les gens pourraient avoir des aspirations légitimes sans être jugés, ou des vues divergentes sans risquer la censure de l'évêque et la mise au ban de la société. Il abhorrait la pensée unique, terreau de toutes les dictatures. Bien que moins ouvertement radical, Pierre appuyait ces idées en grande partie et, au cours de la dernière année, il avait découvert le plaisir d'en discuter avec lui. Il appréciait la ferveur et les positions tranchées, parfois enflammées, d'Émile Fontaine. Elles le changeaient de celles que récitaient mécaniquement les prêtres dont il était entouré toute la journée et auxquelles même Adrien, malgré son esprit libre, n'échappait pas entièrement.

— Votre analyse est difficile à contredire, répondit Pierre, pensif. Les faits la confirment.

Monsieur Fontaine le dévisagea longuement.

— Tu crois vraiment ce que tu dis ? demanda-t-il.

— Oui, mais que pouvons-nous y faire ? Le monde est comme ça et les curés décident de tout.

Le notaire détailla le jeune homme avec encore plus d'insistance, à tel point qu'il en devint inconfortable. Pour se donner une contenance, Pierre se leva et se dirigea vers la table de service, son verre vide à la main.

— Puis-je ? demanda-t-il en désignant la carafe.

— Bien sûr, répondit le notaire d'un ton affable. Tu es chez toi ici, mon garçon.

Pierre revint s'asseoir près de son futur beau-père en se demandant où cette conversation allait les mener.

— Pour en revenir à la question financière dont je t'entretenais plus tôt, continua le notaire, il existe une solution toute simple : emprunter le capital à un taux d'intérêt inférieur à celui qu'il me rapportera une fois que je l'aurai prêté à la banque.

— Vous voulez dire… prêter à la banque de l'argent que vous avez emprunté ? se troubla Pierre, mystifié.

— Exactement, affirma monsieur Fontaine. Ainsi, lorsque l'emprunt sera remboursé, il me restera encore un profit et le plus beau de l'affaire, c'est que je n'aurai rien dépensé.

— Mais… n'est-ce pas risqué ?

— Pas si tu connais bien la banque à qui tu empruntes et celui à qui tu prêtes.

— Et c'est le cas ?

— Tout à fait, répondit le notaire, qui avait retrouvé son air espiègle. J'ai procédé à l'investissement hier, après que mon ami m'ait mis au courant.

— Alors, pourquoi me demander mon avis ?

Le notaire éclata d'un grand rire.

— Pour voir s'il y avait la moindre chance qu'un petit professeur d'histoire finisse un jour par ne plus être pauvre comme Job ! Je ne voudrais pas que ma fille chérie crève de faim dans un taudis.

Pierre soupira et se rembrunit.

— On dirait bien que je n'ai pas obtenu la note de passage, constata-t-il avec amertume.

— Un échec abyssal, mais compréhensible, mon garçon ! Heureusement, il existe des moyens d'y remédier. Désormais, lorsqu'une occasion de ce genre me passera devant le nez, je t'en aviserai et nous investirons ensemble. Je serai ton mentor en finance, en quelque sorte. Qu'en dis-tu ?

— J'en serais ravi, accepta Pierre, pris de court.

Monsieur Fontaine se pencha sur le bras de son fauteuil pour s'approcher de Pierre avec un air de confidence.

— Il y a plus. Comme je te l'ai laissé entendre l'autre soir, dit-il, il existe plus d'une manière de s'enrichir. Pour quiconque a deux sous de cervelle, il est possible de gagner de l'argent sans trop se forcer. Il suffit d'être bien conseillé et d'avoir de bonnes relations. On accumule rarement une fortune tout seul.

Pierre le dévisagea, incertain de ce qu'il devait répondre à ce qui ressemblait vaguement à une proposition. Le silence s'étira pendant une bonne minute.

— Je… Je ne vois pas très bien où vous voulez en venir, monsieur.

— Dans certains milieux, l'entraide est de mise, reprit le notaire en le regardant droit dans les yeux avec un air de conspirateur. Ceux qui les fréquentent ne s'en repentent pas. Il suffit d'être... comment dire ? Ouvert d'esprit ?

Pierre le dévisagea, essayant de comprendre les intentions du notaire.

— Dis-moi, mon garçon, serais-tu libre demain soir ? s'enquit monsieur Fontaine à brûle-pourpoint.

— Euh... Je prévoyais prendre un peu d'avance dans ma préparation de cours.

— Ça ne peut pas attendre un peu ? J'aimerais beaucoup que tu m'accompagnes quelque part.

— Moi ? balbutia le professeur.

— Mais oui, toi, rigola le notaire. Que je sache, tu n'as pas de maladie contagieuse qui t'empêche de sortir ? Alors, c'est oui ?

— Bien sûr.

— Bien ! se réjouit le notaire en se frottant les mains.

— Et où voulez-vous m'emmener ? se renseigna Pierre.

— Tu verras bien. Rejoins-moi ici à dix-huit heures trente pile. Nous partirons ensemble.

— Comment dois-je m'habiller ?

— Un costume et une cravate sombres feront l'affaire.

Intrigué, Pierre jugea plus sage de ne rien demander d'autre. Clairement, si le notaire avait souhaité lui en dire davantage, il l'aurait fait. Sur les entrefaites, madame Fontaine frappa à la porte du fumoir.

— Je sais qu'on ne doit pas déranger les hommes quand ils tirent sur leur affreux cigare, mais ton ami est ici pour son rendez-vous, lui apprit-elle, taquine.

— Déjà ? fit le notaire en tirant sa montre de son gousset pour la consulter. Il est un peu en avance. Tant mieux. Pierre, reste là. J'aimerais te présenter quelqu'un.

Il se leva et sortit précipitamment.

— Cher Honoré ! entendit Pierre de loin. Tu ne connais pas encore mon futur gendre, je crois. Viens. Il va te plaire, j'en suis certain.

Monsieur Fontaine réapparut quelques instants plus tard en compagnie d'un homme qui approchait de la quarantaine. De taille moyenne, la tignasse épaisse et sombre soigneusement laquée vers l'arrière, la moustache abondante frisée aux extrémités, il était d'une parfaite élégance, du col de son habit à la pointe de ses souliers cirés. Il dégageait une assurance et une intensité palpables.

— Pierre, dit fièrement le notaire en s'approchant avec son compagnon, je te présente un ami très cher, monsieur Honoré Beaugrand, maire de notre belle ville de Montréal, journaliste et propriétaire du journal *La Patrie*, romancier et pamphlétaire à ses heures, anticlérical farouche, républicain convaincu, libéral affirmé et libre-penseur à temps plein. Honoré, voici mon futur gendre, Pierre Moreau, un jeune professeur d'histoire au Collège de Montréal, chez nos amis les sulpiciens.

Pierre ne fut pas étonné outre mesure d'apprendre que le célèbre Honoré Beaugrand, pour lequel il avait lui-même voté en 1885, comptait parmi les relations de son futur beau-père. Le notaire Fontaine semblait connaître personnellement, à un degré ou un autre, tous les Canadiens français influents de Montréal. Moreau était néanmoins fort impressionné de se retrouver devant un individu aussi connu que celui-là et qui, de surcroît, constituait une épine au pied du clergé montréalais depuis le début de sa carrière publique, aussi il resta figé. Beaugrand lui tendit en souriant une main ornée d'une magnifique chevalière en or dont la pierre noire était ciselée d'un motif qu'il n'eut pas le temps de bien apercevoir. Il sortit de sa torpeur pour l'accepter.

— Je suis enchanté, monsieur Beaugrand, dit-il en s'inclinant légèrement.

— Tout le plaisir est pour moi. Émile m'a chanté vos louanges sur tous les tons.

— Il ne chante pas trop faux, j'espère, blagua Pierre pour chasser son malaise.

— Sa voix est très juste, rassurez vous.

— J'ai demandé à Pierre de m'accompagner à notre petite rencontre de demain soir, Honoré, l'informa monsieur Fontaine avec un air entendu.

— Vraiment ? fit le maire. Je suis heureux d'apprendre cela.

Il reporta son attention sur Pierre, dont il tenait toujours la main.

— Je suis certain que vous serez à votre place parmi nous, affirma-t-il, approbateur.

— Pierre, je dois te laisser, coupa le notaire. J'ai quelques documents à faire signer à monsieur Beaugrand. N'oublie pas : demain à dix-huit heures trente.

Beaugrand et Fontaine sortirent. Resté seul dans le fumoir, Pierre était perplexe. De toute évidence, le célèbre Honoré Beaugrand serait présent le lendemain soir, là où son beau-père se proposait de l'emmener.

— Je te préviens, dit Julie, qui semblait se tenir dans l'embrasure de la porte depuis un moment sans qu'il s'en soit aperçu, lorsque nous serons mariés, le cigare sera formellement interdit dans notre maison. Je déteste cette odeur.

Pierre sursauta.

— Quoi ? Oh, ne crains rien, je n'aurai jamais les moyens de m'offrir ce que ton père se paie, blagua-t-il. Mieux vaudrait te faire à l'idée dès maintenant.

— Alors, la pauvreté a du bon !

— Il est temps que je parte, conclut-il en consultant sa montre. J'ai un million de copies à corriger ce soir, puisque je ne pourrai pas le faire demain.

Pendant qu'elle le raccompagnait à la porte, il lui raconta l'invitation de son père. Dès qu'il eut terminé, un large sourire éclaira le joli visage. Julie inspira et recouvrit sa bouche avec ses mains, comme une fillette qui viendrait de trouver sous le sapin de Noël la poupée de porcelaine tant convoitée.

— Oh ! s'écria-t-elle en trépignant. C'est magnifique !

Puis elle se mit à taper des mains, énervée, en roucoulant d'excitation.

— Quoi ? se surprit Pierre.

— Il a décidé de t'emmener à son club.

— Son club ?

— Oui. Un de ces repaires enfumés pour hommes d'affaires qui aiment brandir leur importance comme un étendard. Depuis que je suis toute petite, rien au monde ne pourrait l'empêcher de s'y rendre une fois aux deux semaines. Il affirme que les relations qu'il y a nouées lui ont été très utiles.

— Et alors ?

— Alors, je ne me rappelle pas que mon père y ait jamais invité quelqu'un. S'il le fait maintenant, c'est qu'il a vraiment décidé de prendre son futur gendre sous son aile et de voir à sa réussite. Sois-en heureux. Cela signifie qu'il t'estime.

— Ou qu'il craint que je n'arrive pas à t'offrir la vie que tu mérites, grogna Pierre en s'assombrissant.

Julie lui administra une petite claque affectueuse sur l'avant-bras.

— Allons donc ! Il veut que tu partages un peu sa vie. Il n'a pas eu de fils, ne l'oublie pas. Si, en plus, tu t'y fais des relations qui te seront utiles, pourquoi pas ? C'est comme ça que les choses fonctionnent.

— Je crois que je vais me désister, ronchonna Pierre en grimaçant. Je ne serai jamais à ma place dans un endroit semblable.

— Que je te voie ! rétorqua Julie, le regard dur. C'est important !

— Pourquoi ? Tu ne me crois pas capable de te faire vivre, c'est ça ? se rebiffa-t-il, piqué dans son orgueil.

Julie baissa les yeux. Quand elle les releva, ses lèvres tremblaient un peu et ses yeux étaient mouillés.

— Pierre, commença-t-elle doucement en lui caressant la joue, je ne voulais rien insinuer de semblable. Je t'aime et j'ai entière confiance en toi. Mais je sais aussi que mon père veut ton bien – notre bien – et que tu aurais avantage à profiter des chances qu'il t'offre.

— Très bien. Pour toi, je le ferai.

— Pas pour moi, mon chéri. Pour nous.

En cet instant précis, elle eut l'air d'une petite fille en quête de protection. Emporté par la passion, Pierre prit sa bouche avec fougue. Sa surprise passée, elle répondit avec ferveur, lui mordant la langue et la lèvre inférieure jusqu'à lui faire mal. De son propre chef, sa main droite remonta le long des hanches de Julie et empoigna un sein généreux à travers sa robe. Elle le laissa faire un instant puis se blottit contre lui, pressant sans gêne le désir dont les proportions s'étaient décuplées dans son pantalon.

— Bientôt, mon amour, haleta-t-elle, la bouche sur son oreille. Bientôt.

Elle se détacha de lui, les joues écarlates, le souffle court, les lèvres encore plus pulpeuses que d'habitude. Il lui sourit bêtement en la dévorant des yeux, puis sortit avant de perdre le peu de maîtrise qu'il avait encore sur lui-même.

Il accompagnerait Émile Fontaine à son club. Il irait jusqu'au bout du monde s'il le fallait, tant que sa fille lui réservait ses baisers.

Dans son étude, le notaire Fontaine et le maire Beaugrand discutaient à mi-voix.

— Il n'a pas l'air très… déterminé, nota le journaliste, sceptique.

— Il est d'un naturel réservé. Mais il partage nos idées, même s'il est moins farouche que toi et moi. Tiens, par exemple, ton appui à la vaccination obligatoire contre la variole, l'an dernier, l'a beaucoup enthousiasmé.

— Il pourrait peut-être écrire quelques éditoriaux bien sentis dans *La Patrie*. Sous un pseudonyme, évidemment.

— Tu devras d'abord lui enseigner à tremper sa plume dans l'acide, comme la tienne, blagua monsieur Fontaine. Mais il sera à sa place parmi nous, je te l'assure. Il suffira de lui donner un peu de temps pour s'adapter.

— Il comprendra vite les avantages qu'il y a à nous fréquenter, commenta Beaugrand avec un sourire en coin. Quelques piastres de plus dans ses poches devraient bien le disposer, à plus forte raison quand elles feront naître un joli sourire sur le visage de sa future épouse. Tu lui as parlé de l'occasion d'investissement que je t'ai transmise ?

— Oui, et il semble intéressé à en profiter à l'avenir.

— Excellent. La fraternité est une bien belle chose, non ?

Ils s'esclaffèrent, satisfaits d'eux-mêmes, puis se penchèrent sur les documents que le notaire avait préparés selon les instructions reçues. La facture serait peu élevée. Entre frères, il en allait toujours ainsi.

12

Montréal, 25 avril 1886

Le lendemain soir, Pierre se dirigeait vers la demeure des Fontaine. Il courait presque dans Sherbrooke, craignant d'être en retard pour le rendez-vous fixé, lorsqu'il aperçut un homme en soutane, un peu plus loin, qui s'était accroupi pour ramasser des livres qu'il venait manifestement de laisser tomber. Sans même réfléchir, le jeune homme s'empressa jusqu'à lui et l'aida.

— Merci, mon fils, dit le prêtre. J'ai bien peur d'être un peu maladroit.

— Ce n'est rien, répondit Pierre en empilant les livres.

— Je suis le père Garnier. Noël Garnier, membre de la Compagnie de Jésus. Et vous êtes ?

— Pierre Moreau.

Il lui remit la pile, que le prêtre passa sous son bras.

— Enchanté de faire votre connaissance. Je vous bénirais bien, mais mes mains sont un peu occupées, blagua le jésuite en souriant.

— Alors, je me considère comme béni.

Ils se quittèrent et, en se pressant un peu, Pierre se présenta chez les Fontaine à dix-huit heures trente précises, un peu nerveux, mais aussi étrangement fébrile à l'idée d'accompagner son futur beau-père en société. Il se sentait comme une jeune débutante avant son premier bal. Julie avait raison. En lui ouvrant ainsi la porte de son monde professionnel, le notaire lui montrait l'estime qu'il avait pour lui, qu'il était accepté à part entière dans sa famille, comme un fils; qu'il était aussi disposé à l'aider dans sa carrière en le faisant profiter de ses relations. Pierre était profondément touché par tout cela. Il était aussi cruellement conscient qu'il en avait besoin pour assurer une vie convenable à Julie. Il espérait seulement ne pas faire honte à monsieur Fontaine, lui dont l'expérience de la vie en société se limitait à la fréquentation de quelques collègues et des prêtres du collège.

Comme toujours, ce fut Julie qui l'accueillit avec un sourire, un regard tendre et un baiser volé qui lui firent oublier passagèrement sa nervosité. Il eut à peine le temps de lui raconter des bribes de sa journée, plutôt tranquille celle-là, lorsque le notaire descendit l'escalier d'un pas leste en sifflotant, vêtu d'un costume sombre.

— Ah! Pierre! Te voilà, ponctuel comme toujours, mon garçon! le salua-t-il en peinant pour attacher son bouton de manchette.

Une fois au rez-de-chaussée, Julie se chargea du bijou récalcitrant pendant que son père lui adressait un sourire étincelant de fierté. Puis il saisit son futur gendre par le bras.

— Ce soir, ma chérie, je t'enlève ton amoureux, taquina-t-il Julie. Nous sortons entre hommes.

— Je sais. Dans quel monde vivons-nous lorsqu'il faut rivaliser avec son propre père pour l'attention de son fiancé? répliqua-t-elle en levant les yeux au ciel avec un soupir boudeur.

Puis elle éclata de ce rire cristallin, presque enfantin, qui faisait fondre Pierre chaque fois qu'il l'entendait.

— On y va? demanda monsieur Fontaine.

Pierre acquiesça de la tête et, pudique, n'osa pas déposer une bise sur la joue de sa bien-aimée devant son père.

— Amuse-toi bien, lui souhaita-t-elle. Tu me raconteras tout demain, n'est-ce pas?

— Si jamais il le fait, compte-toi chanceuse! intervint madame Fontaine qui venait d'apparaître dans le hall depuis le salon. En plus de vingt ans de mariage, je ne suis jamais arrivée à percer le sulfureux mystère de ce que mon tendre époux fait vraiment hors de la maison deux soirs par mois.

Elle administra une tape coquine et affectueuse sur l'épaule de son mari.

— Comme il est tout à fait docile le reste du temps, je laisse au grand cachottier ses petits secrets.

— Ne crains rien, plaisanta le notaire en lui pinçant affectueusement la joue. J'ai bien trop peur de toi pour te cacher quelque chose de sérieux.

— Ouste! les chassa madame Fontaine. Allez jouer entre hommes. Fumez vos cigares et vos pipes, buvez votre porto ou votre scotch, discutez de politique, de gros sous et de toutes ces platitudes qui vous intéressent tant.

Monsieur Fontaine ramassa une mallette en cuir qui traînait près du porte-manteau et ils sortirent en riant de bon cœur. Ils marchèrent ensemble dans Saint-Urbain jusqu'à Sherbrooke et y hélèrent un Surrey. Le notaire donna au cocher une adresse à l'intersection de Notre-Dame et de la place d'Armes, et ils montèrent.

— Allez-vous enfin me dire où nous allons? s'enquit Pierre, curieux et amusé.

— Sois un peu patient, espèce de fouine, répondit le notaire.

Ils roulèrent pendant une quinzaine de minutes, secoués par la vibration causée par les pavés inégaux. Puis le fiacre s'arrêta et ils débarquèrent. Monsieur Fontaine paya le cocher, qui empocha les billets et repartit sans attendre.

Ils se trouvaient rue Notre-Dame, au cœur de Montréal et Pierre observa les alentours desquels il était assez familier. Comme tous les habitants de la ville, il ressentait une certaine fierté à la vue des deux hautes tours de la basilique Notre-Dame, qui s'élevaient vers le ciel et dominaient majestueusement le quartier. En face, des calèches étaient stationnées autour de la place d'Armes, cochers et chevaux somnolant pareillement sous des arbres maigrelets dans l'attente de passagers. Le kiosque à journaux était fermé depuis longtemps déjà et ne rouvrirait qu'à l'aube. Dans le petit parc clôturé de fer forgé, quelques couples flânaient encore autour de la jolie fontaine, comme Julie et lui-même l'avaient fait à quelques reprises certains dimanches ensoleillés. De là où il se tenait, il pouvait apercevoir la rue Saint-Jacques, où les banquiers et les financiers semblaient ne jamais dormir, et dont les trottoirs étaient encore peuplés d'hommes élégants et pressés qui sortaient d'un édifice grandiose pour disparaître aussitôt dans un autre.

Son attention se porta sur le grand édifice en granite taillé devant lequel ils étaient descendus. Le rez-de-chaussée était occupé par des bureaux et des boutiques, alors que les quatre autres étages semblaient réservés à un usage privé. Intrigué, il nota que toutes les fenêtres en étaient masquées. Le bâtiment dégageait une impression de solidité sans pour autant être remarquable, comme si l'architecte qui l'avait dessiné avait voulu qu'il se fonde discrètement dans le décor de la rue et se perde parmi les autres constructions plus prestigieuses les unes que les autres. Il se cassa le cou vers l'arrière pour admirer le sommet délicatement crénelé et les nombreuses fenêtres aux arches ouvragées. Pendant qu'il examinait ces détails, plusieurs hommes vêtus de costumes foncés et tenant une mallette de cuir semblable à celle de monsieur Fontaine contournèrent la place d'Armes et saluèrent le notaire avant d'entrer.

Il sentit la main de son futur beau-père lui prendre le coude.

— Tu viens ?

Il le suivit vers la lourde porte en bois, qu'ils franchirent ensemble pour aboutir dans un hall d'entrée sombre aux murs recouverts de marbre blanc strié de gris. Monsieur Fontaine l'entraîna vers l'escalier qui se trouvait au fond. En chemin, ils passèrent devant un babillard vitré couvert d'annonces fixées avec des punaises sur un tableau en liège. Du coin de l'œil, Pierre perçut quelque chose qui l'intrigua. Il ralentit et revint sur ses pas pour regarder plus attentivement, sans remarquer le sourire en coin de monsieur Fontaine, qui se contentait de l'attendre.

Il ne fallut pas longtemps au jeune homme pour comprendre ce qui avait retenu son attention. En haut de tous les avis se trouvait un emblème qu'il connaissait vaguement : une équerre et un compas entrecroisés.

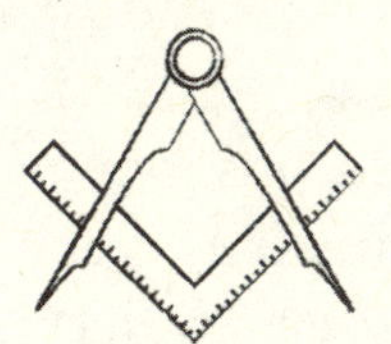

Il fouilla dans ses souvenirs et il lui fallut un moment pour en retrouver la signification. Une peur froide lui serrant l'estomac, il se retourna vers le notaire et le trouva les bras croisés sur la poitrine, l'air nonchalant, un petit sourire sur les lèvres.

— Vous… êtes franc-maçon ? bredouilla-t-il, le visage blême. Vous ?

— Bien sûr, confirma simplement monsieur Fontaine. Ça t'étonne ?

Désemparé, Pierre ne savait que penser. Il savait fort peu de choses de la franc-maçonnerie, mais tout ce qu'il avait entendu ou lu était inquiétant. Le sujet était tabou, tant au collège que dans la bonne société catholique. Il se rappelait que, voilà peut-être deux ans, le curé avait lu en chaire, d'une voix gonflée d'indignation, des extraits de l'encyclique *Humanum Genus* que venait de fulminer Sa Sainteté le pape Léon XIII. Il ne se rappelait pas les mots exacts, mais le message du Saint-Père avait été on ne peut plus clair : les francs-maçons formaient une secte pernicieuse qui se vautrait dans les coins sombres et s'insinuait parmi les puissants pour conspirer contre la sainte Église afin de la détruire. Pour y arriver, elle répandait des doctrines perverses comme la tolérance religieuse et la liberté de pensée. On disait aussi que la franc-maçonnerie était à l'origine de l'indépendance américaine et de la Révolution française, qui avaient jeté à terre des couronnes et établi des républiques. Le secret étanche des loges ne pouvait cacher, selon le Saint-Père, que des activités condamnables, car quiconque craint la lumière et préfère œuvrer dans l'ombre a forcément quelque chose d'inavouable à cacher. Les plus alarmistes parlaient même de culte satanique et de religions perverses. Tout bon catholique était donc sommé d'éviter ces impies, au risque d'être excommunié et de mettre en danger le salut de son âme.

À l'époque, Pierre avait pris tout cela avec un grain de sel, y voyant surtout les élucubrations d'une curie avide de conspirations. Mais maintenant, il était beaucoup moins sûr de lui. Pour le reste, ce qu'il en savait lui venait d'un livre à l'odeur de soufre publié à la même époque par un dénommé Jean d'Erbrée, qu'Adrien lui avait prêté. L'auteur y décrivait l'organisation de la franc-maçonnerie, le fonctionnement des loges, leur nombre et leur fréquentation, dont l'ampleur, si elle était réelle, avait étonné Pierre. Il accusait l'Institut canadien, organisation bien connue de libéraux et de républicains concentrée à Montréal, et que l'évêque de Montréal, Ignace Bourget, avait frappé d'interdit, d'être un repaire de francs-maçons. Il affirmait aussi que le journal *La Patrie* diffusait leurs idées. Il consacrait même quelques pages sulfureuses à Honoré Beaugrand, avant d'accuser les maçons de comploter pour instaurer une séparation étanche entre l'Église et l'État, et affaiblir l'autorité morale du clergé.

Honoré Beaugrand… Comment Pierre n'avait-il pas fait le rapprochement? «Je suis certain que vous serez à votre place parmi nous», avait dit le journaliste propriétaire de La Patrie. Comment monsieur Fontaine l'avait-il présenté? «Anticlérical farouche, républicain convaincu, libéral affirmé, libre-penseur à temps plein»…

Et c'était chez ces gens que son futur beau-père l'emmenait? Ses yeux s'écarquillèrent et sa bouche s'entrouvrit, lui donnant l'air ahuri d'un poisson hors de l'eau. Il avait l'impression qu'un coup dans le ventre venait de lui couper le souffle.

— Je vois que tu es un tantinet surpris, dit monsieur Fontaine, espiègle. J'aurais pourtant cru que mes opinions t'avaient mis la puce à l'oreille.

— Vous… Vous voulez me… me faire entrer chez… chez les francs-maçons… balbutia Pierre.

— Je souhaite que tu te joignes à l'ordre, oui. Que tu deviennes non seulement mon gendre, mais aussi mon frère. Tu rencontreras dans la loge des hommes libres et ouverts d'esprit, avec lesquels tu pourras discuter et qui te porteront un appui indéfectible. Tu commences ta vie d'homme et tu vas bientôt épouser ma fille. Tu dois te faire des relations. Tu es un jeune homme aux idées progressistes. Tu t'y sentiras chez toi.

— Mais… On dit que…

— Que ?

— Que les francs-maçons complotent contre l'Église, répliqua Pierre. Qu'ils fomentent des révolutions. Qu'ils sont subversifs. Et…

— Qu'ils adorent Satan, qu'ils forniquent avec des boucs, qu'ils disent des messes noires, qu'ils contrôlent l'économie du monde entier, compléta le notaire en riant de bon cœur. Je sais tous cela.

— Mais alors…

— Tu ne vas pas te laisser influencer par les sornettes débitées en chaire par des curés à peine plus instruits que leurs ouailles et qui se contentent d'ânonner ce qu'on leur ordonne de dire ?

Le notaire écarta les bras en haussant les épaules, les moustaches plus retroussées que jamais, visiblement amusé.

— Non mais, soyons sérieux, mon garçon. Regarde-moi. Ai-je l'air d'un suppôt de Satan qui sacrifie des vierges ? Et Beaugrand, dont tu as fait la connaissance hier ? Crois-tu, comme tous les bien-pensants qui mangent dans la main des évêques, que sa campagne pour la mairie de Montréal fait partie d'un sombre complot maçonnique pour s'emparer du pouvoir, renverser l'Église et créer la république laïque de la Nouvelle-France dans notre province ? Allons donc !

— Ils exagèrent sans doute, mais… hésita Pierre.

— Nous travaillons, dans le respect des lois et de la morale, à créer une société plus libre et plus juste, où les Canadiens français ne seront plus des lèche-bottes écrasés sous le joug de l'Église, l'interrompit monsieur Fontaine avec conviction. Nous y arriverons en changeant patiemment les hommes, un à la fois. Pas en faisant éclater une révolution qui verserait le sang d'innocents.

Le notaire lui mit une main sur l'épaule et le dévisagea intensément, soudain devenu sérieux.

— Me diras-tu, insista-t-il, que Benjamin Franklin, Voltaire, le marquis de Lafayette, Mark Twain, le philosophe Helvétius, l'astronome Jérôme Lalande, le chimiste Lavoisier, le divin Mozart, les non moins brillants Haydn, Lizt et Beethoven, le président Washington, Talleyrand, le marquis de Condorcet, le baron Montesquieu, Guiseppe Garibaldi, Giacomo Casanova, le romancier Arthur Conan Doyle, le poète Goethe, Walter Scott, Stendhal étaient tous des anarchistes assoiffés de sang? Des adorateurs du diable? Le président de la République française, Félix Faure, est maçon, tout comme l'étaient neuf signataires de la Déclaration d'indépendance américaine en 1776. Je pourrais continuer ainsi pendant une heure! Plus près de nous, il y a eu Louis-Joseph Papineau, John Molson, Peter McGill, le gouverneur général Guy Carleton, et combien d'autres encore. Bonté divine, même les rois d'Angleterre, de Prusse, de Belgique et du Danemark sont des nôtres!

Médusé d'entendre une liste aussi impressionnante qu'insoupçonnée, Pierre ne dit mot.

— Je t'ai accordé la main de ma fille parce que je t'estime. Tu es un garçon intelligent et ouvert d'esprit. Combien de fois m'as-tu dit que tu aimais voir tes élèves penser par eux-mêmes et se former leur propre opinion au lieu d'apprendre par cœur ce que leur racontent des livres écrits par des curés qui voient l'histoire comme une expression de la volonté divine? Quelle différence y a-t-il entre la liberté de pensée que tu permets dans ta classe, même en sachant que cela déplaira aux prêtres qui t'emploient, et celle qui existe dans une loge maçonnique? Y a-t-il quelque chose de répréhensible à réfléchir et à chercher des moyens d'améliorer l'avenir? La race canadienne-française sera-t-elle jamais libre si personne n'ose mettre en question le rôle de l'Église qui la garde prisonnière d'un destin médiocre?

— Bien sur que non, admit Pierre. Ce n'est pas cela… Mais tout de même, les francs-maçons…

— Nous respectons chacun de nos frères, quelles que soient ses opinions et ses croyances. Nous ne nous jugeons pas l'un l'autre. Nous nous soutenons. Nous essayons de vivre honnêtement et honorablement. Et nous faisons tous de notre mieux pour lutter contre l'ignorance, la tyrannie et le fanatisme qui, malheureusement, sont l'apanage de l'Église. Si un jour nous arrivons à créer une société plus libre, ce sera petit à petit, pacifiquement. Quel mal y a-t-il dans tout cela?

Pierre dévisagea l'homme qui se tenait devant lui comme s'il le voyait pour la première fois. Il s'agissait bien d'Émile Fontaine, mais dans une version plus passionnée, plus enflammée, plus libre que celui qu'il avait cru connaître.

— Ne préfères-tu pas te faire une idée par toi-même? insista doucement le notaire.

— Vous semblez oublier que j'enseigne dans un collège catholique. S'il fallait qu'on apprenne que je fréquente une loge, ou même seulement un de leurs membres, je perdrais aussitôt mon emploi.

— Les francs-maçons n'ignorent pas cela et sont discrets.

Ils se dévisagèrent longuement.

— Bon, à toi de choisir, Pierre, conclut monsieur Fontaine. Si tu préfères ne jamais savoir ce que c'est que de penser librement dans un lieu où on ne te juge pas, je ne t'en tiendrai pas rigueur. Je te demanderai seulement de garder notre conversation pour toi, pour des raisons que tu comprends. Dans le cas contraire…

Il regarda sa montre.

— … il est passé dix-neuf heures et nous devons monter.

La tête qui tournait, Pierre considéra tout ce qu'il venait d'entendre. Le fait que son futur beau-père soit franc-maçon était inattendu, certes, mais au fond, il n'en était pas vraiment surpris. De plus, Émile Fontaine n'avait manifestement pas souffert de cette accointance. Bien au contraire, il semblait en avoir grassement profité. Il était prospère et respecté de tous. Ses relations étaient aussi nombreuses qu'influentes. Il ne frayait qu'avec l'élite de la société montréalaise, et le clergé ne semblait pas le vouer aux gémonies. Il n'y avait aucune raison pour qu'il n'en aille pas de même pour lui. Son futur beau-père insistait pour le faire entrer dans un univers qu'il jugeait valable. C'était une grande marque de confiance. Il souhaitait lui donner la chance de profiter de ses relations pour offrir à Julie la vie qu'il désirait pour elle. Si Pierre refusait son offre, le notaire lui en tiendrait-il rigueur? Irait-il jusqu'à revenir sur sa parole pour reprendre la main de sa fille? Si oui, le jeune homme ne s'en remettrait pas. Et puis, il devait être réaliste: ce n'était pas son père à lui qui lui viendrait en aide. Son entreprise d'importation de spiritueux était profitable, mais ne faisait pas de lui un homme d'affaires influent. Il était et ne serait jamais plus qu'un marchand et ne pourrait jamais lui fournir le même genre d'appuis que ceux que monsieur Fontaine mettait à sa disposition. Même l'héritage qu'il lui laisserait serait modeste.

Au fond, il n'était pas libre de refuser. Il inspira profondément, ayant l'impression qu'il s'apprêtait à signer un pacte avec le diable.

— Très bien, accepta-t-il d'une voix qu'il essaya de garder ferme malgré ses tiraillements. Je n'ai aucune raison de ne pas vous faire confiance.

— À la bonne heure! s'exclama Fontaine, la mine réjouie. Tu ne le regretteras pas.

Bras dessus, bras dessous, ils s'engagèrent dans l'escalier, Pierre se demandant dans quoi il venait de s'embarquer.

13

Bordeaux, 11 octobre 1307

Assis sur le trône papal, Bertrand de Got, désormais connu sous le nom de Clément V, relisait pour la quatrième fois le document que lui avait remis son secrétaire particulier, l'abbé Aubert de Lautrec. Il espérait y trouver un indice, un élément auquel il pourrait s'accrocher pour ne pas croire à ce qu'il avait sous les yeux. Mais il n'en voyait aucun.

— Es-tu absolument certain de l'authenticité de cette… chose, Aubert ? le questionna-t-il d'une voix hésitante, l'air hagard.

— Celui qui me l'a transmis sous le sceau du secret est un haut gradé de l'ordre du Temple, Votre Sainteté, répondit mielleusement le secrétaire. Il m'a contacté voilà quelques jours seulement.

— Mais d'où sort cette abomination ? murmura le pape d'une voix frémissante de rage et de peur. Et surtout, comment se fait-il que je n'en aie pas eu connaissance ? Qu'on l'ait cachée au principal intéressé ?

— Selon les dires de mon interlocuteur, Votre Sainteté, les Templiers ont découvert ce document en Terre sainte peu avant la chute de Saint-Jean-d'Acre et l'ont fait parvenir à la commanderie de Paris, pour éviter qu'il soit utilisé contre l'Église, du moins c'est ce que notre informateur prétend. Depuis, il est tenu sous la garde constante de l'ordre. Seuls le maître et quelques officiers supérieurs en connaissent l'existence. Parmi eux se trouve notre homme, qui avait des scrupules à l'idée que le représentant de Dieu lui-même soit tenu dans l'ignorance.

— Voilà des intentions louables, ironisa le pape.

Le Saint-Père haussa les sourcils, sceptique. Il connaissait trop bien la nature humaine pour croire à l'altruisme, fût-il celui de moines soldats qui lui juraient pourtant entière obéissance.

— Si cette immondice est authentique, dit Clément, cela signifie que les Templiers possèdent le moyen de faire chanter l'Église ou même de la détruire, selon leur bon vouloir.

— Votre Sainteté ne doit pas perdre de vue que, s'ils ont protégé ce secret, c'était précisément pour préserver l'Église, susurra le secrétaire.

— C'est ce qu'ils disent.

— Si leur intention avait été de la mettre à mal, ils en auraient eu amplement l'occasion au cours des quinze dernières années.

— Mais ils ont le pouvoir de le faire, Aubert ! éclata Clément en frappant sur le bras de son trône. C'est déjà trop ! Beaucoup trop ! Personne ne doit jamais tenir le pape par les génitoires !

— C'est aussi l'opinion de notre homme, temporisa le secrétaire. C'est pourquoi il a voulu que Votre Sainteté soit informée de la menace.

Clément observa les deux pages couvertes d'une écriture fine et régulière. L'écriture d'un homme lettré, habitué à recopier des livres.

— Nul n'existe dont les intentions sont tout à fait pures, cracha-t-il. Que désire obtenir cette âme si noble en échange de l'original ?

Le secrétaire hésita un peu en se mâchonnant la lèvre inférieure.

— La rumeur se fait de plus en plus insistante que Sa Majesté Philippe IV et vous-même voulez mettre un terme à la puissance des Templiers, minauda-t-il. Le cas échéant, notre homme souhaite être épargné de toutes représailles, défroquer sans être inquiété et pouvoir mener une vie normale. En échange, il vous livrera lui-même l'original.

Une moue de dédain lui déformant les lèvres, Clément V roula le document du bout des doigts, comme s'il était porteur de la lèpre. Puis il frotta longuement sa barbe grise, songeur et indécis.

Il était vrai que le roi de France et lui-même planifiaient d'écraser une fois pour toutes l'ordre du Temple, dont l'influence était devenue redoutable depuis qu'il avait perdu sa raison d'être en Terre sainte. Il avait tant et si bien endetté les rois et les papes qu'il dictait ses volontés à tous les royaumes. Il était devenu rien de moins qu'un État dans l'État et il n'en faisait qu'à sa tête. Pour le bien de la France et du Saint-Siège, cet ordre maudit et arrogant devait être éliminé et ses richesses récupérées. Bertrand de Got avait d'abord hésité à appuyer une pareille entreprise, mais Philippe IV, dit le Bel, lui avait fait comprendre qu'il n'avait guère le choix. Et il avait raison. C'était au roi que Clément devait son accession au trône de saint Pierre, achetée à coups de menace. Il était sa vile créature, condamné à lui obéir. Et le roi, endetté comme un mendiant, souhaitait plus que quiconque l'anéantissement du Temple. C'était l'unique raison pour laquelle il avait comploté pour imposer un pape français.

Cela dit, la situation venait de changer radicalement. Le fait que le plan, préparé dans la plus entière discrétion, soit éventé n'augurait rien de bon. Il était bien connu que les Templiers avaient de grandes oreilles, mais à ce point… Jamais Clément ne l'aurait cru. Pour avoir une chance de réussite, il faudrait donc agir plus vite que prévu. Et frapper plus fort aussi.

Par-dessus tout, l'enjeu était décuplé, plus capital que Clément n'aurait pu l'imaginer dans ses pires cauchemars. Pour la première fois, il réalisait l'ampleur jusque-là insoupçonnée de la puissance de l'ordre du Temple. Il lui suffisait de brandir un simple document pour faire chanter l'Église tout entière. Ou pire encore : de rendre public ce document pour lui porter un coup fatal. Il ne pouvait courir ce risque. Philippe pouvait accaparer toutes les richesses de l'ordre. Cela n'avait plus aucune importance. Le pape ne souhaitait désormais qu'une chose : récupérer la monstruosité sacrilège dont il venait de lire la transcription et la détruire.

— Envoie un messager prévenir le roi de mon arrivée imminente, ordonna-t-il. Nous avons à parler.

Le roi ne devait rien savoir du document. Clément lui ferait simplement valoir que les Templiers avaient eu vent de leurs intentions et que, s'il désirait mettre la main sur le trésor du Temple avant qu'il ne soit déplacé, il devait se hâter. L'homme était le plus cupide qu'il eût jamais connu. Cela suffirait pour le convaincre.

— Et prépare-toi à accompagner les troupes à la commanderie, Aubert.

— Moi ? Mais…

— Tu es celui qui prendra livraison du document.

Aubert de Lautrec pinça les lèvres pour retenir le sourire qui voulait s'y épanouir. Le temps était venu pour les Justes de récupérer ce qui leur appartenait en propre. Sous peu, après treize siècles d'attente, ils reprendraient la place qui leur revenait.

14

Montréal, 25 avril 1886

Une fois au cinquième et dernier étage, le souffle un peu court, Pierre et le notaire débouchèrent dans une antichambre remplie d'hommes de tous âges, certains ayant franchi le cap des soixante-dix ans, d'autres dans la jeune vingtaine. Vêtus de couleurs sombres, tous discutaient, riaient de bon cœur et semblaient très heureux d'être ensemble. Ils portaient des tabliers de cuir blanc bordés de rouge et des gants blancs qui leur conféraient un air aussi élégant que solennel. Monsieur Fontaine tira un mouchoir de sa poche et s'épongea le front.

— Ouf! échappa-t-il. Cette escalade commence à ne plus être de mon âge.

Paralysé par la nervosité, Pierre força un ricanement distrait en regardant à la dérobée tous ceux qui se trouvaient là sans trop trahir sa curiosité. Il eut presque le souffle coupé quand il repéra Honoré Beaugrand en pleine conversation avec un autre homme. Lorsque le maire de Montréal les aperçut, son visage s'illumina d'un franc sourire et il vint à leur rencontre, la main tendue. Monsieur Fontaine la serra avec chaleur, puis vint le tour de Pierre.

— Je commençais à croire que vous ne viendriez pas, dit Beaugrand avec un air espiègle.

— Pierre a eu quelques hésitations, expliqua le notaire.

— C'est tout à fait compréhensible, concéda charitablement le maire. Lequel d'entre nous n'a pas eu d'arrière-pensées ?

Beaugrand dévisagea Pierre.

— Ne craignez rien, le rassura-t-il en lui tapotant amicalement l'épaule. La loge Les Cœurs réunis n'a encore jamais sacrifié un de ses candidats à Satan ! Pas même une petite chèvre. Que je sache, en tout cas…

Lui et monsieur Fontaine rirent de bon cœur. Puis il consulta sa montre et la remit dans la poche de son gilet.

— Je vous laisse. On se revoit tantôt, Pierre. Émile vous dira quoi faire.

Beaugrand s'éloigna, abandonnant Pierre, sidéré, au notaire.

— Le maire de Montréal est franc-maçon… murmura-t-il en regardant le politicien s'éloigner.

— Eh oui ! Ça fait partie du vaste complot maçonnique visant à dominer le monde ! plaisanta monsieur Fontaine. Sérieusement, où crois-tu qu'est née une idée aussi avant-gardiste que la vaccination obligatoire contre la variole, l'an dernier ? Ici même, dans la loge Les Cœurs réunis. Les progrès sociaux se développent dans les loges, mon garçon. C'est là qu'on les discute et qu'on trouve les appuis politiques pour les mettre en œuvre. Si nous avions pu le faire plus vite, nous aurions sauvé plusieurs des deux mille cinq cent morts, mais les rétrogrades sont puissants et bruyants. Les émeutes qu'ils ont fomentées ont été assez nombreuses pour forcer Honoré à reculer.

Il lui tapota affectueusement l'épaule, un peu comme on rassure un petit garçon qui craint l'inconnu.

— Et ce n'est pas tout, ajouta-t-il d'un ton taquin. Tu vois ce monsieur âgé un peu rondelet, là, qui a l'air de saint Nicolas avec sa belle barbe blanche ?

— Oui.

— Eh bien, c'est l'honorable Gédéon Ouimet.

— Quoi ? L'ancien premier ministre de la province ? s'étonna Pierre, à mi-chemin entre l'ahurissement et le scandale, une partie de lui craignant plus que jamais que les peurs véhiculées par l'Église ne soient plus fondées qu'il ne l'avait cru.

— Bien sûr, puisque les francs-maçons complotent pour infiltrer l'État! blagua le notaire. Aussi bien commencer par le sommet! Un Québec maçonnique, ça sonne bien, non?

Monsieur Fontaine sourit pour dissiper le doute qu'il avait fait naître.

— Bon! Il temps de se préparer, décida-t-il en se frottant énergiquement les mains.

Il déposa sa mallette sur une table, l'ouvrit et en sortit un tablier de cuir pareil à tous les autres qu'il ceignit, puis des gants blancs qu'il passa. Tout en tentant d'absorber ce qu'il venait d'apprendre, Pierre l'observa en songeant que, si cet accoutrement avait une élégance bien particulière dans le contexte de la loge, où tout le monde était semblablement vêtu, il aurait été d'un ridicule consommé en société. Il essaya de ne pas penser au fait que bientôt, il en serait affublé lui aussi.

Le notaire se pencha à l'oreille de son futur gendre et poursuivit sa nomenclature en désignant de la tête quelques-uns des hommes qui se trouvaient là.

— Celui-là, c'est Toussaint-Antoine-Rodolphe Laflamme, commenta-il en désignant un homme d'une soixantaine d'années au menton un peu fuyant dont les favoris en broussaille lui couvraient les joues, et qui discutait ferme avec deux autres. Il est professeur de droit, ex-bâtonnier du Barreau de Montréal et ex-président de l'Institut canadien. Il a fait partie de ceux qui en ont appelé à Rome de la censure exercée sur l'Institut par l'évêque de Montréal voilà une vingtaine d'années. Il a perdu, évidemment. Et là, c'est Arthur Buies, ajouta-t-il en pointant un homme particulièrement élégant, au port altier et à la chevelure ondulée qui en haranguait quelques autres, l'index brandi.

— Le journaliste?

— En personne. Un autre ancien membre de l'Institut. On raconte que chaque fois qu'il écrit au sujet de l'Église, il trempe sa plume dans le vitriol plutôt que dans l'encre. On ne fait pas plus anticlérical que Buies. Il aurait d'ailleurs avantage à modérer un peu ses ardeurs, car il finit par nuire à nos idées.

— J'ai lu quelques-uns de ses articles, admit Pierre. Ils étaient… percutants, pour dire le moins.

Trois coups secs retentirent et les conversations s'apaisèrent. Les hommes se mirent docilement en rang devant deux grandes portes et attendirent.

— La tenue va commencer, lui confia monsieur Fontaine. Tu vois cette porte ?

Pierre suivit la direction indiquée et acquiesça de la tête.

— Elle s'ouvre sur une petite pièce où les candidats doivent attendre. Installe-toi. Quelqu'un viendra te chercher au moment opportun.

Le professeur d'histoire ravala sa salive, ce qui fit sourire le notaire.

— Il n'y a rien à craindre, je t'assure, le réconforta-t-il en lui posant affectueusement une main sur l'épaule. Ferais-je du mal à mon futur gendre ?

Monsieur Fontaine prit place parmi les autres. Quelques instants plus tard, les portes s'ouvrirent. Deux par deux, avec sérieux et discipline, les francs-maçons pénétrèrent en silence dans le temple. Puis elles se refermèrent.

Seul dans l'antichambre déserte, Pierre soupira longuement. Il avait l'impression d'être menotté et d'avoir été happé par un tourbillon. Il aurait souhaité pouvoir réfléchir calmement à tout cela, mais manifestement, monsieur Fontaine ne voyait pas les choses du même œil. Pour lui, tout était déjà entendu.

Il se rendit à la porte qui lui avait été indiquée et s'y arrêta, une main sur la poignée, sans oser la tourner. Ce geste si simple, que l'on faisait des milliers de fois dans une vie sans jamais y porter attention, revêtait soudain une portée immense. Il sentait que dès que cette porte s'ouvrirait, il ne pourrait plus reculer. Ce ne serait pas seulement une pièce qui se révélerait à lui, mais un univers dans lequel il serait emporté. Il se mordilla nerveusement la lèvre et inspira profondément, hésitant. S'il s'enfuyait maintenant, comme un voleur, monsieur Fontaine perdrait tout respect pour lui.

Le visage de Julie, doux et souriant, flotta devant ses yeux. Mais qu'est-ce qui avait bien pu lui passer par la tête pour s'embarquer dans cette galère dont il ignorait tout, hormis les belles paroles du notaire? Contrarié autant qu'anxieux, il secoua la tête avec rage et ouvrit.

La pièce n'était guère plus grande qu'une garde-robe. Une unique bougie, posée sur une petite table appuyée contre le mur du fond, en constituait le seul éclairage. Ses murs, son plafond et son plancher étaient peints en noir. Pierre entra, referma derrière lui, et tira la chaise. Dubitatif, il examina ce qui se trouvait sur la table: un crâne derrière deux tibias entrecroisés; un sablier dans lequel des grains de sable s'écoulaient paresseusement; une miche de pain frais dont l'odeur se mêlait à celle de la cire chaude et de la fumée; une cruche à demi remplie d'eau; un petit coq en bois sculpté et peint de couleurs chatoyantes; une faucille. De toute évidence, ce décor un peu lugubre était destiné à l'impressionner. La mise en scène de mauvais goût, presque enfantine, se révélait néanmoins efficace, à en juger par la moiteur de ses mains.

Ne sachant que faire d'autre, il tira la chaise et s'assit. C'était sans doute ce que l'on attendait de lui. Aussi bien jouer le jeu. Il inspira en pianotant sur le dessus de la table. La pièce lui paraissait à la fois sinistre et étrangement sereine, comme un mausolée. Il examina plus attentivement l'étrange attirail qu'on avait disposé là. Il n'était pas médecin, mais le crâne semblait bien être un vrai. Un frisson lui parcourut le dos et il se demanda qui avait pu être cet homme et quelle vie il avait menée. Et surtout, comment les francs-maçons avaient bien pu se procurer des restes humains. Il se dit que certains membres de la loge étaient sans doute médecins et que ceci expliquait cela.

À défaut d'avoir mieux à faire, il s'adossa plus confortablement, joignit les mains devant sa bouche et en tapota les extrémités, comme il le faisait toujours lorsqu'il réfléchissait profondément. Ces objets n'étaient pas là par hasard. Ils faisaient forcément partie de la démarche qu'il entreprenait. Il les considéra pendant quelques minutes et, peu à peu, un sens émergea. On avait réuni dans ce cabinet des symboles de la vie et de la mort, de l'inéluctable passage du temps. Voulait-on lui rappeler sa propre mortalité ? Le faire réfléchir sur le sens de l'existence et sur sa brièveté ? Sans doute. Le symbolisme du sablier, du crâne, des os et de la faucille étaient clairs. Mais il y avait plus. Le coq n'annonçait-il pas chaque matin la renaissance du jour ? Le pain et l'eau n'étaient-ils pas ce qui entretenait la vie ? Au fond, l'attirail symbolisait une transition, un recommencement. Dans le contexte de l'initiation qu'il allait bientôt subir, c'était de circonstance. On voulait lui faire comprendre que, d'une certaine manière, il entrait dans une nouvelle vie.

Quant au rapport entre cette mise en scène un peu bête et les idées libérales et laïques, il avait beau le chercher, il n'en voyait aucun. Il se cala dans la chaise, passablement impatienté. Ces enfantillages irritants lui faisaient regretter encore plus de n'avoir pas tourné les talons quand il en avait eu l'occasion. Mais Émile Fontaine l'avait placé dans une situation impossible. Il se raisonna en se disant qu'il suffisait de se prêter au jeu et de ne pas prendre les choses trop au sérieux. Avec un peu de patience, tout cela serait vite derrière lui et le notaire serait heureux.

Le grincement de la porte qu'on ouvrait le tira de ses pensées. Un homme entra et le dévisagea un instant.

— Pierre Moreau ? demanda-t-il d'un ton solennel.

— Oui.

— Lève-toi, s'il te plaît.

Pierre obtempéra.

— Retire ta veste et ton gilet.

Pierre obéit encore. L'homme déboutonna la chemise du professeur et sortit son bras gauche de sa manche, puis la reboutonna, laissant son bras, son épaule et une partie de sa poitrine dénudés. On lui demanda ensuite de se déchausser et de vider les poches de son pantalon, puis d'en rouler les jambes jusqu'aux genoux. L'homme l'examina des pieds à la tête. L'air satisfait, il lui intima de se retourner. Il saisit les mains de Pierre et les ramena derrière son dos pour lui attacher les poignets. Puis il lui passa un bandeau de velours noir sur les yeux et le noua solidement sur sa nuque.

Ainsi privé de la vue et les mains attachées, Pierre se sentit soudain vulnérable et n'apprécia guère la sensation. Il se raisonna, c'était sans doute l'effet que recherchaient les maçons. Après tout, une initiation, quelle qu'elle fût, se devait d'être impressionnante et de marquer l'imagination de celui qui la subissait. Adrien lui avait raconté la sienne, lorsqu'il avait prononcé ses vœux. Étendu face contre terre, les bras en croix, sur un drap noir au pied de l'autel, il en avait été profondément marqué.

Des mains saisirent ses bras et le firent pivoter sur lui-même. Il entendit la porte du petit cabinet qui s'ouvrait.

— Allons-y, dit l'homme en le saisissant par le coude.

Pieds nus, il quitta la petite pièce et fut guidé jusqu'à ce qu'il soupçonnait être l'entrée de la loge. On l'immobilisa et trois coups retentirent. Les grincements de charnières lui indiquèrent qu'une porte s'ouvrait.

— Q-Qui v-v-v-va l-là? s'enquit un homme à la voix menaçante.

Pierre secoua la tête de dépit et, sous son bandeau, leva les yeux au ciel, exaspéré. Voilà maintenant qu'un bègue essayait de lui donner la frousse. Même la pointe froide d'une épée qui s'appuya au centre de sa poitrine dénudée l'impatienta plus qu'elle ne le fit frémir.

15

PIERRE SENTIT qu'on empoignait sa chemise pour le tirer vers l'avant, sans pour autant retirer la pointe de l'épée de son sein.

— Sur le seuil de la loge se tient le profane Pierre Moreau, que j'ai trouvé en train de méditer sur le sens de la vie dans le cabinet de réflexions, déclara l'homme qui était venu le chercher.

— Pou-pourquoi trouble-t-il n-n-n-notre tr-tr-travail ?

— Parce qu'il souhaite connaître les secrets et mystères de l'antique franc-maçonnerie, à laquelle il désire se joindre.

— At-atten-ten-dez q-que j-j-je fa-fasse rap-rapport au-au-au vé-vé-vé-vénérable m-m-m-maître, répondit le pauvre bègue après moult efforts.

Pierre fut repoussé vers l'arrière et la porte claqua. À l'intérieur, il put entendre des voix qui dialoguaient en sourdine. Puis on ouvrit de nouveau et l'épée se reposa sur sa poitrine. Il espéra que la main du bègue soit plus ferme que sa langue.

— Q-q-qu'il entre.

Son accompagnateur le poussa vers l'avant. On l'immobilisa après quelques pas et, à son grand soulagement, la pointe de l'épée fut retirée.

— De quel droit oses-tu te présenter ici, profane ? tonna une voix de stentor qui venait du fond de la pièce.

— Je connais le profane Pierre Moreau et je réponds de son honneur sur le mien, vénérable maître, fit celle de monsieur

Fontaine. Je demande pour lui l'initiation aux secrets de la franc-maçonnerie.

— Puisque l'un d'entre nous se porte garant de cet homme, qu'il nous prouve sa valeur en parcourant le temple dans les ténèbres pour affronter les quatre éléments.

Pierre fut entraîné vers l'avant, titubant à l'aveuglette sous son bandeau malgré le fait qu'il fût soutenu. Il n'avait fait que quelques pas lorsqu'un grand vacarme s'éleva, suivi d'un vent puissant qui fit virevolter ses cheveux.

— L'air ! clama le vénérable maître.

On le maintint en place pendant quelques instants, le secouant pour le faire vaciller comme s'il avait du mal à résister. Puis le calme retomba et on lui fit reprendre sa marche. Il sentit qu'on le faisait tourner à quatre-vingt-dix degrés vers la droite. Une giclée d'eau glacée l'aspergea, trempant sa chemise et son pantalon.

— L'eau !

Grelottant et plus qu'un peu contrarié de voir ainsi mouillé un de ses deux pantalons, il fut poussé une nouvelle fois vers l'avant. Quelques pas et un autre virage plus tard, il se retrouva pieds nus dans quelque chose d'humide et de malléable où ses orteils s'enfoncèrent en lui causant une sensation passablement répugnante.

— La terre !

Il avança encore un peu et entendit le crépitement caractéristique d'une torche allumée. La seconde d'après, un souffle chaud lui effleura la poitrine, de si près qu'il sentit les poils de son torse roussir. Il recula par crainte d'être brûlé, mais il fut retenu par son guide.

— Le feu !

L'étrange voyage, parsemé d'épreuves symboliques, dura tout au plus cinq minutes. Pierre fut ramené à ce qui lui semblait être son point de départ. Son bras libéré, il resta là, désorienté, à attendre la suite.

— Vénérable maître, déclara monsieur Fontaine, sur sa droite, le candidat dont je réponds a prouvé sa valeur en franchissant avec succès l'épreuve des quatre éléments. Il se tient maintenant devant vous, en attente de votre décision. S'il ne s'avérait pas digne de votre faveur, qu'il soit dès maintenant reconduit sur le parvis pendant qu'il n'a encore rien vu de ce lieu.

— Le candidat Pierre Moreau est digne d'être reçu franc-maçon, accepta le maître. Qu'il s'avance à l'autel et s'agenouille.

Pierre fut entraîné vers l'avant jusqu'à ce que ses orteils heurtent un obstacle. Son guide lui murmura de s'agenouiller sur le genou droit et de placer son autre jambe de façon à former un angle de quatre-vingt-dix degrés, ce qu'il fit de son mieux. On lui délia les mains pour les placer à plat sur un meuble qui se trouvait devant lui.

— Pierre Moreau, énonça la voix du vénérable maître, à votre demande, et sous le parrainage d'un digne frère de cette loge bien connu de nous, vous vous trouvez ici pour connaître les secrets et mystères de l'ancienne franc-maçonnerie. Déclarez-vous faire ceci de votre plein gré?

Sous son bandeau, Pierre hésita. Pouvait-il en toute honnêteté répondre par l'affirmative, alors qu'il avait le sentiment d'avoir été manipulé, presque contraint, par monsieur Fontaine? Qu'il avait été mené à cet endroit par la ruse? Il n'eut pas à réfléchir longtemps pour se dire qu'au fond, il avait eu amplement l'occasion de faire demi-tour et que s'il était resté, c'était de son propre chef. Que cela lui plût ou non, il avait donné son consentement au moins tacite à la piètre comédie dont il était l'objet. Il ne restait plus qu'à faire contre mauvaise fortune bon cœur en espérant que tout cela s'achève bientôt.

— Je le déclare, ronchonna-t-il, faute de mieux.

— Comprenez-vous que la connaissance de ces secrets vous liera pour toujours à l'ordre?

— Je le comprends.

— Comprenez-vous que la trahison de ces secrets et mystères est la faute la plus grave qu'un franc-maçon puisse commettre et qu'elle sera punie en conséquence?

Pierre répondit encore oui et sentit les mains du vénérable maître se poser sur ses épaules.

— Monsieur Moreau, croyez-vous en Dieu ? demanda-t-il d'une voix beaucoup plus douce.

Cette fois, Pierre n'hésita pas. S'il avait du mal à accepter la domination du clergé sur les consciences, il savait aussi distinguer entre la foi et l'institution créée par les hommes. Il croyait pleinement et entièrement au Créateur et pouvait le déclarer sans avoir à fouiller sa conscience.

— Oui.

— Reconnaissez-vous que Dieu est omniprésent, omnipotent et omniscient ? reprit le maître. Qu'il existe, créateur de toutes choses et lui-même incréé, au-delà des religions et des sectes ? Que toute prière atteint le même être, sans égard aux factions qui divisent les croyants ? Que toutes les révélations et tous les livres saints se valent dans leurs principes et leurs exhortations ?

— Oui, répondit Pierre, impressionné malgré lui par la façon dont le vénérable maître venait de résumer, en gros, la façon dont il voyait les choses.

— Monsieur Moreau, vos mains sont actuellement posées sur la Bible chrétienne, que surmontent les symboles de notre ordre. Si cela ne convient pas à votre foi, il peut être remplacé par le livre sacré de votre choix. Acceptez-vous celui-ci ou préférez-vous en changer ?

— La sainte Bible me convient.

Les mains du vénérable quittèrent ses épaules et couvrirent les siennes.

— Puisqu'il en est ainsi, vous êtes autorisé à prononcer l'obligation solennelle du franc-maçon. Répétez après moi : je m'engage sur l'honneur à ne jamais trahir les secrets de l'ancienne franc-maçonnerie, soit en tout, soit en partie, soit en parole, soit par écrit ou par quelque autre moyen que ce soit. Je promets d'aimer mes frères, de les protéger et de leur venir en aide. Dans la mesure de mes moyens, selon ma conscience, et soutenu par mes frères, je lutterai contre l'ignorance, la tyrannie et le fanatisme avec le même courage et la même détermination que j'ai démontrés en affrontant les quatre éléments.

Une coupe fut portée à ses lèvres.

— Maintenant que vous vous êtes engagé envers l'ordre, dit le vénérable, abreuvez-vous à la coupe des libations qui scellera notre alliance.

Il prit une gorgée de ce qui se révéla être du vin de très bonne qualité – sans doute acheté chez Moreau et Moreau, songea-t-il avec amusement. Puis ils en revinrent au serment.

— Si je manque à ce serment, que ma gorge soit ouverte d'une oreille à l'autre et que ma langue soit arrachée puis clouée aux murs de cette loge pour y pourrir et servir d'avertissement à ceux dont la loyauté serait vacillante.

Sans grande conviction, Pierre répéta les paroles.

— Pour sceller ce serment, buvez de nouveau.

Cette fois, une main s'appuya fermement sur sa nuque. Dès qu'il avala la première gorgée, il grimaça et manqua de s'étouffer tant le breuvage était amer. Il essaya de se retirer, mais on l'en empêcha.

— Buvez! Buvez tout! l'intima le maître.

N'ayant d'autre choix, il avala jusqu'à la lie en luttant contre la nausée qui le tourmentait. Il toussota longuement avant que la cérémonie ne reprenne.

— Que cette boisson amère soit pour vous l'emblème du remords qui pèsera sur votre âme si vous deviez trahir les secrets qui vous seront confiés! tonna le maître.

On le releva.

— Mes frères, cet homme est dans les ténèbres depuis longtemps, dit le maître. Prêtez-moi votre aide pour lui rendre la lumière!

Une voix sépulcrale monta derrière lui, qui le fit sursauter.

— Au commencement, Dieu créa les cieux et la terre. La terre était informe et vide: il y avait des ténèbres à la surface de l'abîme, et l'esprit de Dieu se mouvait au-dessus des eaux. Dieu dit: Que la lumière soit! Et la lumière fut. Dieu vit que la lumière était bonne; et Dieu sépara la lumière d'avec les ténèbres. Dieu appela la lumière jour, et il appela les ténèbres nuit. Ainsi, il y eut un soir, et il y eut un matin[1].

Pierre dut se retenir pour ne pas éclater de rire. Ces drôles qui passaient le plus clair de leur temps à contester le pouvoir de l'Église récitaient la *Genèse* dans leurs cérémonies.

Il sentit que l'on détachait son bandeau, qu'on lui retira d'un geste brusque. Après tout ce temps dans le noir, il fut aveuglé par la lumière pourtant douce des chandelles. La première chose qu'il vit fut la Bible, sur laquelle étaient placés une équerre et un compas entrecroisés.

Il dévisagea le vénérable maître de la loge et, malgré lui, fut impressionné de constater qu'il avait été initié par nul autre que Gédéon Ouimet.

— Mon frère, dit l'ancien premier ministre, je vais maintenant te révéler les secrets qui unissent les maçons du monde entier et qui leur permettent de s'identifier les uns les autres.

Le vieil homme au faciès réjoui et à la barbe abondante enserra le poignet de Pierre, le pouce et l'index d'un côté, le majeur, l'annulaire et le petit doigt de l'autre.

— Ceci est l'attouchement des francs-maçons, dit-il. Nous nous reconnaissons entre nous en l'échangeant dans le monde profane. Il s'accompagne d'un mot que nous ne prononçons qu'à voix basse et avec révérence, et uniquement de bouche de maçon à oreille de maçon. Ce mot est *Pax*[2]. Maintenant, tiens-toi bien droit et serre ta gorge avec ta main droite.

Pierre obéit et mima les gestes du vénérable.

— Ceci est le signe des francs-maçons, expliqua-t-il ensuite. Nous l'utilisons lorsque nous prenons la parole en loge et pour confirmer notre appartenance à l'ordre auprès de frères qui nous

1. *Genèse* 1,1-5.
2. Paix.

sont inconnus. Ces secrets, conserve-les dans la boîte en os fermée par des clés d'ivoire et ne les divulgue pas imprudemment.

Pendant que Pierre décodait l'image un peu simpliste qui référait à sa tête, Ouimet fit signe à un des membres de la loge, qui vint le rejoindre pour lui remettre un tablier en cuir blanc. Le vénérable le plaça à la taille de Pierre et un autre maçon le lui attacha derrière les reins. Puis Ouimet lui remit des gants blancs qu'il passa.

— Ce tablier est l'emblème de tous les francs-maçons. Comme il préservait jadis nos prédécesseurs tailleurs de pierre des éclats et de la poussière, il nous protège symboliquement des mauvaises influences, des dangers et des souillures. Porte-le fièrement en te souvenant que c'est la manière dont tu te comportes dans le monde profane, et non pas en loge, qui te fait le mériter. Ces gants sont toujours portés lorsque nous nous réunissons. Ils démontrent que nos mains, tout comme notre conscience, sont immaculées.

Ouimet l'agrippa par les épaules.

— Tu es venu parmi nous vêtu comme un pauvre mendiant, continua-t-il. Tu ne seras plus jamais seul ni dans le besoin, car tu es ici parmi tes frères et ceux-ci ont juré, comme toi, de s'entraider.

Le vénérable l'attira vers lui et lui fit une bise sur chaque joue.

— La franc-maçonnerie comporte plusieurs degrés. En temps opportun, selon ton mérite, tes aptitudes et ta fidélité à ta loge, tu seras admis à ceux de compagnon et de maître maçon. Maintenant, prends place parmi tes frères.

Pierre aperçut monsieur Fontaine, radieux, qui tapotait énergiquement la place à côté de lui sur la banquette. Il le rejoignit et s'assit. Pour la première fois, il eut l'occasion d'observer la pièce où il se trouvait et fut agréablement surpris par son charme un peu suranné. Les murs étaient revêtus de riches panneaux d'acajou qui conféraient à l'endroit une atmosphère chaude, paisible et solennelle. Le plafond était peint en bleu ciel et orné d'étoiles dorées. Sur les côtés, trois rangées de banquettes étaient remplis d'hommes en tablier et gantés, dont plusieurs lui adressèrent un salut de la tête, grave et fraternel. À une extrémité, Gédéon Ouimet, maillet à la main, s'était rassis dans un fauteuil à haut dossier. À l'autre bout de la loge, ainsi que sur les côtés, trois hommes que Pierre ne connaissait pas étaient pareillement installés. Au centre, il vit le petit autel rectangulaire où se trouvaient la Bible, l'équerre et le compas, sur lesquels il venait de prêter serment.

En quelques minutes, les travaux de la loge furent conclus au rythme de paroles maintes fois répétées.

La soirée se termina dans la salle attenante au temple autour d'un bon repas. Les réjouissances, enthousiastes et bruyantes, furent ponctuées par des toasts en son honneur dont Pierre perdit le compte tant ils furent nombreux. Il finit par prendre plaisir à être le centre de toutes les attentions d'hommes souvent importants auxquels il n'avait jamais osé rêver d'avoir accès, et qui le traitaient comme un ami très cher à grands coups de tape dans le dos.

Comme le voulait la tradition de la loge, un photographe, lui-même franc-maçon, avait été chargé d'immortaliser la scène. Il avait disposé la quarantaine de frères contre le mur, sur trois rangées, les plus grands derrière comme en classe. Au milieu, à la place d'honneur, encadré par un ancien premier ministre de la province et le maire en exercice de la ville, se trouvait Pierre. Tous avaient dû rester immobiles pendant une bonne minute, un sourire crispé figé sur le visage, pendant qu'il prenait une photographie avec un magnifique appareil en bois orné de laiton fixé sur un trépied.

— Ne t'en fais pas, expliqua ensuite monsieur Fontaine. Les photographies restent dans les archives de la loge. Elles ne sont jamais rendues publiques.

Assis au fond de la salle, un homme était plus taciturne que le reste de l'assemblée, bien qu'il participât aux festivités et levât son verre comme tout le monde. Il n'avait d'yeux que pour le nouveau frère. Assis entre Honoré Beaugrand et Émile Fontaine, Pierre Moreau avait l'air las et un peu contrarié. Son futur beau-père lui avait présenté un à un tous les frères de la loge en prenant grand soin de lui préciser la profession de chacun. Tout dans la gestuelle du jeune homme trahissait qu'il était anxieux de partir. De toute évidence, il avait été déçu par l'initiation, mais cela n'avait aucune importance.

Pierre Moreau, fils d'Hubert Moreau… Contrairement aux autres, il ne ferait que passer dans la loge Les Cœurs réunis et il n'y trouverait pas ce que tous y cherchaient. L'homme savait déjà où vivait le nouvel apprenti, où il travaillait, qui il fréquentait. Il savait tout de lui, depuis sa naissance. Son entrée chez les francs-maçons n'était que la première étape vers une destinée qu'il ignorait encore. Son chemin lui serait indiqué.

Malheureusement, les choses se bousculaient. Les démarches de Moreau en vue de son mariage, dont on l'avait mis au courant, risquaient fort d'avoir attiré l'attention de ceux qui le traquaient sans relâche. Maintenant qu'il était officiellement franc-maçon, il devenait encore plus visible et, tôt ou tard, il serait contacté. La joute longtemps attendue était enfin enclenchée.

Il ne restait plus qu'à espérer que tout se déroule comme il avait été prévu. D'ici peu, soit Pierre Moreau serait recruté, soit on tenterait de le tuer. Cela, l'homme ne pouvait le permettre. Le détenteur de la clé devait être protégé, sa vie était la chose la précieuse qui fût. Ainsi, seulement, la preuve pourrait être retrouvée. Ensuite, Moreau mourrait probablement, mais cela n'avait aucune importance. La cause était juste.

16

Montréal, 26 avril 1886

Il était passé minuit lorsque le joyeux repas, que les maçons appelaient un peu pompeusement « agapes », se termina enfin. À cette heure, les rues de Montréal n'étaient plus fréquentées que par les ouvriers qui retournaient chez eux d'un pas traînant après un long quart de travail à l'usine. Dans le fiacre qui les ramenait chez les Fontaine, Pierre s'était enfermé dans le silence. Pour éviter toute conversation, bien plus que par intérêt, il regardait distraitement défiler par la fenêtre les édifices éclairés par les becs de gaz qui longeaient les rues. Sur ses genoux était posé la mallette en cuir dans laquelle étaient rangés son tablier et ses gants. Après la tenue, monsieur Fontaine lui avait appris qu'il s'agissait d'un présent de sa part, puisqu'il était son parrain parmi les frères de la loge. Pierre l'avait remercié en essayant de montrer un peu d'enthousiasme. Il n'était pas certain d'y être arrivé.

Pour sa part, le notaire, assis sur la banquette d'en face, semblait redescendre du nuage sur lequel il avait d'abord flotté pour remarquer son état d'esprit.

— Alors ? s'enquit-il d'une voix pleine d'expectative. Comment tu as trouvé la cérémonie ? Dis quelque chose !

Pierre ferma les yeux et soupira, réalisant que, comme il le craignait depuis qu'ils avaient quitté le temple, il ne pourrait pas esquiver cette conversation. Il n'aimait pas mentir, mais il désirait encore moins indisposer ou peiner monsieur Fontaine, qui croyait visiblement lui avoir fait un précieux cadeau.

— Je… je dois réfléchir, se contenta-t-il de répondre évasivement.

— Allons donc, tu dois bien avoir une impression, insista le notaire. Après tout, on n'est initié qu'une fois dans sa vie. C'est un moment marquant dont tu te souviendras jusqu'à ta dernière heure.

Le jeune homme se résigna à se retourner pour faire face à celui qui l'avait entraîné en toute bonne foi dans cette histoire un peu délirante.

— Il est évident que l'ordre vous tient à cœur et que vous prenez plaisir à fréquenter la loge, commenta-t-il.

Dans la pénombre des lampadaires qui défilaient, le notaire lui répondit par un sourire entendu. Pierre hésita longuement.

— Mais ?… fit son futur beau-père.

— Bon, j'admets sans gêne qu'il y a quelque chose de grisant à se retrouver à tu et à toi avec un ancien premier ministre de la province et le maire de Montréal, surtout lorsqu'on n'est qu'un petit professeur d'histoire. Mon orgueil en est flatté, c'est évident.

— Bien entendu. Mais ? répéta monsieur Fontaine.

— Eh bien, en toute sincérité, j'ignore si vous prenez la cérémonie de ce soir au sérieux, mais j'y ai surtout vu du mauvais théâtre recouvert d'un vernis d'ésotérisme et d'histoire ancienne joué par des bourgeois en mal de sensations fortes. Je ne vois vraiment pas pourquoi la franc-maçonnerie obsède tant le clergé.

— Aïe, ricana le notaire en portant les mains à son cœur, comme si une flèche venait de s'y ficher. Tu es bien sévère.

D'un geste de la tête, le notaire l'invita à préciser ses idées.

— On raconte les pires horreurs sur les loges, continua Pierre. On parle de rébellion, d'anticléricalisme, de sacrilège, d'impiété et même de satanisme. Et lorsque j'y mets le pied, qu'est-ce que j'y trouve ? Un bègue qui essaie de se faire terrifiant ; une cérémonie de grand guignol ; quelques grimaces et postures que l'on présente comme le plus précieux des trésors ; et un mot de passe tout à fait banal. Les terribles secrets de la franc-maçonnerie ne sont que cela ? Franchement, monseigneur Fabre n'a pas de quoi perdre le sommeil. Il faudrait être charitable et le lui dire, le pauvre homme, car je n'ai rien vu qui attente, même de loin, à la morale. Au pire, on y discute de doctrines politiques un peu trop progressistes, comme on le faisait jadis à l'Institut canadien. Pour le reste, il ne s'agissait que d'amusements, un peu hermétiques certes, mais bien innocents.

Émile Fontaine le dévisagea un instant, les sourcils froncés, une moue sur les lèvres, comme s'il évaluait la valeur de ce qu'il venait d'entendre. Étonnamment, il n'avait pas l'air vexé, mais admiratif.

— Tout ce que tu dis est absolument vrai, mon garçon ! déclara-t-il enfin. L'ordre n'est qu'un amusement pour gens instruits. Sous couvert de franc-maçonnerie, la loge Les Cœurs réunis est un club privé où l'on fait des affaires et où l'on discute de politique et de changement social. Rien à voir avec la réputation qu'on fait à l'ordre.

Il se pencha vers l'avant, appuya ses coudes sur ses genoux et entrelaça ses doigts. Il regarda son futur gendre avec insistance.

— La seule chose qui compte, c'est qu'en être membre donne accès à des gens influents qui ont promis de s'entraider, déclara-t-il avec ferveur. Les relations. C'est là que se trouve le succès. Et le fait d'appartenir à la loge vient de t'en fournir une manne sans que tu aies eu à faire le moindre effort pour les développer. Maintenant, tu as tes entrées à l'hôtel de ville, par exemple. Le secret maçonnique, même insignifiant, a ceci de particulier qu'il crée une grande complicité. Tu verras : quand ton compte en banque commencera à engraisser, tu me remercieras. Et si, pour profiter de ces avantages, il faut endurer quelques cérémonies un peu infantiles, qu'importe ? Et puis, tu n'es encore qu'apprenti. Tu verras, lorsque tu seras compagnon, puis maître, les tenues deviendront de plus en intéressantes. N'oublie pas, non plus, que la loge demeure un lieu où le changement peut naître, pour le bien de tous.

La voiture ralentit.

— Me voici arrivé, dit monsieur Fontaine lorsqu'elle s'arrêta. Il est tard. Aimerais-tu que je paie d'avance le cocher pour qu'il te reconduise chez toi ?

— Je vous remercie, mais je crois que je vais marcher. J'ai besoin de réfléchir un peu.

Ils descendirent devant la maison, rue Mansfield. Un lampadaire au gaz un peu plus loin éclairait discrètement l'imposante demeure à deux étages. Le notaire paya le cocher, qui le remercia en touchant le rebord de son chapeau avant de se mettre en route. Puis il tendit la main à Pierre, qui la prit et la serra.

— Je suis heureux de te compter parmi nous, Pierre, dit-il en souriant. Vraiment. Tu verras, tu finiras par en comprendre les avantages.

Il s'éloigna et gravit les quelques marches qui menaient à la porte d'entrée, déverrouilla la porte et disparut chez lui sans se retourner.

Décontenancé, Pierre posa les mains sur ses hanches et secoua la tête en expirant bruyamment. Son futur beau-père avait beau affirmer que la franc-maçonnerie lui serait utile, il n'éprouvait aucune envie de retourner perdre son temps dans la loge, surtout si les soirées se terminaient toujours à une heure aussi tardive et qu'il devait enseigner tôt le lendemain. Déjà, il se couchait trop tard pour préparer des leçons ou corriger des copies après avoir visité Julie. S'il fallait en plus qu'il joue au franc-maçon deux fois par mois…

Il se redemanda comment il avait pu se fourrer dans cette histoire, lui qui n'aspirait qu'à une vie tranquille de professeur d'histoire. Évidemment, il ne fallait pas chercher très loin la réponse à cette question. Elle se trouvait derrière la fenêtre droite de l'étage. S'il avait accepté de participer à cette tenue de carnaval, c'était pour offrir à sa Julie la vie qu'elle méritait. Pour ne pas la perdre.

Saisi par un romantisme soudain, Pierre déplora que l'on ne fût plus à la belle époque où un soupirant transi pouvait escalader nuitamment la façade en s'agrippant aux vignes pour s'introduire dans la chambre de sa dulcinée et ne la quitter qu'au lever du soleil, repu, heureux et portant les parfums de son corps. Il allait se remettre en chemin lorsqu'il aperçut les rideaux qui s'écartaient. Son cœur fit un bond dans sa poitrine quand il vit, dans la lumière diffuse du lampadaire, le visage souriant de Julie.

D'un petit geste, la jeune fille lui fit signe d'approcher. Pendant un fugitif instant, il espéra qu'elle l'inviterait à monter. Elle entrouvrit la fenêtre à guillotine de quelques pouces et colla sa bouche à l'ouverture.

— Alors ? Tu as aimé ta soirée ? chuchota-t-elle.

— Bof… Oui, je suppose.

— Dans quatre jours, mes parents se rendront à un bal à la Société d'archéologie et de numismatique de Montréal. Ils rentreront très tard. Viens sur le coup de dix-sept heures. Passe par derrière pour ne pas être vu.

— Nous serons… seuls ?

— À moins que tu préfères un chaperon ? demanda-t-elle, espiègle.

— Mais est-ce prudent ?

— Pas du tout, lui répondit-elle avec un sourire coquin.

Avant qu'il ne puisse dire quoi que ce soit, elle posa un baiser sur ses doigts et le souffla vers lui. Puis elle redescendit la fenêtre et referma les rideaux. Pierre resta là, les bras ballants et un sourire niais sur les lèvres. Julie avait guetté son retour pour l'inviter à passer une soirée seul avec elle. Il n'osait même pas imaginer la suite.

Flottant sur un nuage, il remonta Mansfield et s'engagea d'un pas rapide dans Sherbrooke vers l'est, les souvenirs de la décevante initiation maçonnique se mêlant aux images lascives de Julie qu'il tentait en vain de repousser. Après une quinzaine de minutes à bonne vitesse, il avait presque atteint Saint-Laurent. Encore quelques minutes et il serait chez lui. Il se demandait s'il arriverait à fermer l'œil en sachant que dans quelques jours, il tiendrait sa Julie dans ses bras sans crainte d'être surpris. Il l'embrasserait voracement. Il enfouirait le nez dans son cou et en lécherait la peau parfumée. Il laisserait ses mains courir sur son corps. Il détacherait son corsage pour y enfouir sa bouche. Il remonterait sa robe et laisserait ses mains courir sur ses jambes. Il…

Les images lascives s'effritèrent dans sa tête. Il s'arrêta et regarda derrière lui, intrigué. Il lui avait semblé entendre des pas. En soi, cela n'avait rien de surprenant. Il n'était certainement pas le seul Montréalais encore debout à cette heure. La question était de savoir quel genre d'individu errait dans les rues en pleine nuit. Sans doute du genre qu'il valait mieux ne pas rencontrer.

Préférant ne courir aucun risque, il se pressa et eut l'impression qu'une cinquantaine de pieds derrière lui, quelqu'un s'était aussi remis en marche. Les pas étaient si bien synchronisés aux siens qu'il arrivait à peine à en percevoir un de temps à autre – pas assez pour être certain qu'il était suivi, mais suffisamment pour le soupçonner. Et pour sentir la peur commencer à lui serrer le ventre.

Sans s'arrêter, il se retourna. La rue était déserte. Seules quelques poubelles longeaient les façades. Il s'arrêta de nouveau et tendit l'oreille. Rien. Il secoua la tête avec impatience. De toute évidence, la cérémonie maçonnique, malgré son ridicule, l'avait assez impressionné pour qu'il se mette à imaginer des choses.

Il tourna à gauche rue Saint-Laurent. Une minute plus tard, il refermait la porte de sa chambrette miteuse, accueilli par les miaulements de Siméon. Il ne put s'empêcher de courir à la fenêtre pour vérifier s'il se trouvait quelqu'un dehors. Évidemment, il ne vit personne et se blâma pour sa propre couardise.

Il nourrit le chat pour mettre fin à sa bruyante complainte, puis le déposa sur le lit lorsqu'il fut rassasié. Il se coucha, Siméon recroquevillé dans le creux de ses genoux, en espérant dormir quelques heures et rêver de Julie.

Terré entre deux bâtiments, loin des lampadaires, l'homme vit la lumière s'éteindre à la fenêtre de Pierre Moreau. Il était habitué à filer quelqu'un et connaissait toutes les ruses qui rendaient invisible. Le jeune professeur ne soupçonnait pas sa présence.

Désormais, il ne le quitterait plus d'une semelle, de jour comme de nuit. Car la vie de Pierre Moreau était déjà en danger. Il avait suffi de marcher dans ses pas depuis la rue Mansfield, pour constater qu'il était suivi. Il restait à déterminer par qui. Ensuite, l'homme déciderait si l'espion devait vivre ou mourir.

17

L’homme est là, près de son lit. Il porte un tablier en cuir et des gants blancs. Pierre a peur. Il voudrait appeler son père et sa mère, mais une main sur sa bouche l’en empêche. Un rayon de lune éclaire subitement la chambre. Cette fois, Pierre peut apercevoir les yeux de l’étranger. Ils sont noirs comme du charbon. Comme ceux du diable.

— Viens, gronde l’homme avec une voix d’outre-tombe. Ton initiation va commencer.

Pierre ne comprend pas ce qu’il veut dire. L’homme le soulève de son lit et l’emporte hors de sa chambre. Pierre pleure. Il essaie de mordre la main, mais il n’arrive même pas à ouvrir la bouche. Ses narines sont couvertes, elles aussi, et il arrive à peine à respirer. Des cris parviennent à ses oreilles. L’homme sort par la fenêtre puis s’élance à toutes jambes, ballotant Pierre en cours de route. Il se dirige droit vers un autel monté au milieu de la ruelle. Autour sont regroupés les membres de la loge Les Cœurs réunis. Ils portent tous leur tablier et leurs gants. Le vénérable tient un couteau dans sa main droite. Il fait signe à l’homme d’approcher.

Enfermé dans un corps d’enfant, Pierre est déposé sur l’autel. Le vénérable déboutonne sa chemise de nuit pour dénuder sa poitrine. Autour de lui, les frères se mettent à psalmodier. Soudain, il n’est plus un petit garçon, mais un homme. Cependant, il a tout aussi peur. Il tremble. Il est incapable de bouger. Le chant, d’abord éthéré, enfle peu à peu dans un crescendo qui remplit toute la ruelle. Gédéon

Ouimet prend le couteau à deux mains, l'élève au-dessus de sa tête, prononce quelques paroles solennelles que Pierre ne comprend pas, et l'abaisse d'un coup sec.

Lorsque Pierre se réveilla, un cri encore suspendu aux lèvres, le jour se levait. Il haletait et la sueur avait mouillé sa chemise de nuit. Il se leva en maudissait Émile Fontaine. Depuis son initiation, le cauchemar revenait chaque nuit, lui offrant des variantes toujours plus cruelles de son rêve habituel. Il se lava à l'eau froide, nourrit Siméon et mangea à la hâte un reste de pain à la confiture. Il avait son rendez-vous hebdomadaire avec Adrien et, même s'il s'y rendait au bord de l'épuisement, il ne donnerait jamais à son cousin le plaisir d'annuler leur entraînement. Sinon, les taquineries n'auraient pas de fin.

Montréal, 29 avril 1886

Dans la clairière derrière le collège, le soleil se levait. La lumière naissante était plus que suffisante à Adrien, qui frappait Pierre à qui mieux mieux des deux mains, sans chercher à modérer la force de ses coups. Prêtre ou pas, il était très en colère. Après trois jours d'hésitation, dont une fin de semaine à y réfléchir sans cesse, Pierre venait de lui raconter les événements qui l'avaient mené dans la loge Les Cœurs réunis.

— Mais es-tu complètement cinglé, sombre abruti ? ragea-t-il en ponctuant chaque mot d'un coup de poing dans les côtes de son cousin. Es-tu tombé sur la tête ou est-ce simplement qu'elle a toujours été aussi creuse ?

Amorphe et rendu lourd par des jours de mauvais sommeil, Pierre recula en se protégeant de son mieux avec ses avant-bras et ses coudes, sans réussir à bloquer tous les coups.

— Crétin ! Idiot ! continua le prêtre en accompagnant ses reproches d'autant de jabs secs qui lui projetaient la tête en arrière. Qu'est-ce qui t'a pris? Tu ne vas pas essayer de me faire croire que tu ignores ce qu'on dit des francs-maçons! Je me souviens de t'avoir moi-même prêté un livre à ce sujet. Tu sais ce qu'en pense l'Église, non? Pourquoi voudrais-tu courir le risque de t'exposer à l'ire de monseigneur?

— À part les membres de la loge, tu es le seul à le savoir, se défendit Pierre, un peu piteusement. Si tu tiens ta langue, je ne m'en porterai pas plus mal.

— Je suis prêtre, moi, Pierre, s'emporta Adrien. J'ai prononcé mes vœux. Je dois défendre l'Église, pas regarder ailleurs quand je vois qu'on l'attaque! Réalises-tu la position dans laquelle tu me places?

Le professeur rallia le peu d'énergie que quatre heures de sommeil lui procuraient pour contre-attaquer. Après deux directs gauches bloqués, il parvint à cingler la joue gauche de son cousin d'un direct du droit qui le fit reculer de quelques pas.

— Si tu pouvais voir toi-même leur petite cérémonie ridicule, tu ne t'en ferais pas autant, je t'assure, expliqua-t-il. Même que tu en rirais. Ou alors, tu en pleurerais de dépit. C'est selon.

Il recula d'un pas et un crochet de la droite lui siffla sous le nez.

— Et puis, de toute manière, poursuivit-il en esquivant, je ne prévois pas retourner perdre mon temps là-bas plus souvent qu'il ne le faudra. Je l'ai fait pour rendre monsieur Fontaine heureux. Une bonne action, en quelque sorte. C'est fait et ça me suffit.

Il ponctua ses paroles d'un uppercut sec et inattendu qui renvoya la tête d'Adrien vers l'arrière. Le prêtre répliqua par une volée de coups dont la plupart atterrirent sur les gants de Pierre. Ils se mirent à tourner en rond en s'étudiant, la garde bien relevée, tentant quelques feintes pour provoquer une erreur chez l'autre.

— Mais tu en es quand même membre, de cette loge, sombre imbécile, insista Adrien d'un ton rageur, son uppercut de la droite passant dans le vide. Ton nom est forcément inscrit dans un registre. As-tu songé à ce qui arriverait si le supérieur du séminaire l'apprenait? En cinq minutes, tu te retrouverais à la rue. C'est ça que tu veux ? Demeuré ! La bulle *Humanum Genus* de Léon XIII est claire : « Aucun catholique, s'il veut rester digne de ce nom et avoir de son salut le souci qu'il mérite, ne peut, sous aucun prétexte, s'affilier à la secte des francs-maçons[1]. »

De ses mains gantées, Pierre fit signe qu'il abdiquait et se laissa tomber sur les fesses, essoufflé. Son cousin, toujours courroucé, vint s'asseoir près de lui.

— Je ne pouvais pas refuser. Monsieur Fontaine aurait été déçu, souffla-t-il, les genoux écartés et la tête entre les jambes. Il est évident que mes moyens financiers ne sont pas à la hauteur des ambitions qu'il entretient pour sa fille. Si j'avais décliné son offre, il aurait peut-être décidé que, tout compte fait, notre mariage n'était pas une bonne affaire. Et je suis incapable d'envisager la vie sans Julie. Tu comprends ? S'il faut me faire franc-maçon et assister parfois à une cérémonie risible pour l'épouser, alors, c'est ce que je ferai.

— Allons donc, pauvre naïf, le semonça le jeune sulpicien. Il te l'a déjà accordée, sa main.

— Vrai. Mais tant que le mariage n'est pas célébré, il pourrait la reprendre si le cœur lui en dit, râla Pierre.

— Elle t'aime et il en est conscient.

— Et après ? répliqua Pierre. Il ne serait pas le premier père à arranger un mariage sans l'accord de la principale intéressée. J'ai fait ce que je devais faire et j'en assumerai les conséquences. Maintenant, il est temps de retourner en classe.

Pierre se leva le premier, son souffle revenu, et tendit sa main gantée à son cousin pour l'aider à se relever. Le prêtre se remit debout. Les deux cousins se tinrent l'un devant l'autre en souriant, comme ils l'avaient fait si souvent depuis l'enfance. Dans la fraîcheur du matin, une épaisse vapeur montait de leurs corps en sueur. Puis ils enlevèrent leurs gants avec un sourire de gamin.

— C'était un coup chanceux, grimaça Adrien en se tâtant le menton.

1. Bulle *Humanum Genus*, 20 avril 1884.

— C'était un coup parfaitement placé et tu le sais aussi bien que moi, corrigea Pierre en lui passant le bras sur les épaules. D'ailleurs, je t'envoie toujours sur le derrière avec le même. Tu ne fais aucun progrès.

— Aucun progrès ? Je t'ai attrapé souvent et très solidement.

— Je me suis couché tard et je suis un peu lent. Sinon, tu m'aurais couru après, comme toujours.

La journée sembla s'écouler au rythme des grains dans un sablier. Percevant sans doute sa fatigue, les élèves de Pierre parurent faire tout en leur pouvoir pour être turbulents, mais rien ne parvint à entamer la bonne humeur que ressentait leur jeune professeur, en dépit de son visage un peu endolori qui lui valut quelques taquineries. Adrien n'y avait pas été avec le dos de la cuillère, mais Pierre se consola en songeant avec amusement qu'il devait avoir encore plus mal que lui.

Il n'avait pas revu Julie depuis son retour de la loge et l'attente s'était avérée presque au-delà de ses forces. L'esprit perpétuellement préoccupé par la soirée qui approchait avec une lenteur qui tenait de la torture, il traversa ses cours dans un état second, les ponctuant de plusieurs erreurs de faits et de dates, lui qui n'en commettait jamais.

— Ha ! Ha ! Monsieur Moreau pense à sa fiancée ! lança Julien Richard, toujours plus espiègle que les autres, après qu'il eut gratifié monsieur de Maisonneuve du titre de « monseigneur ».

Le garçon ne pouvait savoir à quel point il voyait juste et Pierre sentit ses joues rougir, ce qui fit sourire de plus belle le jeune effronté et rigoler ses camarades.

Lorsque la cloche annonça la fin des cours, il se précipita hors de sa classe avant même que ses élèves aient rangé leurs cahiers. Il renversa presque Adrien qui l'attendait à l'extérieur.

— Ho ! Hé ! ricana son cousin. Tu es bien pressé ! Où cours-tu donc comme ça ? As-tu mal au ventre ?

— J'ai rendez-vous avec Julie.

— Avec Julie ? Ça ne peut pas attendre un peu ?

— Crois-moi, tu ne peux rivaliser avec elle. Particulièrement aujourd'hui.

— J'aurais voulu poursuivre notre discussion de ce matin, précisa le jeune prêtre avec un air entendu.

— Ça devra attendre.

— Je vois cela, oui.

Il lui tapota l'épaule avec affection.

— Amuse-toi bien, alors. Et ne commets pas de péché qui ne puisse être effacé par quelques chapelets, plaisanta-t-il, une lueur coquine dans le regard.

— Comment un sulpicien pourrait-il même imaginer le genre de péché auquel je rêve ? Ne dois-tu pas avoir l'esprit pur ?

— Il n'y a aucun mérite à se priver de ce qu'on ne désire pas. Et puis, j'ai fait mes vœux, mais on ne m'a pas châtré.

— Tu as accepté de faire un nœud dans ce qu'on t'a laissé. C'est encore pire.

— Allez, va avant que je ne te donne une taloche.

— Utilise la gauche. Je te rappelle que tu bénis avec la droite.

Pierre s'en fut en riant.

18

Paris, 18 mars 1314

De l'île aux Juifs, Jacques de Molay, dernier *magister* de l'ordre du Temple, pouvait encore apercevoir dans le crépuscule la glorieuse Notre-Dame de Paris dont les tours s'élevaient vers le ciel, indifférentes à ses souffrances. C'était sur son parvis qu'on l'avait forcé à entendre la sentence de mort prononcée contre lui.

Le bûcher avait été allumé quelques minutes auparavant. Les flammes qui enflaient commençaient à lécher ses jambes et la fumée le faisait étouffer. Il se retint pour ne pas crier. Sous peu, ses vêtements s'embraseraient, ses cheveux et sa barbe grésilleraient; sa peau fondrait comme de la cire chaude; ses yeux éclateraient dans leurs orbites. Il espérait seulement être asphyxié avant cela. Il se tourna vers sa gauche et jeta un regard à celui qui partageait son supplice. Geoffroy de Charnay, précepteur de l'ordre pour la province de Normandie, lui fit un signe de tête déterminé. Tous deux avaient accepté leur sort, sachant pourquoi ils mouraient. Tous deux le supporteraient.

Sept ans plus tôt, le 13 octobre 1307, les hommes du roi Philippe avaient fait irruption dans la commanderie de Paris et, simultanément, dans toutes les autres commanderies de France. L'assaut avait été aussi soigneusement orchestré que le mécanisme d'une horloge. Heureusement, l'ordre avait des espions partout, et malgré les précautions prises par le pape et le roi, il avait été averti du coup de force qu'ils préparaient. Puis on avait surpris un de ses officiers dans la voûte la plus profonde de la commanderie, en train d'en retirer le secret le plus terrible que possédait le Temple depuis que Guillaume de Beaujeu l'avait envoyé à Paris. Mené devant Molay, l'homme avait avoué son crime et avait été châtié en conséquence.

En toute hâte, on avait chargé les objets et le plus gros du trésor du Temple dans des charrettes remplies de foin et on avait transporté le tout jusqu'au port de La Rochelle. Aussitôt que leur cargaison avait été complète, les navires de l'ordre avaient mis les voiles pour l'Écosse en emportant aussi le plus gros des frères de la commanderie de Paris. Seuls quelques-uns étaient volontairement restés avec une petite partie du trésor, histoire de sauver les apparences. Ainsi, le roi crut avoir réussi. Le pape, lui, fut vite informé que le document qu'il convoitait n'était pas sur place. De celui qui devait le lui remettre, on avait retrouvé la tête, rien d'autre.

Maintenant, après sept longues années d'interrogatoires ponctués de séances de tortures qui lui avaient fracturé plus d'os qu'il ne pouvait en compter et réduit les plantes de pied en charbon à force d'être brûlées, de comparutions devant la commission papale et devant le roi et ses sbires, d'aveux et de rétractations, tout arrivait enfin à son terme. La Vengeance allait être préparée aussi longtemps qu'il le faudrait. Et elle serait terrible.

Molay éprouvait une sourde colère devant l'injustice qui l'avait mené sur le bûcher, comme un vulgaire hérétique, lui qui, toute sa vie, avait été un bon chrétien. Car si Guillaume de Beaujeu avait gardé pour lui le terrible secret, c'était pour éviter qu'il tombe entre des mains malfaisantes et que l'Église en subisse des préjudices. Les intentions de l'ordre avaient toujours été honorables. *Non nobis, Domine, non nobis, sed nomini, tuo da gloriam*[1] avait été sa devise. Mais ce pape trop ambitieux avait néanmoins choisi de le détruire. Pour cela, il paierait. L'Église

1. Non pas pour nous, Seigneur, mais à la plus grande gloire de ton nom.

tout entière paierait. Avant même que la maréchaussée n'enfonce les portes de la commanderie, Molay y avait vu. Tout était en place et s'enclencherait dès qu'il aurait exhalé son dernier souffle.

Il inspira profondément, conscient qu'il allait prononcer ses ultimes paroles, qui terrifieraient ceux auxquels elles s'adresseraient tout en constituant un signal pour certains autres qui les entendraient.

— Je vous ajourne tous les deux, pape et roi de France, à comparaître bientôt devant le tribunal céleste ! clama-t-il avec tout ce qui lui restait de voix, rendue rauque par la fumée et la souffrance. Toi, Clément, dans les quarante jours ! Et toi, Philippe, avant la fin de l'année ! Le Temple a été, est et sera éternellement ! Sa conscience est pure. Il n'aura de repos que lorsque l'Église aura reçu son juste dû et qu'elle sera réduite en cendres ! Maudits soyez-vous pour l'éternité et puissiez-vous pourrir en enfer aux côtés de votre Dieu !

La dernière image que ses yeux purent voir avant que les flammes ne les cuisent dans leurs orbites, fut celle de deux de ses frères, vêtus en simples serfs, rasés et mêlés à la foule venue assister au spectacle. Les joues mouillées de larmes, ils hochèrent discrètement la tête pour lui laisser savoir qu'ils avaient bien compris la directive qu'il venait de leur donner. Le message serait transmis. Dès lors, les poisons dont l'ordre avait appris tous les secrets en Terre sainte feraient le reste. Le pape mourrait. Le roi aussi. Et en temps et lieu, l'Église finirait par s'écrouler.

Jacques de Molay périt, réduit à l'état de carcasse carbonisée, mais en paix avec lui-même. À ses côtés, Geoffroy de Charnay l'avait précédé de quelques minutes. Les chevaliers du Christ et du Temple de Salomon n'existaient plus, mais les Templiers, eux, vivraient jusqu'à ce que la Vengeance soit accomplie, terrible, sauvage et totale. Désormais, elle serait leur sainte cause. Tôt ou tard, Jacques de Molay serait vengé, et à travers lui, l'ordre en entier.

Au milieu de la foule surexcitée et fascinée par l'atrocité qui se déployait sous ses yeux et qui faisait appel à ses instincts les plus bas, Aubert de Lautrec hochait lentement la tête, dépité. Pendant quelques jours, les Justes avaient vraiment cru qu'ils allaient enfin récupérer leur bien. Jamais ils n'étaient venus plus près depuis la destruction du temple de Jérusalem par les troupes de Titus en l'an 70, lorsqu'on le leur avait volé. Depuis, ils avaient cherché sans relâche, n'oubliant jamais ce qui leur revenait de droit. Lorsqu'ils avaient eu vent que les Templiers le détenaient, ils étaient demeurés aux aguets. Dès que l'immonde Bertrand de Got était monté sur le trône papal, ils avaient glissé un des leurs auprès de lui.

Les Justes avaient presque réussi. Le trésor leur avait glissé entre les doigts quelques jours à peine avant qu'Aubert n'en prenne livraison, comme convenu avec le traître, pour ensuite disparaître sans laisser de traces, laissant le pape pantois.

Le secrétaire de Clément V tourna les talons et traversa la foule pour aller se perdre dans les rues de l'île de la Cité. La preuve avait disparu. Tout était à recommencer. Pour l'heure, du moins.

Mais les Justes étaient patients. Après tout, ils attendaient depuis treize longs siècles. Ils pouvaient le faire encore un peu.

19

Montréal, 29 avril 1886

PIERRE PASSA CHEZ LUI pour se laver. Après s'être aspergé d'une eau de toilette bien trop luxueuse pour lui, que Julie lui avait offerte le Noël précédent, il revêtit une chemise propre et son costume le moins usé. Siméon réclama son attention pendant quelques minutes et il la lui donna malgré sa hâte en le grattant derrière les oreilles, comme il aimait tant. La brave bête, qu'il avait trouvée dans la rue et recueillie sans trop savoir pourquoi, voilà un an, était sympathique, même s'il avait l'impression que c'était le chat qui fixait les termes de leur relation. Puis il se mit en route, toute fatigue chassée par l'expectative, regrettant que l'heure tardive l'empêche d'acheter des fleurs en passant.

Rue Sherbrooke, il se fit violence pour ralentir ses pas. Il devait absolument calmer son anxiété. Julie l'avait invité à venir la retrouver alors qu'elle serait seule, tout en sachant fort bien qu'il la désirait de tout son être. Pierre ne doutait pas un seul instant que le sentiment fût réciproque. Partant, être seuls comportait un immense risque de succomber à la tentation.

Mais elle n'avait fait aucun sous-entendu, ni prononcé aucune parole équivoque. Il devait se raisonner. Elle voulait passer quelques heures en sa compagnie, sans le sentiment d'être constamment surveillée. Rien de plus. Déjà, pour une jeune femme de bonne famille, cela constituait une transgression importante et Pierre appréciait pleinement la valeur de cette belle preuve d'amour. Julie était une bonne catholique et il serait le gentilhomme qu'il avait toujours été. Il aimait cette femme de toute son âme et il brûlait de désir pour elle ; il voulait la prendre, se perdre en elle, découvrir tous les détails de son corps et sentir leurs âmes fusionner. Mais le mariage était justement fait pour ça. Il devait attendre et il le ferait. Lorsqu'il dormirait enfin avec Julie, elle serait une femme honorable. Sa femme à lui. D'ici là, il la respecterait, quitte à souffrir mille tourments pendant l'année qui venait.

Perdu dans ces douces pensées, Pierre allait tourner dans Mansfield lorsqu'il percuta violemment un passant qui s'engageait rue Sherbrooke au même instant. Par réflexe, il agrippa l'autre par les bras pour l'empêcher de tomber et fut doublement horrifié de constater qu'il venait de bousculer le jésuite de l'autre jour. Coiffé d'un chapeau à large rebord qui ne tenait plus que de façon précaire sur le coin de sa tête, le prêtre avait manifestement été aussi distrait que lui. Si l'on se fiait à son air amusé, il avait absorbé le choc sans trop de mal. Pierre se pencha pour ramasser le chapelet qu'il avait échappé et le lui rendit en se confondant en excuses.

— Décidément, on dirait que Dieu vous a envoyé pour ramasser ce que je laisse tomber, blagua le père Noël Garnier.

— Je suis vraiment désolé.

— Allons, ce n'est rien, mon fils. Ça m'apprendra à prier avec tant de ferveur que je ne regarde plus où je vais.

— Rien de cassé ?

Il tapota affectueusement la poitrine de Pierre en ricanant.

— Mais non, voyons. Vous avez bon cœur. C'est de plus en plus rare de nos jours. Je vous souhaite une bonne soirée.

— À vous de même, répondit Pierre, rougissant à l'idée du genre de soirée qu'il espérait.

Si le jésuite avait pu lire dans ses pensées, nul doute qu'il l'aurait empoigné par l'oreille, gonflé par une sainte indignation, pour le traîner au confessionnal le plus proche et le forcer à se repentir de sa concupiscence. Heureusement, tel n'était pas le cas et il se limita à replacer son chapeau avant de reprendre son chemin. Pierre le regarda s'éloigner dans Sherbrooke avant de rajuster sa veste et sa cravate puis de s'engager dans Mansfield.

Parvenu en vue du domicile des Fontaine, il prit le temps de s'assurer que personne ne le voyait. Rassuré, il longea le mur de la maison jusqu'à l'arrière, comme convenu, et monta sur la galerie. Il allait frapper lorsqu'il hésita, le poing suspendu dans les airs. Il réalisa avec étonnement qu'il avait peur. Peur de lui-même, de la faiblesse de sa chair. Peur de Julie, qu'il savait ardente, et peur pour elle, aussi, car elle méritait son respect et il ne voulait pas la souiller. Il avait l'impression qu'en franchissant le seuil, il pouvait tout gâcher. Mais il ne pouvait pas davantage concevoir l'idée de se priver de quelques heures d'intimité.

Il se décida donc à frapper, fébrile comme un jouvenceau. Après quelques instants, le son volontaire de talons sur la marqueterie annonça l'approche de Julie. Quand la porte s'ouvrit, il fut accueilli par un sourire crispé. Elle recula pour lui permettre d'entrer, étira le cou pour voir si quelqu'un avait observé la scène, puis referma vite la porte et verrouilla la serrure en laissant échapper un petit rire nerveux.

La première chose que Pierre remarqua fut la robe qu'elle portait. Elle était d'un vert forêt qui donnait des reflets de feu à sa chevelure rousse, sans compter la façon dont elle moulait les courbes aussi abondantes qu'invitantes de son corps. Voyant bien le désir dans les yeux de son fiancé, Julie se laissa admirer un peu.

— Tu aimes ma nouvelle robe ? demanda-t-elle en exécutant un tour complet sur elle-même, faisant virevolter le tissu.

Pierre eut le souffle coupé lorsqu'il entrevit les mollets magnifiquement galbés qu'il n'avait pu qu'imaginer jusque-là.

— Tu es… magnifique, mon amour, murmura-t-il, le souffle coupé.

Elle lui prit les mains et les serra fort.

— Je suis heureuse que tu sois venu, dit-elle.

— Tu sais bien que rien n'aurait pu m'en empêcher.

Il fit mine de l'attirer vers lui, mais elle se raidit et esquiva habilement son étreinte.

— Je peux te servir quelque chose à boire? offrit-elle d'une voix un peu trop haut perchée. Du vin? Du porto? Du sherry? Ou ce terrible scotch que mon père et toi appréciez tant?

Pierre ne put s'empêcher de sourire de soulagement en constatant à quel point elle était fébrile. Il n'était pas le seul à avoir peur. Julie aussi était terrifiée. Et c'était bien ainsi.

— Juste un peu du vin, s'il te plait, accepta-t-il. Si tu en prends.

Elle passa son bras dans le sien et l'entraîna vers le salon. Une fois là, il resta debout, rigide et mal à l'aise. Elle se rendit à la petite table de service, déboucha une carafe et versa le liquide bourgogne dans deux coupes. Ses gestes étaient brusques et saccadés, et elle en renversa une. Le vin s'écoula sur le plancher de bois verni et forma une grande flaque. Julie émit un petit couinement et sortit en courant, pour réapparaître l'instant d'après avec un torchon pour éponger le dégât. Pierre vit que les mains de la pauvrette tremblaient. Il s'approcha et la prit doucement par les épaules.

— Ma chérie, si tu es mal à l'aise, je peux repartir, proposa-t-il tendrement. Je comprends, tu sais. Je crève de peur, moi aussi.

Julie baissa la tête et ricana.

— Non. Je rêve de cet instant depuis si longtemps. Être seule avec mon homme… Mais en même temps, j'ai peur. De moi-même. De mon corps.

Mon homme… Par ces simples mots, elle venait de résumer tout ce qu'il souhaitait de la vie: être à elle, tout entier, corps et âme. Transporté, il lui sourit et elle se blottit contre lui, posant la tête dans le creux de son épaule avec le naturel le plus parfait. Dès lors, la peur et le malaise s'évanouirent. La main de Pierre remonta le long de la délicate nuque et la caressa avec douceur avant de s'enfouir dans sa chevelure épaisse. Il ferma les yeux et s'enivra du délicat parfum de jasmin et de lavande, fleuri sans être onctueux, si délicat et féminin, que portait toujours Julie.

Le désir monta dans le bas de son ventre, violent et pressant, comme toujours quand il la tenait dans ses bras.

— Mon amour… chuchota-t-il d'un ton presque douloureux.

— Prends-moi, glissa-t-elle d'une toute petite voix à son oreille.

Il l'embrassa avec gourmandise. Elle lui rendit son baiser avec une fougue plus grande encore qu'à l'habitude en plantant ses ongles dans la peau de son cou. Il s'arracha brusquement à l'étreinte pour la regarder droit dans les yeux avec intensité.

— Julie… haleta-t-il, peinant à aligner deux idées cohérentes. Nous marier en état de péché… Et s'il fallait que tu deviennes enceinte… Et puis, imagine la honte d'aller se confesser… et…

Elle posa ses doigts sur sa bouche pour faire cesser ses balbutiements.

— Je ne veux pas me marier innocente, coupa-t-elle d'un ton plus décidé. Je suis une femme et tu es mon homme. Tu le seras toujours, Pierre. N'en doute jamais. Il n'y aura que toi. Je veux connaître le plaisir que Dieu a donné à ses créatures.

Pierre sentit lutter en lui le désir et une peur atavique du péché.

— Tu m'aimes ? insista Julie.

— Tellement… souffla-t-il.

— Tu vas m'épouser ?

— Tu le sais bien.

— Alors, soyons ensemble, Pierre, proposa-t-elle en lui caressant affectueusement la joue. Ne planifions rien, mais ne nous interdisons rien non plus. Profitons de ces quelques heures pour être nous.

— D'accord.

Elle l'embrassa farouchement, prit ses mains et les plaqua sur ses fesses. Pierre tressaillit et se mit à pétrir fiévreusement les globes merveilleusement charnus. Julie gémit comme une bête et pressa son ventre contre le sien. Sans se dégager de l'étreinte, elle le poussa à reculons vers le canapé, l'y fit choir et s'allongea sur lui. Animées d'un esprit qui leur était propre, les mains du jeune homme se glissèrent sous la jupe, remontèrent le long des cuisses et s'enfouirent dans sa culotte de coton. Les fesses de Julie étaient rondes et fermes, et sa peau douce comme celle d'un bébé. Son majeur se glissa entre les deux et trouva de son propre chef cette partie humide, aux effluves divins et brûlante de désir qu'il n'avait qu'imaginée. Il la caressa maladroitement sans oser s'y introduire.

Palpitante, Julie cessa de l'embrasser et se redressa. À cheval sur lui, elle lui prit la main et la guida vers son ventre, puis son sexe. Les yeux rivés dans les siens, elle détacha son corsage et libéra deux seins blancs, volumineux et ronds, aux pointes roses et dressées avec impudence. Pierre eut le souffle coupé et crut mourir. Ses doigts la fouillèrent et accélérèrent leur mouvement.

Soudain, la jeune femme se figea et sa cabra brusquement, la bouche entrouverte, retenant sa respiration. Un frisson la parcourut et Pierre fut momentanément certain de lui avoir fait mal. Elle sourit et se pencha pour porter ses seins à sa bouche. Elle le laissa goûter à satiété ses charmes en caressant amoureusement ses cheveux, le souffle de plus en plus rapide, la tête pendant au-dessus de lui, ses cheveux formant un rideau d'intimité qui les isolait du reste du monde. Tétant furieusement, ses doigts découvrant un univers de textures douces et inédites entre les cuisses de sa fiancée, Pierre sentit les frémissements qui s'emparaient de plus en plus fréquemment du corps magnifique qu'il s'appropriait enfin. Il s'aperçut à peine que Julie avait détaché les boutons de sa braguette et sursauta lorsque la main délicate empoigna son membre rigide. Lorsqu'elle l'enfourcha, elle laissa échapper un petit cri de douleur, puis son visage prit une expression de pure extase. Il crut mourir de volupté et s'abandonna au plaisir de labourer, le premier, ce sillon encore vierge qui l'enveloppait merveilleusement. Le plaisir, aveuglant d'intensité, les saisit simultanément, oblitérant pendant quelques éternels instants la réalité autour d'eux, effaçant le passé et l'avenir au profit du seul moment qu'ils vivaient comme un seul être, leur causant des spasmes multiples qui s'étiolèrent petit à petit pour les laisser pantelants et vidés.

Ils planèrent longtemps dans un silence qui frôlait la perfection, leurs âmes unies et leurs corps n'étant plus que deux vastes mains qui touchaient, caressaient, effleuraient. Les mots étaient superflus. Pierre se contenta de serrer Julie dans ses bras, fermant les yeux pour mieux jouir de sa chaleur contre lui. Il savait, désormais, que jamais il ne cesserait de découvrir et de redécouvrir ce jardin de courbes et de vallées, d'odeurs et de couleurs, de goûts et de moiteurs. Moult fois, il honora ce corps qui s'était ouvert pour l'accueillir. Gauches, mais tendres et fervents, ils devinrent un, sans complexes, dans le plus parfait abandon.

Petit à petit, la réalité les rattrapa. Ils venaient de commettre l'irréparable. Ils allaient se marier en état de péché. Ou pire encore, le faire dans la honte et l'empressement avant que le ventre de Julie ne soit trop rond. Pierre ne put s'empêcher de noter l'ironie de telles pensées. Lui qui venait d'être fait franc-maçon, qui prenait désormais place parmi les ennemis jurés de l'Église, voilà qu'il se préoccupait des prescriptions morales du clergé ! Au fond, au-delà des idées, il n'était qu'un bon petit catholique.

— Je suis déjà ta femme, Pierre, lui susurra Julie, comme si elle lisait dans ses pensées. Depuis la nuit des temps, nous sommes unis. Je suis à toi et tu es à moi. Nous l'avons seulement confirmé. Et l'enfant qui naîtra un jour de notre union sera le joyau le plus précieux qui soit.

Il lui sourit en caressant ses cheveux et elle se recroquevilla encore plus étroitement contre lui. La mauvaise conscience n'avait pas droit de cité dans ce petit paradis. Ce qui s'était produit était dans l'ordre naturel des choses. Leur amour était pur et il ne pouvait y avoir de péché dans une chose si belle. Tout était parfait.

Tout fut parfait encore plusieurs fois au cours des heures qui suivirent, jusqu'à ce qu'ils soient à bout de jouissance, que leurs lèvres et leurs sexes soient tuméfiés d'avoir aimé.

L'homme en noir observa Pierre Moreau qui sortait discrètement de derrière la demeure d'Émile Fontaine. Le jeune homme vérifia de chaque côté que personne ne le voyait, puis s'engagea dans Mansfield. Flottant sans doute sur un nuage, le pauvre garçon ne pouvait savoir que deux personnes le surveillaient de près.

Caché dans le noir près de la maison d'en face, l'homme vit le jésuite émerger du vaste portail d'une demeure bourgeoise non loin de là. Se croyant seul, il y avait passé la soirée à guetter patiemment. De toute évidence, comme prévu, l'acte de baptême manquant avait accéléré les choses en attirant l'attention sur Moreau. Maintenant, le jeune homme était sous surveillance constante.

Le jésuite était très habile et celui qui l'observait ne pouvait s'empêcher de le respecter. Il était clair qu'il savait filer quelqu'un. En début de soirée, il avait discrètement attendu Moreau devant sa pension et, tel un fantôme, l'avait suivi sur plusieurs pâtés de maisons avant de le lâcher. Il avait emprunté un raccourci entre deux maisons pour arriver dans Mansfield avant lui, ce qui démontrait qu'il était bien renseigné et qu'il avait pris la peine de reconnaître le trajet avant ce soir.

L'homme avait particulièrement admiré la manière dont le jésuite s'était ensuite arrangé pour venir à la rencontre de Moreau, comme si de rien n'était. Il lui était rentré volontairement dedans sans que cela paraisse. La façon dont il avait subtilement palpé la poitrine du jeune homme, digne des meilleurs voleurs à la tire, n'avait pas échappé à l'œil alerte de l'observateur. Le jésuite cherchait quelque chose de précis, c'était évident. Quelque chose que l'on porte sur soi. De toute évidence, le *Gladius Dei* possédait des informations que ses adversaires ignoraient. L'homme en avait pris bonne note et rapporterait la chose à ses supérieurs dès qu'il le pourrait.

Pierre Moreau et Julie Fontaine, la fille du notaire, avaient passé la soirée seuls, à l'abri des regards indiscrets. L'individu se fichait comme de sa première chemise de ce qui avait pu se passer entre les deux tourtereaux. Qu'ils aient forniqué comme des bêtes ou joué aux cartes l'indifférait. Il leur souhaitait même tout le bonheur qu'un homme et une femme peuvent se donner. Car selon toute vraisemblance, Pierre Moreau ne connaîtrait pas le plaisir encore très longtemps. Une fois que sa fonction d'appât serait remplie, il serait sacrifié. La joute maintes fois centenaire avait toujours produit plus que sa part de cadavres.

Le jésuite avait cet air froid et dur que l'homme connaissait bien et qui trahissait ceux qui ont déjà tué plusieurs fois. S'il ne l'avait pas fait dès ce soir, c'était uniquement parce qu'il espérait que le jeune homme le mènerait à ce qu'il cherchait. Cela devait être empêché coûte que coûte.

L'homme qui se tenait dans la pénombre soupira avec résignation avant de se mettre sur la piste du jésuite. Maintenant qu'il avait déterminé à quel camp le prêtre appartenait, il était temps de protéger le jeune Moreau. Au moment propice, il le ferait avec tout l'éclat nécessaire pour que le message se rende à destination.

20

Montréal, 30 avril 1886

Nuit et jour depuis la récente réunion des membres du *Gladius Dei*, Noël Garnier avait été l'ombre de Pierre Moreau. Il l'avait suivi sans relâche, ne prenant un peu de repos que lorsqu'il savait que le jeune homme ne se déplacerait pas pour quelques heures parce qu'il travaillait ou dormait. Au moins une fois, il avait cru être repéré, mais il s'était agi d'une fausse alarme. De toute façon, Garnier avait fait en sorte que le jeune homme ait le sentiment de le connaître un peu en suscitant des rencontres fortuites. Ainsi, si jamais Moreau l'apercevait, il ne s'en formaliserait pas. Tout était question de méthode et le *Gladius* avait bien formé le jésuite, comme tous ses agents depuis 1307.

La piste du secret avait enfin été retrouvée. Garnier en avait maintenant l'assurance. En effet, la semaine précédente, le jeune Moreau avait joint les francs-maçons. L'ordre maçonnique tirait ses origines des loges de constructeurs de cathédrales du Moyen Âge et se présentait comme une société inoffensive regroupant des hommes aux idées progressistes désireux d'échanger. Le *Gladius* savait depuis longtemps que cela n'était qu'un mince vernis sur la réalité. Les Templiers avaient créé les loges de maçons sur les chantiers de construction qu'ils géraient. Plus tard, l'*Opus Magnum* s'y était caché. Il était difficile de dire si ses dirigeants étaient réellement membres de la franc-maçonnerie, mais ce qui était certain, c'était que les loges formaient un réseau d'entraide et de relations qui pouvait être mis à contribution si la situation l'exigeait. En échange, le rituel maçonnique, même dilué et délavé, livrait aux « frères » une parcelle de la vérité voilée par l'allégorie et les symboles, qu'ils répandaient ensuite en toute innocence dans le monde profane. La Vengeance. C'était à cela que les maçons, sans le savoir, préparaient les esprits. En travaillant à affaiblir l'influence de l'Église, ils faisaient en sorte que si sa chute advenait jamais, elle ne serait pas perçue comme un terrible drame, mais comme l'ordre naturel des choses. Ainsi travaillait l'*Opus*, avec patience et détermination.

Il suffisait maintenant d'attendre. Tôt ou tard, l'*Opus Magnum* approcherait Moreau. Le contact serait établi discrètement. Garnier devait demeurer alerte pour ne pas rater l'occasion. Dès lors, le professeur d'histoire guiderait la Bête vers le secret. Sans le savoir, il y mènerait aussi le *Gladius*, comme le Petit Poucet semant ses miettes de pain. Ensuite, il mourrait et l'objet maudit serait détruit. Après presque six siècles, la menace serait enfin éliminée. Avec un peu de chance, Garnier pourrait finir sa vie en étudiant la sainte Bible et en prêchant la parole de Dieu.

Quelques minutes plus tôt, cependant, les choses avaient pris une tournure plus sombre. Garnier s'était aperçu qu'il était lui-même suivi. Celui qui le traquait savait se faire discret, mais depuis le temps qu'il risquait sa vie, le jésuite pouvait reconnaître le danger. Ce qu'il percevait ne lui disait rien de bon. Soudain, le prédateur se retrouvait proie.

Pour survivre, Garnier devrait faire appel à tout son art. Un jeu mortel venait de s'engager et un de ses deux participants ne verrait pas le lever du jour. Il avait souvent donné la mort, mais l'idée lui répugnait toujours, même si, en comparaison de la cause qu'il servait, quelques vies n'avaient aucune importance – surtout celles qui appartenaient à la Bête. L'absolution papale que recevaient d'avance tous les membres du *Gladius* pour les péchés qu'ils devraient commettre au nom de l'Église le réconfortait. Le salut de son âme n'était ainsi pas en jeu. Au contraire, en tuant, il l'assurait. Mais cela ne rendait pas le geste plus noble. Après tout, n'enseignait-on pas aux jeunes prêtres que toute vie était l'œuvre de Dieu, et par conséquent, sacrée ?

Il inspira profondément pour garder son calme, faisant attention de ne rien changer à son attitude qui pût alerter son adversaire. Il avait suivi Moreau depuis son départ de la demeure du notaire Fontaine, et il était maintenant presque arrivé à la maison de chambres où habitait le jeune homme. Il ignorait si celui qui le suivait savait déjà où vivait le jeune homme, mais s'il l'ignorait, sa première responsabilité était de ne pas le lui apprendre. Arrivé en vue de l'intersection de Saint-Laurent et Sherbrooke, il laissa Moreau tourner à gauche, ralentit le pas pour lui permettre de s'éloigner et prit à droite sans hésitation, comme si cela avait toujours été son intention. Ainsi, au moins, il entraînerait son ombre sur une fausse piste, loin du détenteur de la clé. Avec un peu de chance, il arriverait à lui tendre une embuscade.

Sans ralentir sa marche, il tendit l'oreille et continua jusqu'à Sainte-Catherine. Comme il l'avait espéré, l'inconnu le suivait. Au son, il se trouvait à une centaine de pieds derrière et ne faisait aucun effort pour se rapprocher. Du revers de la main, Garnier essuya la sueur qui lui perlait au front et marcha en ayant soin de rester bien visible dans la lumière des lampadaires au gaz. Il attendit d'être entre deux zones illuminées pour tourner discrètement la tête. L'espace d'un instant, il décela la silhouette d'un homme vêtu d'un habit sombre et coiffé d'un chapeau. L'inconnu se fondit aussitôt dans la pénombre.

Garnier avait atteint son but. Il venait de laisser savoir à l'autre que sa présence lui était connue et qu'il allait devoir attaquer plus vite que prévu. Le jésuite comptait sur cet empressement forcé pour provoquer une erreur dont il pourrait profiter.

Dans l'obscurité, l'homme en noir approuva de la tête, un sourire de prédateur sur les lèvres. Il aimait ces joutes. Il aimait surtout les remporter. Non seulement le jésuite gardait son calme, mais il venait de lui laisser savoir qu'il était conscient de sa présence. Il lui lançait un défi. Une telle maîtrise de soi devant le danger suffisait à prouver son identité – *Gladius Dei*. Elle justifiait aussi amplement sa mort.

L'homme avait été entraîné à ce genre de mission dès son plus jeune âge, et jamais encore il n'avait échoué. Mieux, il était demeuré anonyme, brouillant les pistes, distribuant habilement les soupçons et les reproches. Maintenant que Moreau avait été identifié par le *Gladius* comme le détenteur de la clé et que les choses étaient irrémédiablement en marche, il y aurait beaucoup de morts. Plusieurs périraient par sa main.

Le jésuite devait mourir selon un scénario soigneusement conçu et exécuté; une apothéose sacrilège et arrogante; une infâme provocation. Le message devait être sans équivoque: le *Gladius Dei* était surveillé de près et quiconque s'approcherait trop près du secret le paierait de sa vie.

Sans ralentir le pas, l'homme tira doucement un couteau de la poche intérieure de son veston.

Garnier n'ignorait pas que, depuis des siècles, l'*Opus Magnum* traquait ceux qui tentaient de contrecarrer ses plans, s'assurant de faire chaque fois un exemple éloquent. Ses exécutions étaient aussi odieuses que spectaculaires. Garnier avait pu constater de ses yeux l'état dans lequel il laissait les cadavres de ceux qu'il assassinait. Le risque de subir le même sort lui donnait froid dans le dos, mais il devait protéger la piste. Si pour cela, il fallait subir le martyre, il le ferait. D'autres prendraient sa place. Seul le *Gladius* prévalait.

Celui qui le suivait n'avait pas pour mission de le torturer, mais de l'exécuter, froidement et efficacement. Tout en marchant, il essaya de se mettre dans la peau de son poursuivant pour anticiper la façon dont son ombre s'y prendrait pour l'attaquer. Une balle de pistolet derrière la tête l'éliminerait à coup sûr, mais la détonation attirerait l'attention et mettrait en péril la fuite de l'assassin. Dans les circonstances, Garnier aurait choisi l'arme blanche. En pleine nuit, il était facile d'égorger quelqu'un sans faire de bruit, puis de cacher le cadavre dans un coin sombre. Pour y arriver, il fallait toutefois s'approcher de sa victime, ce qui comportait un risque élevé lorsqu'elle savait se défendre.

Le jésuite accéléra, les pas de l'autre s'ajustant aussitôt. Discrètement, il déboutonna un peu sa soutane en rageant de ne pas avoir porté des vêtements laïcs, mieux adaptés à ce genre d'activité. Ses doigts se refermèrent sur le manche d'un long stylet qu'il sortit et plaqua contre sa cuisse, prêt à s'en servir.

Il darda les yeux dans toutes les directions, cherchant un endroit qu'il pourrait utiliser à son avantage. Il finit par repérer une ruelle que les becs de gaz n'éclairaient pas. Il y bifurqua et, dès qu'il y fut engagé, se mit à courir à toutes jambes, non pas pour s'échapper, mais pour prendre l'avance dont il avait besoin. Quelques secondes plus tard, les pas de son poursuivant résonnèrent à leur tour sur les pavés, toute prétention à la discrétion jetée aux orties.

Garnier se tapit dans l'ombre entre deux bâtiments, tenant son stylet par le manche, prêt à le lancer. Puis il attendit, tendu comme une corde de violon. Son poursuivant arriva et s'immobilisa à l'entrée de la ruelle. De là où il était placé, le jésuite savait qu'il devrait se dévoiler pour projeter son arme avec précision.

Il observa son adversaire. Il s'agissait d'un professionnel, la chose crevait les yeux. Un tueur, froid et calculateur. Immobile, les jambes écartées, les sens en alerte, il cherchait à localiser sa proie, à l'affût du moindre bruit, du plus léger mouvement. Dans sa main gauche, il tenait un couteau à la longue lame solide, capable de trancher un gosier d'un seul coup. Il le faisait négligemment tournoyer dans les airs pour le rattraper par le manche, visiblement habitué à le manier. Garnier n'aurait qu'une chance de sortir vivant de cette ruelle.

Les minutes s'étirèrent pour devenir semblables à des heures sans que l'inconnu se déplace d'un cheveu, tel un prédateur patient qui savait sa proie prise au piège. Puis il bougea enfin, à pas lents et feutrés comme ceux d'un chat, en s'assurant de rester au milieu de la ruelle, observant sans cesse d'un côté puis de l'autre. Garnier releva le bras et se tendit, prêt à projeter son arme.

L'homme s'arrêta et, tout en restant au milieu de la ruelle, jeta un coup d'œil dans l'espace où s'était caché le jésuite. Visiblement, il y voyait lui aussi l'endroit idéal pour un guet-apens. Il sembla soupeser un instant sa décision puis fit quelques pas vers l'avant, son arme brandie devant lui, prête à trancher. Le jésuite le laissa avancer ; plus il était proche, moins il risquait de le rater. Il attendit, attendit encore, guettant le moment parfait. Puis il vida lentement ses poumons, bondit hors de sa cachette et, dans un mouvement fluide, lança le stylet. L'arme siffla dans l'air.

Il comprit trop tard que son adversaire avait prévu son geste. Avec une agilité féline l'homme avait fait un pas de côté alors même que le jésuite s'était commis, de sorte que l'arme le rata par quelques pouces et rebondit plus loin sur le sol. Simultanément, il tendit le bras droit. Un révolver rugit deux coups en crachant une langue de feu qui illumina la ruelle.

Garnier eut l'impression qu'une lourde masse venait de lui enfoncer le torse à la hauteur du cœur. Il fut projeté vers l'arrière et atterrit lourdement sur un tas d'ordures et d'immondices accumulées là par les locataires des environs. Hébété, il porta la main à sa poitrine et y sentit un liquide chaud et poisseux. Pendant un instant, il ne se rendit pas compte du grand froid qui l'envahissait. Puis vint la douleur, vive et paralysante.

Alors qu'il commençait à perdre conscience, Noël Garnier entendit des pas qui se rapprochaient. Il tourna la tête et, à travers la brume qui commençait à couvrir ses yeux, vit la silhouette de son assaillant qui l'observait calmement. Il se maudit d'avoir été si bête. Comme un débutant, il s'était laissé hypnotiser par le couteau qui tournoyait et n'avait jamais songé que son adversaire puisse être droitier et autrement armé. Maintenant, il allait être mutilé. Et il le méritait. Il avait été stupide.

Satisfait, l'homme s'accroupit près du jésuite et, avec une froideur clinique, le regarda mourir. Il devait faire vite. La décision d'utiliser un révolver comportait un inconvénient calculé. Les détonations avaient certainement alerté les habitants des environs. À Montréal, les policiers étaient une rareté, particulièrement à cette heure. À pied, il leur faudrait du temps pour venir voir de quoi il s'agissait. Mais il ne voulait absolument pas être aperçu.

Il empoigna le cadavre par la soutane, l'assit, s'accroupit et le chargea sur ses épaules comme un de ces sacs de grain que les ouvriers du port manipulaient à longueur de journée. Il ne fallut que quelques secondes pour qu'il sente le sang humecter son manteau. Dès que sa tâche serait terminée, il devrait le brûler.

Le jésuite ne devait pas seulement mourir, mais livrer d'outre-tombe un message que tous comprendraient. Pour cela, il était indispensable que la mise en scène fût parfaite et cette ruelle anonyme n'était pas l'endroit approprié.

Portant son fardeau, l'homme en noir se mit en marche. À cette heure, il pourrait se rendre à destination sans être vu.

21

PIERRE SE RÉVEILLA de magnifique humeur, son cauchemar habituel ayant été écarté par une succession d'images lascives et de sensations enivrantes. Il s'étira langoureusement dans son lit, les images des plaisirs de la veille lui revenaient et son corps lui fournit instantanément la preuve qu'il n'était pas rassasié. Il lui suffisait d'inspirer pour sentir encore l'odeur de Julie, à laquelle les effluves intimes se mêlaient délicieusement. Il soupira et se jura que, dès que possible, il retournerait au presbytère pour élucider le mystère de son acte de baptême. Il désirait plus que jamais épouser Julie Fontaine et le plus tôt serait le mieux. Il essaierait même de voir avec le curé s'il était possible de devancer la date. Le mois de juin de cette année ferait parfaitement son affaire – et la nuit de noces aussi.

Comme s'il sentait la belle humeur de son maître et qu'il avait décidé de la partager, Siméon, qui avait dormi sur le lit, vint se frotter contre lui en ronronnant, lui léchant même le visage.

— Je ne suis pas dupe, gros ingrat, ricana Pierre. Tu m'aimes seulement quand tu veux manger.

Encore à moitié endormi, un sourire un peu niais sur les lèvres, il se leva et ramassa sa montre de gousset sur la table. Il sursauta en voyant qu'il était presque sept heures. S'il ne se pressait pas, il serait en retard. À la hâte, il avala un peu de pain beurré tout en faisant sa toilette de l'autre main et se rasa. Puis il donna à Siméon un reste de retailles de viande en se disant qu'il devrait absolument en racheter le soir, en revenant. Il se vêtit, ramassa les livres dont il aurait besoin pour les leçons de la journée, les fourra dans sa serviette et sortit.

D'un pas rendu léger par la félicité, il descendit les deux étages et émergea de l'immeuble. Son attention fut attirée par un attroupement de l'autre côté de la rue. Sur le trottoir, devant un édifice, une vingtaine de personnes se tenaient en demi-cercle, essentiellement des ouvriers ayant terminé leur quart de nuit et quelques femmes sorties de leur appartement pour voir ce dont il s'agissait. Quelques-unes pleuraient à chaudes larmes. La plupart des curieux se signaient à répétition, visiblement frappés par une terreur superstitieuse. Tous discutaient ferme et leur ton était étrangement agité.

Pierre repéra madame Simoneau, sa logeuse, une petite femme courte et sans âge, dont la forme rappelait celle d'un baril, une couche de graisse épaisse et uniforme enrobant chaque pouce de son corps pour s'animer et flageoler allègrement au moindre mouvement. Comme toujours, ses cheveux grisonnants étaient remontés en chignon sur sa tête et tenaient en un équilibre précaire dont Pierre n'était jamais parvenu à percer le secret. Même de loin, il pouvait apercevoir les perpétuelles rigoles de sueur qui lui coulaient sur les tempes pour aller se perdre dans les replis gras de son cou et dans son corsage en apparence sans fond.

Le groupe se trouvait sur son chemin, juste un peu avant la rue Sherbrooke, où il devait tourner de toute façon. Pierre se dirigea donc dans cette direction, curieux de savoir ce dont il s'agissait. Lorsqu'il fut à proximité de l'attroupement, les paroles qui parvinrent jusqu'à lui soulevèrent encore plus son intérêt.

— Doux Jésus, c'est affreux, sanglota une vieille, la voix tremblante. Qui a pu faire une chose pareille ?

— On l'a égorgé comme un cochon, remarqua un colosse qui ne semblait pas en mener beaucoup plus large. Je le sais. Je passe mes nuits à l'abattoir.

— C'est un sacrilège, répétait sans cesse d'un ton horrifié un petit vieux courbé. Un sacrilège… Il faut avertir l'évêque.

— Il doit déjà le savoir, répondit une jeune ouvrière aux vêtements poussiéreux.

Pierre s'approcha de sa logeuse et lui tapa délicatement sur l'épaule pour ne pas la faire sursauter. Il regretta aussitôt son geste en découvrant que même de si bon matin, le tissu de sa robe était déjà détrempé par la sueur qui semblait suinter de sa personne sans interruption.

— Qu'est-ce qui se passe ? demanda-t-il discrètement lorsqu'elle se retourna pour lui offrir un visage bouffi où perçaient deux petits yeux vifs auxquels rien n'échappait.

— C'est… Je…

Madame Simoneau se signa frénétiquement.

— Voyez vous-même, monsieur Moreau, dit-elle d'une voix remplie de trémolos. C'est trop terrible. Je retourne chez moi dire des chapelets.

Sans rien ajouter, elle s'éloigna sur ses petites pattes courtes en se dandinant comme ces éléphants qui paradaient chaque été dans les rues de Montréal lorsqu'un cirque itinérant voulait annoncer son arrivée.

Encore plus intrigué, Pierre étira le cou de tous les côtés pour voir ce qui suscitait une pareille consternation, mais les témoins agglutinés en rangs serrés l'empêchaient de passer. Il dut se frayer un chemin en se tortillant entre deux ouvriers qui lui adressèrent un regard contrarié.

— Hé ! l'apostropha l'un d'eux. Pas besoin de pousser, là. Dans l'état où il est, il n'ira nulle part.

Dès que Pierre vit l'objet de toute cette attention, il comprit d'où venait la fascination du petit groupe. La première chose qui le frappa fut la soutane noire. Puis il eut l'impression qu'Adrien lui appliquait un uppercut en plein ventre. Devant lui gisait le père Noël Garnier, le jésuite qu'il avait croisé à deux reprises au cours des derniers jours.

Celui dont il avait ramassé les livres voilà quelques jours à peine était maintenant assis par terre, adossé au mur de brique de l'édifice, privé de toute dignité. Sa tête reposait mollement sur son épaule droite. Une expression à mi-chemin entre la surprise et l'amertume était restée gravée sur son visage cireux. Ses yeux vitreux regardaient fixement un point loin à l'horizon. Sa bouche était béante et, même de loin, il était clair qu'elle était vide. Pierre frissonna d'horreur en comprenant qu'on lui avait arraché la langue. Mais cela n'était rien en comparaison de sa gorge : elle avait été tranchée d'une oreille à l'autre et n'était plus qu'une plaie sombre et sinistre. Le meurtrier – car il ne pouvait s'agir que d'un meurtre – avait poussé le sacrilège jusqu'à lui taillader le front à coups de couteau.

Pierre se sentit défaillir. Les jambes lui manquèrent et seule la collision avec la poitrine massive d'un ouvrier qui se tenait derrière lui l'empêcha de se retrouver assis par terre.

— Pas besoin de bousculer ! gronda l'homme, ses mots atteignant à peine le jeune homme.

Le professeur inspira profondément pour ne pas tourner de l'œil et ravala sa salive, incapable de détacher son regard du morbide spectacle. Le père Garnier avait été assassiné froidement, presque sous sa fenêtre, pendant qu'il dormait.

Pierre Moreau n'avait encore jamais vu la mort en face et ce qui se déployait maintenant sous ses yeux était repoussant. La bouche sèche, il recula de quelques pas, les gens s'écartant pour le laisser passer. Dès qu'il se fut un peu éloigné, il sentit un étau se refermer sur sa poitrine puis la tête lui tourner.

Il tentait de se calmer en poursuivant son chemin lorsqu'une main sur son épaule l'en détourna. Il trouva près de lui un petit homme trapu et un peu bedonnant dont le visage souriant lui était vaguement familier. La longue barbe grise très fournie qui lui couvrait les joues jusque sous les yeux, un chapeau sombre enfoncé sur la tête et un costume trois pièces fripé et aussi usé que ceux de Pierre lui donnant un air négligé, il devait approcher la cinquantaine, mais à son air jovial, on lui donnait dix ans de moins.

— Bonjour, dit le nouveau venu en tendant la main.

Mécaniquement, Pierre la saisit et constata avec surprise que pour la première fois, on le saluait comme on lui avait appris à le faire à la loge. L'homme lui enserra le poignet, le pouce et l'index d'un côté, le majeur, l'annulaire et le petit doigt de l'autre.

— Tu es blanc comme un drap, mon frère, déclara l'inconnu avec un accent chantant. Mais qui pourrait t'en blâmer ?

Lorsque Pierre prit conscience qu'il avait affaire à un membre de la loge Les Cœurs réunis, il répondit avec la maladresse du débutant à sa poignée de main particulière.

— Pardonne-moi, dit-il, hésitant et un peu gêné, en s'assurant de tutoyer comme le voulait l'usage ce frère qu'il avait oublié. Je me rappelle de ton visage, mais ton nom ne me revient pas.

— Wolofsky, répondit l'autre. Solomon Wolofsky. Je suis le secrétaire de la loge. Ne t'en fais pas, personne ne se souvient jamais de moi. Nous, les Hébreux, avons développé un talent pour passer inaperçus. Les gentils en auraient fait autant si on les avait maltraités aussi souvent que nous. Et puis, lors des agapes, il y avait tant de monde autour de toi que je n'ai même pas pu te féliciter convenablement.

— Alors, je suis heureux de faire officiellement ta connaissance, Solomon, dit Pierre.

Le barbu jeta un coup d'œil vers le cadavre.

— Béni soit El-Schaddaï, le Tout-Puissant, qui donne la vie et qui la reprend, murmura-t-il en tirant distraitement sur les poils de sa barbe.

Il reporta son attention sur Pierre.

— Viens, dit-il, ne restons pas ici.

Wolofsky le prit par le bras pour l'entraîner à l'écart de la foule, puis il désigna la rue du menton.

— J'habite un peu plus bas rue Saint-Laurent. Je faisais ma petite promenade matinale avant de commencer ma journée à la boutique quand l'attroupement m'a intrigué. Je me suis approché et…

Il soupira bruyamment en secouant la tête.

— Quelle scène, n'est-ce pas? Tu as remarqué qu'il a été tué à coups de révolver?

— Non, s'étonna Pierre. Comment le sais-tu?

— Les deux trous à la hauteur du cœur sont un bon indice.

Pierre ravala sa salive et ne dit rien. Une idée essaya de prendre forme dans sa tête puis lui échappa.

— Mais ce qui me turlupine, poursuivit Wolofsky, ce sont les blessures sur son front. Tu les as remarquées?

— Elles sont difficiles à manquer.

— Mais leur forme? insista l'autre. Elle ne te rappelle rien?

Pierre fronça les sourcils, cherchant à comprendre ce vers quoi son interlocuteur semblait vouloir le guider. Il se remémora les blessures qu'il venait de voir. Dans son souvenir, les quatre entailles violacées avaient été maladroitement tracées et s'entrecroisaient comme des coups de griffe.

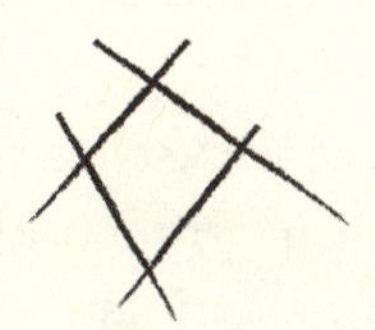

Mais s'agissait-il forcément de droites ébauchées en vitesse et au hasard? La façon dont elles s'entrecoupaient, leurs angles respectifs… En y pensant bien, tout cela lui était vaguement familier. Sous le regard inquisiteur de Solomon Wolofsky, qui semblait observer le raisonnement qui s'ébranlait dans sa cervelle, il chercha où il avait pu voir une forme apparentée. Puis la réponse lui vint.

Pierre sentit un frisson lui parcourir le dos. Il suffisait de redresser mentalement les balafres pour que la chose soit évidente: on avait marqué la chair du prêtre de l'équerre et du compas entrecroisés.

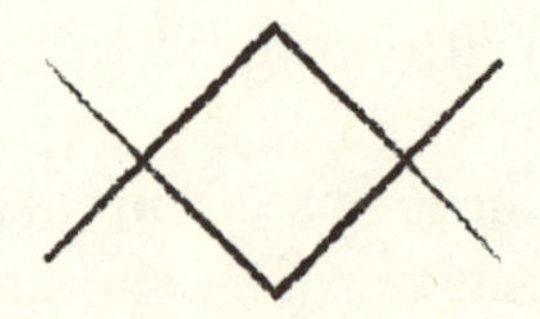

— Seigneur…, dit-il en pâlissant distinctement. Tu crois vraiment que?…

Wolofsky haussa les épaules dans un geste rempli de fatalisme.

— Bah… Qui sait? répondit-il avec désinvolture. Ce ne sont sans doute que des coupures laissées là par un tueur fou. Je suppose que n'importe quel enragé pourrait arriver au même résultat en frappant quelques coups au hasard d'un côté puis de l'autre. Mais ceux qui veulent du mal à la franc-maçonnerie seront trop heureux d'y voir le meurtre rituel d'un prêtre perpétré par un frère qui a laissé sa marque sur sa victime pour défier l'Église. Et puis, il y a le reste.

— Le reste? répéta Pierre, de plus en plus effrayé.

Wolofsky laissa son regard errer vers la foule qui entourait toujours le cadavre et se mordilla la lèvre inférieure, visiblement préoccupé.

— C'est que, vois-tu, le meurtrier s'est assuré de laisser tous les signes nécessaires pour que quiconque un peu familier de la maçonnerie fasse le rapprochement.

— Je ne comprends pas, dit Pierre en fronçant les sourcils.

— Ne te souviens-tu pas du serment que tu as prononcé en loge?

— Pas vraiment.

— « Que ma gorge soit ouverte d'une oreille à l'autre et que ma langue soit arrachée puis clouée aux murs de cette loge pour y pourrir et servir d'avertissement à ceux dont la loyauté serait vacillante », lui récita Solomon d'un ton lugubre.

Il fallut un instant avant que l'allusion n'acquière tout son sens et le frappe de plein fouet: on avait ouvert la gorge du jésuite d'une oreille à l'autre et on lui avait arraché la langue. Il se sentit pâlir et eut du mal à formuler une question.

— Alors, tu crois que ?...

— Moi, je ne crois rien du tout, répondit Wolofsky en levant les mains. J'ai des yeux pour voir, c'est tout. Béni soit El-Schaddaï, qui me les a donnés pour que j'admire sa Création. Je remarque seulement que ce meurtre pourrait être utilisé pour salir encore davantage la réputation des francs-maçons et que le tueur semble l'avoir fait exprès. Peut-être ne s'agit-il que de coïncidences. Je ne sais pas. Quoi qu'il en soit, tout ça ne sent pas bon et avec les prêtres qui s'excitent sans cesse contre lui, l'ordre n'a pas besoin de ce genre de publicité. Il vaut mieux se préparer à faire face au pire. Je vais en avertir notre frère Gédéon dès aujourd'hui. Je suis certain qu'il ne sera pas très heureux d'apprendre la nouvelle. Et je n'ose même pas penser à notre frère Beaugrand. Sa carrière politique pourrait en être compromise.

D'un commun accord, ils se mirent en marche. Ils n'avaient fait que quelques pas lorsque deux policiers en uniforme bleu foncé, des colosses moustachus à l'air abrasif, surgirent au pas de course, un révolver et une matraque sur la hanche, et passèrent près d'eux sans les regarder. Arrivés près des curieux, ils donnèrent quelques ordres secs et la foule recula. Ils s'accroupirent pour examiner le cadavre. Quelques secondes plus tard, une lourde diligence noire tourna le coin de Sherbrooke et fila en trombe. Dès qu'elle fut immobilisée, un prêtre en sortit et s'en fut retrouver les policiers, avec lesquels il discuta brièvement. Les deux hommes entreprirent illico de charger le mort dans la voiture.

— La police et l'évêché sont bien pressés de mettre fin au spectacle, remarqua Wolofsky, une moue de suspicion sur les lèvres. Je me demande pourquoi.

Lorsqu'ils eurent atteint l'intersection de Saint-Laurent et Sherbrooke, ils s'arrêtèrent et se donnèrent la main.

— Notre frère Émile m'a mentionné que tu allais bientôt épouser sa fille, dit Wolofsky. C'est vrai ?

— Oui. En juin de l'an prochain, confirma Pierre, se rappelant qu'il devait encore élucider la question de l'acte de baptême. À moins que je ne puisse hâter les choses.

— Ouuuuh ! fit Wolofsky, un grand sourire lui rondissant les pommettes, une lueur espiègle dans les yeux. Tu ressens l'appel de l'amour ?

Pierre ne répondit pas, penchant la tête pour cacher ses joues qui rougissaient sans doute.

— Béni soit El-Schaddaï, qui nous donne ce que nous avons entre les jambes pour que nous puissions augmenter son peuple. Alors, tu vas devoir prendre maison. Je vends des tapis et des tissus. Les plus beaux de Montréal. Viens me voir. Je fais toujours des prix d'ami à mes frères et, seulement pour toi, je ferai encore un petit effort. Pas cher, pas cher !

Solomon frotta son pouce contre son index et son majeur, signe universel de l'argent.

— Je le ferai.

— Voilà qui est excellent ! Entre frères, il faut s'entraider. Sinon, à quoi ça servirait d'être francs-maçons ?

Wolofsky souleva poliment son chapeau, dévoilant une épaisse tignasse grisonnante.

— Bon, je dois y aller. Nous nous reverrons sans doute très bientôt, mon frère, dit-il.

Il salua de la tête et reprit son chemin d'un pas un peu dandinant. Pierre le regarda s'éloigner. Puis il tira sa montre de son gousset et la réalité le frappa de plein fouet. Il était presque en retard. Il s'élança d'un pas rapide.

Alors qu'il progressait rue Sherbrooke, l'image du jésuite exsangue et sauvagement mutilé en vint à occuper toute la place, chassant les doux souvenirs de la veille. Une angoisse de plus en plus précise prit forme dans sa tête, se mêlant aux craintes qu'il avait éprouvées lorsqu'il avait compris où monsieur Fontaine l'avait amené, et qui, malgré l'attention de gens importants, ne l'avaient jamais tout à fait quitté depuis. Il avait croisé le jésuite plusieurs fois en quelques jours et voilà qu'il le retrouvait assassiné presque sur le pas de sa porte, victime de ce qui avait toutes les apparences d'un châtiment maçonnique. Était-ce un hasard ou le père Garnier l'avait-il suivi ? Mais pourquoi ? Qu'avait-il pour qu'un prêtre s'intéresse ainsi à lui ?

La réponse à cette question, évidemment, était qu'il était franc-maçon. Il avait beau ne pas se sentir différent, ni même y trouver le moindre intérêt, le fait demeurait que, depuis le 25 avril, il était membre en règle d'une loge, en contravention aux prescriptions du clergé. Comme Adrien le lui avait fait remarquer, que cela lui plaise ou non, son nom figurait forcément dans quelque registre de membres.

Son imagination s'emballa comme un cheval sauvage. Et si l'Église avait décidé de monter un dossier incriminant sur chaque membre des loges pour ensuite les excommunier et détruire leur réputation ? S'il fallait que son appartenance devienne publique, il serait congédié sans autre forme de procès par les sulpiciens. Sa carrière serait ruinée. Il devrait se trouver un poste de clerc quelque part et y pourrirait jusqu'à sa mort. Jamais Julie ne voudrait épouser un homme sans avenir. Et il ne doutait pas un instant qu'au-delà de leurs beaux discours, aucun de ses « frères » ne lui viendrait en aide.

Peut-être les francs-maçons n'étaient-ils pas, au bout du compte, les gentilshommes inoffensifs qu'ils prétendaient être, mais bien ce que l'Église disait d'eux ? Avaient-ils décidé que les idées libérales et laïques ne suffisaient plus et qu'il fallait éliminer physiquement les prêtres pour libérer la nation canadienne-française ? Avaient-ils choisi de contre-attaquer de façon aussi spectaculaire que répugnante pour laisser savoir à l'Église qu'ils ne se laisseraient pas intimider, qu'ils étaient assez forts et influents pour ne pas la craindre ? Était-ce pour cette raison que le meurtre prenait une forme rituelle avec son égorgement, sa langue arrachée et la marque au front ?

Un semblable scénario tenait du délire. À part son beau-père, Honoré Beaugrand et, depuis quelques minutes, Solomon Wolofsky, il ne connaissait personnellement aucun autre franc-maçon, mais il avait beau se faire violence, il n'arrivait pas en imaginer un courant nuitamment les rues, le couteau à la main, pour égorger un curé qui suivait un des leurs et le marquer de leur signe distinctif. Et quoi ensuite ? Pendre des prêtres au clocher de leur église ? Mettre le feu à la basilique Notre-Dame ?

Une autre idée le frappa avec une telle force qu'il cessa sa marche sans s'en rendre compte. Le jésuite avait abondamment saigné puisque sa soutane était trempée. Mais son visage, lui, était propre. C'était à peine si un peu de sang s'était écoulé des coupures sur son front. Or, elles auraient dû libérer un flot de sang. Pierre n'était pas médecin, mais pour autant qu'il le sût, un mort ne saignait pas. Selon toute vraisemblance, les entailles avaient donc été faites après le meurtre. L'assassin ne s'était pas contenté de tuer le prêtre. Il avait volontairement déposé le corps là où on l'avait trouvé et avait tracé les entailles dans la chair morte avant de s'enfuir.

Regrettant amèrement d'avoir tant voulu plaire au père de Julie, Pierre espérait que tout cela ne soit qu'une tempête dans un verre d'eau. En attendant, il se jura qu'il ne remettrait pas de si tôt les pieds à la loge. Il était si préoccupé qu'il passa presque tout droit devant la grille du collège et dut revenir sur ses pas. Avant d'entrer, il ne put s'empêcher de regarder par-dessus son épaule au moment de les franchir, certain qu'il verrait un inconnu qui l'observait.

22

TOUTE LA JOURNÉE, Pierre dut faire des efforts de concentration héroïques pour passer à travers ses cours sans trop de maladresses. En dépit de l'appel constant qu'il faisait à sa raison, une sourde inquiétude s'était larvée en lui et aucun argument logique ne semblait pouvoir la chasser.

Dès que les cours furent terminés, il se précipita dans les corridors du collège, à la recherche d'Adrien. Toute leur vie, les cousins avaient partagé ce qui leur arrivait, tant les bonheurs que les malheurs, les peurs, les inquiétudes et les espoirs. Il ressentait un besoin pressant de lui parler, de se faire calmer un peu. Il le chercha quelques minutes avant de le repérer, en conversation animée avec quelques élèves. Il se dirigea vers lui et, sans autre forme de cérémonie, l'empoigna par le bras pour le traîner à l'écart, sous le regard médusé des trois garçons avec lesquels il s'était entretenu.

— Je dois te parler, chuchota-t-il.

Il traîna son cousin jusqu'au premier recoin isolé disponible, en l'occurrence sous un escalier qui menait à l'étage.

— Mais qu'est-ce que tu as ? s'enquit Adrien. Tu es blanc comme un drap. On dirait que tu as vu un mort.

— C'est exactement ce qui est arrivé, rétorqua amèrement Pierre.

— Quoi ?

Adrien s'attendait à voir son cousin pouffer de rire, mais il n'en fut rien et il sentit soudain l'inquiétude se mêler à son incrédulité. À voix basse, Pierre lui raconta dans le détail la scène dont il avait été témoin le matin même.

— Allons donc, protesta le sulpicien lorsqu'il eut terminé. Je veux bien croire que le clergé n'aime pas les francs-maçons, mais pourquoi un jésuite t'aurait-il espionné, toi, en particulier? Tu es certainement le moins menaçant d'entre eux. Ce n'est qu'une coïncidence.

— Je suis certain qu'il a été déposé là après avoir été tué, contra Pierre.

— Et alors? Ça ne veut toujours rien dire.

Pierre se passa les mains sur le visage et en étira ridiculement la peau vers le bas en soupirant pour laisser sortir un peu de la pression qui lui écrasait la poitrine.

— Je crois que… qu'il avait une équerre et un compas gravés sur le front, ajouta-t-il. En fait, la façon dont il a été assassiné correspondait parfaitement au châtiment dont on menace les nouveaux apprentis lors de leur initiation. C'est un membre de la loge qui me l'a fait remarquer.

Les yeux du jeune sulpicien s'écarquillèrent.

— Tu es sûr de ça?

— Pour la gorge et la langue, il n'y a aucun doute possible. Pour l'équerre et le compas, non, admit Pierre. Il pourrait aussi bien s'agir de coupures tailladées au hasard. Mais avec un peu d'imagination…

Adrien secoua la tête, les lèvres pincées, et leva les yeux au ciel sans chercher à cacher son exaspération.

— Un peu d'imagination? Grands Dieux, Pierre, qu'est-ce que ce sera dans un an? Tu es devenu franc-maçon voilà moins d'une semaine et déjà, tu vois des équerres et des compas partout! lui reprocha-t-il. Et voilà que tu t'imagines que l'Église te fait suivre! Allons donc! Te crois-tu si important? Reprends-toi avant que cette maudite secte ne te fasse perdre l'esprit.

Dès qu'il eut prononcé ces paroles, Adrien fit la grimace.

— Pardonne-moi, s'excusa-t-il. Je ne voulais pas dire que…

— Pourquoi pas ? se rembrunit Pierre en haussant les épaules. La folie est peut-être héréditaire. Après tout, ma mère aussi se croyait surveillée.

Pierre soupira, son souffle tremblant malgré lui. Il passa nerveusement la main dans ses cheveux blonds et ferma les yeux.

— Seigneur… Tu as raison, acquiesça-t-il. Je me sens comme un enfant qui voit des fantômes dans le noir. Si je ne me domine pas, je finirai par croire au fatras de bêtises qu'on colporte au sujet des loges.

— En espérant qu'il ne se trouve pas quelques vérités parmi les bobards, grommela Adrien. Tu es conscient, j'imagine, que le meilleur moyen de te prémunir contre tout ça aurait été de ne pas t'y joindre ?

— Nous en avons déjà discuté, plaida Pierre. Crois-moi, si c'était à refaire, on ne m'y reprendrait pas, même avec Julie comme enjeu. Mais il est trop tard.

— T'es-tu même demandé s'il était aussi facile d'en sortir que d'y entrer ? l'interrogea Adrien.

— Non, avoua Pierre, honteux, en baissant la tête. Pas jusqu'à maintenant.

Le sulpicien le toisa, l'air sévère. Puis, petit à petit, un grand sourire juvénile et taquin éclaira son visage.

— Alors, il ne te reste qu'à espérer que tes fantasmes ne soient que cela ! s'exclama-t-il en lui administrant une claque dans le dos. Quant au fait d'être suivi, je t'assure que tu n'es pas devenu en quelques jours l'ennemi public numéro un de notre sainte mère l'Église. Les protestants, les juifs, les musulmans et les hérétiques de tous poils ont une longue avance sur ta petite personne.

Pierre força un petit rire et lui avoua que même le fait que le curé de Notre-Dame-de-Grâce n'avait pas retrouvé son acte de baptême lui était apparu suspect. Adrien leva les yeux au ciel, exaspéré.

— Bien entendu, c'est forcément le clergé qui fait disparaître aussi les actes de baptême des francs-maçons pour être capable, ensuite, de mieux les traiter d'impies et de sacrilèges, blagua-t-il.

Leurs yeux se croisèrent et leur complicité, établie de longue date, fit le reste. Ils pouffèrent en même temps.

— Ah oui, au fait, déclara Pierre, hier soir, j'ai couché avec Julie.

— Couché… comme dans dormi ? fit Adrien.

— Non. Couché comme dans un homme et une femme qui se donnent du plaisir. Comme dans le mélange enthousiaste – et répété – de liquides intimes, de gémissements et de frissons.

Il en fut quitte pour une autre tirade passionnée, celle-là portant sur le péché de la chair, la luxure, le caractère sacré du sacrement du mariage et les menaces de l'enfer éternel pour les concupiscents. Lorsqu'Adrien se calma enfin, Pierre attendit. Il le connaissait comme le fond de sa propre poche et savait ce qui suivrait.

— Alors, ça valait le coup, au moins ? le taquina le jeune sulpicien avec un sourire coquin.

— Disons simplement que tu n'as aucune idée de ce que tu manques.

— Surtout, ne me donne aucun détail ! s'écria le sulpicien en plaquant ses mains sur ses oreilles. J'ai un vœu de chasteté à respecter et, même en pensée, le péché reste un péché !

Les deux cousins s'esclaffèrent de nouveau. Lorsqu'ils se quittèrent, Pierre se sentait un peu mieux. Il en allait toujours ainsi avec celui qui était presque son frère.

Ce soir-là, pour son plus grand malheur, il ne pourrait que dire bonjour à Julie en passant. Plus que tout, il voulait enfouir son nez dans son cou et sentir quelques instants ce parfum dont il s'était librement repu la veille, fût-ce à la sauvette. Il rêvait de sentir son corps près du sien. Il craignait aussi qu'après les libertés prises la veille, l'absence de signe de vie de sa part n'inquiète la tendre enfant ; qu'elle ait peur qu'une fois contenté, il se désintéresse d'elle.

Il ne ferait que passer. Qu'il le veuille ou non, le devoir l'appelait et sa Julie comprendrait. Car il devait bien admettre que, depuis quelques semaines, ses leçons étaient moins bien préparées qu'avant. Il passait le plus clair de son temps libre avec sa fiancée, en plus d'en garder un peu pour les séances de boxe avec Adrien. Il ne lui en restait pratiquement plus pour le travail. L'amour le rendait négligent. Il était plus que temps qu'il rattrape le retard. Le lendemain, lorsqu'il serait chez Julie, pour une fois, il aurait la conscience tranquille.

En chemin vers sa chambrette, l'image du jésuite assassiné tenta maintes fois de s'insinuer en lui, avec son lot de suspicions et d'inquiétudes, mais cette fois, il la chassa avec fermeté. Adrien avait raison. Il était insignifiant et personne ne s'intéressait à lui. À part Julie, et cela lui suffisait.

23

COMME PRÉVU, la visite à Julie fut brève. Il s'était contenté de passer une trentaine de minutes avec elle dans le petit parloir, discutant de tout et de rien. Mais quelque chose avait changé. Leurs gestes étaient plus familiers, leurs regards plus complices, les non-dits plus aisément compris, leurs sourires entendus mille fois plus éloquents. Il y avait quelque chose de délicieusement souffrant dans le fait de se désirer si fort en sachant désormais ce que l'on manquait. Même du fauteuil où il s'était assis, à plusieurs pieds d'elle, il avait pu sentir son parfum, comme si son nez avait été encore enfoui dans le creux de son cou. Ses mains avaient frémi du désir de la toucher. Et il ne lui avait pas fallu beaucoup d'efforts pour constater que sa douce partageait son sentiment, cherchant le moindre prétexte pour le toucher, l'effleurer, se rapprocher de lui.

Pierre avait soigneusement évité le sujet du jésuite assassiné. Il n'était pas nécessaire d'inquiéter sa fiancée. Lorsqu'il prit congé, à contrecœur mais serein, ce fut avec un baiser presque chaste et un sourire plus doux qu'une caresse qui lui démontrèrent, si besoin était, à quel point l'amour qu'il éprouvait pour la jeune femme allait bien au-delà de la chair.

Quand il arriva rue Saint-Laurent, il prit la peine de passer chez le boucher pour prendre son habituel paquet de retailles avant de poursuivre jusque chez lui. Le soir tombait. La lumière du quartier oscillait entre chien et loup. Il ne put s'empêcher de regarder furtivement vers l'endroit où, le matin même, le cadavre s'était trouvé, la gorge béante, le regard fixe et le front mutilé. Il constata avec étonnement qu'il ne subsistait plus la moindre trace de sang.

— Ils ont tout nettoyé, lui apprit la voix de madame Simoneau non loin de là.

Il se retourna pour découvrir la masse considérable de sa logeuse déployée dans l'embrasure de la porte. De toute évidence, elle l'avait vu venir et avait attendu pour lui parler. Les émotions du matin semblaient l'avoir quittée, car elle avait retrouvé sa voix de tonnerre.

— On dirait bien, oui, acquiesça-t-il.

— Vous auriez dû voir comment ils ont emporté le pauvre jésuite. On aurait dit qu'ils avaient le feu au derrière. Le petit prêtre ordonnait comme si c'était lui, le chef de police, puis il est parti à toute vitesse avec le mort. Les deux agents sont restés derrière pour noter les déclarations des gens, puis ils m'ont demandé des chaudières d'eau. Ils ont tout rincé avant de s'en aller. En dix minutes, tout était net, comme si rien ne s'était passé.

— C'est mieux ainsi, dit Pierre en se rappelant avec beaucoup trop de détails l'horreur de la scène. Personne n'aime voir une tache de sang chaque fois qu'il passe au coin d'une rue.

— C'est sûr, approuva la logeuse en haussant les épaules. Ah oui, avant que ma petite tête de linotte n'oublie, vous avez eu de la visite aujourd'hui.

Une lueur de curiosité traversa les petits yeux inquisiteurs de la grosse femme.

— Moi ? s'étonna Pierre, lui qui ne recevait jamais et qui ne voyait personne hormis Adrien au collège et les Fontaine chez eux.

— Oui, vous.

Elle le dévisagea sans gêne, la tête inclinée vers la droite, une moue dubitative sur ses petites lèvres potelées, les sourcils froncés par la perplexité.

— Dites-moi donc, monsieur Moreau, demanda-t-elle, êtes-vous un bon catholique ou un juif?

Pierre éclata de rire à cette question incongrue.

— J'ai l'air juif, moi?

— Non. Il vous faudrait au moins une grosse barbe que vous n'êtes pas prêt d'avoir. En plus, vous êtes blond comme les blés mûrs. Mais votre visiteur, lui, il l'était, juif, ça c'est certain.

Pierre attendit la suite sans interrompre la grosse femme.

— Un petit homme avec une grosse barbe jusqu'en dessous des yeux, pas tellement plus grand que moi, un grand chapeau et un drôle d'accent, reprit-elle. S'il ne l'était pas, alors moi, je suis Sa Majesté la reine Victoria et vous pouvez me baiser la main!

Pour appuyer sa blague, elle tendit sa main droite en relevant le petit doigt, dans une parodie de grâce toute britannique. Puis elle se mit à fouiller dans le vaste corsage de sa blouse de coton, où elle semblait remiser une variété infinie d'objets allant des clés aux mouchoirs en passant, manifestement, par les lettres de ses chambreurs. Elle en retira un papier plié en quatre qu'elle lui tendit.

— Il m'a demandé de vous remettre ça.

Sachant que la chose serait inévitablement moite de sueur, comme tout ce qui entrait en contact avec l'épiderme de madame Simoneau, Pierre la saisit du bout des doigts par un coin en essayant de masquer son dédain.

— Merci beaucoup, dit-il en espérant que le papier ait le temps de sécher un peu avant qu'il ne le manipule.

— De rien. Bonne soirée, là!

— À vous de même, madame Simoneau.

Il entra, la laissant sur le seuil, et s'engagea dans l'escalier. Tout en gravissant les marches, il déplia le papier en plissant le nez avec dégoût, tentant sans beaucoup de succès de se convaincre qu'il ne dégageait pas l'odeur qui lui montait au nez. Il y découvrit une petite écriture en pattes de mouche qu'il eut du mal à déchiffrer.

Il avait atteint le premier palier avant d'y arriver et ne comprit pas davantage le message. Son auteur avait volontairement abrégé plusieurs mots dont il avait remplacé les lettres par trois points disposés en triangle.

Le F∴ Géd∴ O∴, V∴ M∴ de la L∴ Les C∴ R∴, convoque tous les FF∴ pour discuter de toute urgence des événements récents qui affectent la bonne réputation de la F∴ M∴ le 1er mai à sept heures du soir, au temple maç∴

Fraternellement,
Solomon W∴ secrétaire

La signature qui figurait au bas de la note lui fournit la clé, un peu simpliste, du code utilisé. Solomon Wolofsky était le secrétaire de la loge Les Cœurs réunis – « la L∴ Les C∴ R∴ ». Il suffisait de tâtonner un peu avec cet irritant charabia pour reconstituer les mots. Si l'on croyait maintenir un quelconque secret avec ce genre d'enfantillage, on se mettait le doigt dans l'œil jusqu'à la cervelle.

Le rythme de ses pas dans les escaliers ralentit à mesure qu'il recomposait le message. Quand il fut sur le deuxième palier, le contenu en était devenu clair.

Le frère Gédéon Ouimet, Vénérable Maître de la loge Les Cœurs réunis, convoque tous les frères pour discuter de toute urgence des événements récents qui affectent la bonne réputation de la franc-maçonnerie le 1er mai à sept heures du soir, au temple maçonnique.

Fraternellement,
Solomon Wolofsky, secrétaire

Ainsi donc, Gédéon Ouimet avait jugé la situation assez préoccupante pour convoquer une rencontre. Pierre grommela, irrité. Lui qui avait espéré passer le lendemain soir chez les Fontaine à courtiser Julie en paix après avoir consciencieusement travaillé ce soir, voilà qu'il allait plutôt devoir se rendre au temple en compagnie de membres de la loge. On allait forcément y discuter de l'assassinat du jésuite et des conséquences que cela pouvait avoir sur la réputation de l'ordre.

Une fois encore, il se demanda ce qui lui avait pris de se laisser entraîner dans cette histoire, lui qui n'avait jamais éprouvé le moindre intérêt pour les fraternités et les sociétés secrètes. Malheureusement, ce qui était fait était fait et il ne pouvait pas ignorer la convocation, à plus forte raison puisque les événements étaient survenus devant chez lui et qu'on lui en demanderait sans doute un compte-rendu. Il était coincé.

Contrarié, il tira sa clé de sa poche, déverrouilla la serrure de sa chambre et entra, bien décidé à passer sa mauvaise humeur sur la préparation de ses leçons en retard. Il referma, traversa la pièce jusqu'à une de ses lampes à huile, prit une allumette dans la boîte, la craqua et embrasa la mèche.

— Siméon ? appela-t-il. Je suis de retour.

Il en fit autant avec la deuxième lampe.

— Siméon ? appela-t-il de nouveau.

Le chat ne s'approchant pas, il fit le tour de la pièce. Siméon n'était nulle part. Lorsqu'il aperçut la fenêtre entrouverte, il secoua la tête. Siméon avait sans doute décidé de ne pas attendre son repas et de sortir chasser. Pierre haussa les épaules. Il avait l'habitude. Le chat était toujours demeuré un peu sauvage.

Il enleva sa veste et la lança sur le lit, puis se rendit à son lave-mains. Il déposa le paquet de retailles, versa un peu d'eau dans la cuvette, s'humecta le visage et l'essuya avec la petite serviette rêche qui y était accrochée. Réalisant qu'il n'avait rien de comestible à part un peu de pain et ses éternelles confitures, il se reprocha de ne pas avoir mangé en chemin. Tant pis. Il tiendrait le coup jusqu'au matin. Ce ne serait ni la première fois, ni la dernière.

Il s'installa à sa table de travail, réfléchit un moment aux leçons qu'il devait préparer pour les prochains jours, puis tendit la main pour saisir le cahier dans lequel il prenait ses notes. Il s'arrêta net. Juste à côté se trouvaient les trois tomes de l'*Histoire du Canada depuis sa découverte jusqu'à nos jours* de Garneau. Prévoyant en avoir besoin ce soir, il lui semblait les avoir empilés la veille au bord de la table, sur sa droite. Or, voilà qu'ils se trouvaient au fond, en plein centre.

Il haussa les épaules avec indifférence, empoigna le premier tome de l'œuvre magistrale du grand historien et l'ouvrit à la table des matières, à la recherche du chapitre sur la découverte du Mississippi, dont il souhaitait entretenir ses élèves d'ici quelques jours. De nouveau, il se figea. Dans ses mains se trouvait non pas le premier tome, mais le troisième. Il avait pourtant la certitude d'avoir préparé les tomes en ordre croissant, le premier, dont il savait qu'il aurait d'abord besoin, sur le dessus de la pile.

Il ravala sa salive, soudain saisi par une appréhension insidieuse. Des yeux, il balaya la pièce et de petits détails anodins lui sautèrent aux yeux. Les rideaux de l'unique fenêtre étaient un peu fermés alors qu'il se souvenait de les avoir ouverts au complet le matin pour voir le temps qu'il faisait. Son lit était méticuleusement fait, comme toujours, mais il lui semblait que son couvre-lit était un peu remonté alors qu'il en laissait toujours les extrémités toucher le plancher. La porte de son armoire, qu'il fermait toujours pour éviter que des mites y pénètrent, était entrouverte.

Il se frotta le visage pour s'éclaircir l'esprit et chasser la panique qui menaçait de l'envahir. Sa mère avait à peu près son âge lorsqu'elle avait commencé à perdre la raison. Du peu qu'on lui en avait raconté, elle s'était mise à voir des complots partout et des ennemis imaginaires tapis dans chaque coin sombre. Elle avait été habitée d'une peur permanente qui avait fini par la priver de sommeil et d'appétit. Pouvait-il être absolument certain de tous les détails qui lui semblaient différents ou la fatigue accumulée faisait-elle que son imagination lui jouait des tours ? Avait-il lui aussi des hallucinations ? Était-il en train de se convaincre qu'il était épié et persécuté ? Allait-il finir par être emmené de force à l'asile, lui aussi ? Il eut l'impression qu'un doigt froid lui remontait le long de la colonne vertébrale, lui causant des frissons inconfortables.

Il reporta son regard sur le livre qu'il n'avait pas lâché, incapable de se défaire de l'idée que quelqu'un était entré chez lui pendant son absence. Pour le cambrioler ? Il suffisait de voir le taudis dans lequel il vivait pour comprendre qu'il était pauvre comme Job. Il ne possédait rien qui pût faire l'envie d'un voleur, à moins qu'il ne fût bibliophile. Alors pourquoi ? Une réponse qu'il tentait de ne pas formuler s'insinua dans son esprit : pour la même raison qui avait poussé un jésuite à le suivre en pleine nuit, qui avait mené quelqu'un d'autre à l'assassiner puis à transporter son corps de l'autre côté de la rue pour y tracer une équerre et un compas. Parce qu'il était franc-maçon !

Il sentit le sang quitter son visage et se précipita vers l'armoire. Écartant à la hâte les vêtements suspendus, il trouva la mallette de cuir au fond, là où il l'avait mise après son retour de la loge. Les mains tremblantes, il l'ouvrit pour en vérifier le contenu. Ses gants et son tablier de franc-maçon étaient toujours là et ne semblaient pas avoir été déplacés. Il ferma les yeux et fit de son mieux pour reprendre le contrôle sur sa respiration.

Il sortit le tablier, le déplia et le tint à bout de bras. Il s'aperçut pour la première fois que son beau-père avait pris la peine d'écrire un mot sur le cuir d'agneau, au revers.

À Pierre M∴ à l'occasion de son initiation dans la loge Les Cœurs réunis, le 25 avril 1886.

Affections fraternelles
Émile D∴

Le tablier était-il ce que l'intrus avait cherché ? Cela n'avait aucun sens. Son nom n'y figurait même pas en entier et ne pouvait pas constituer une preuve qu'il était franc-maçon. Il le remit dans la mallette et redéposa le tout dans le fond de l'armoire. Puis il fit méticuleusement le tour de sa chambre et dut bientôt se rendre à l'évidence : si l'on entrait par effraction chez quelqu'un sans rien prendre, c'était que l'on avait rien trouvé qui eût de la valeur ou que l'on avait été à la recherche d'autre chose. Mais quoi ?

Il émit un grondement sonore en maudissant son imagination qui s'emballait, puis abattit son poing dans le mur. La douleur qui lui remonta l'avant-bras jusqu'au coude lui fit du bien. Tout cela devenait ridicule. Entre ses cauchemars, ses longues visites tardives chez Julie et les soirées passées à préparer ses cours ou à corriger des copies, il manquait cruellement de sommeil et commençait à rêver éveillé. Il devait absolument se reposer. Comment pouvait-il se fier à sa mémoire quand il posait des gestes sans même s'y arrêter ? Le lit fait autrement, la porte de l'armoire entrouverte, l'ordre des volumes de Garneau, les rideaux déplacés... Il voyait des fantômes ! Et puis, il était franc-maçon depuis moins d'une semaine. Adrien avait raison : il était sans doute le membre le moins important de l'ordre et personne ne s'intéressait à un petit professeur d'histoire.

Il retourna s'asseoir, saisit rageusement son livre, empoigna son crayon et se mit au travail, bien décidé à se hâter pour pouvoir se coucher tôt.

Finalement, la rencontre du lendemain n'allait peut-être pas être aussi inutile qu'il l'avait cru. Il y apprendrait ce que les autres membres de la loge savaient des événements, et aussi ce qu'ils en pensaient. Avec un peu de chance, ses craintes s'estomperaient d'elles-mêmes.

24

Caithness, Écosse, 30 mars 1397

William Gunn séjournait au modeste manoir familial dans la région de Caithness en attendant de reprendre la mer dans un mois. Autrefois, son père lui avait dit que les jours passaient très lentement, mais que les années, elles, s'écoulaient trop vite. Jamais ces sages paroles ne lui semblaient aussi vraies que lorsqu'il avait les deux pieds sur terre. Il ne vivait que pour se retrouver en mer. Pendant toute son enfance, il n'avait pas rêvé d'autre chose que de naviguer à la recherche d'aventures, de pays merveilleux et de trésors perdus. Et il était devenu marin. Il avait goûté le plaisir de sentir le pont d'un navire tanguer sous ses pieds, l'air salin sur son visage, le vent dans ses cheveux, les tempêtes qui faisaient craindre que la dernière heure ne soit arrivée. Il avait aussi ressenti la joie sauvage de sauter sur le pont d'une embarcation ennemie que l'on vient d'accoster et de se ruer à la besogne, sabre au poing, pour embrocher l'adversaire et piller la cargaison. C'était sa nature, la raison pour laquelle il avait été créé. Il n'en avait jamais douté. Et il lui tardait de repartir. Tôt ou tard, il finissait par étouffer entre quatre murs et même les grands espaces lui faisaient penser à un petit enclos dans lequel il était retenu prisonnier.

La nuit était tombée et il pleuvait des cordes. Son père dormait déjà dans le lit qu'il avait partagé avec sa femme jusqu'à ce qu'elle meure, voilà une dizaine d'années. Gunn lui-même venait de se mettre au lit, les muscles endoloris par les exercices rigoureux auxquels il s'astreignait pendant des heures chaque jour pour que son épée ne pèse pas lourd lorsqu'il devait la brandir. Cette discipline lui venait de son père, avec lequel il s'entraînait encore quand il en avait l'occasion, celui-ci maniant fort bien les armes pour un homme de son âge, ce qui, chez les Gunn, relevait de plus que d'une simple tradition, aussi noble fût-elle. Depuis la destruction de l'ordre du Temple, c'était une véritable religion.

William commençait à somnoler lorsqu'on frappa des coups secs et autoritaires à la porte. Il se leva d'un trait, passa ses braies, ramassa sa *broadsword* à la garde en panier bellement ouvragée et, à pas de loup, se dirigea pieds nus vers la porte. La demeure familiale des Gunn était isolée au milieu des terres et, à cette heure tardive, la méfiance était de mise. Le clan était trop respecté pour que des brigands essaient de le voler, mais ses membres avaient des raisons beaucoup plus sérieuses de rester perpétuellement sur leurs gardes. Depuis près d'un siècle, le *Gladius Dei* avait pris toutes sortes de formes et frappé plus d'une fois sans qu'on s'y attende. Gunn n'avait aucune envie d'être sa prochaine victime.

Derrière lui, son père surgit, armé lui aussi et le visage tendu. De toute évidence, la même idée lui avait traversé l'esprit. Par quelques signes de la main, il lui fit comprendre qu'il allait ouvrir et qu'il devait se placer de manière à pouvoir frapper au besoin. Le jeune William se plaqua contre le mur, d'où il pourrait abattre son arme sur l'intrus et protéger son père si la situation l'exigeait.

L'aîné ouvrit d'un coup sec et se figea sur place. Son bras redescendit lentement sans qu'il paraisse s'en rendre compte et la pointe de son arme se retrouva appuyée sur le sol.

— Que veux-tu? demanda-t-il d'une voix éteinte.

De l'autre côté du seuil se tenait un homme. Très grand, le regard masqué par les rebords de son chapeau, d'où l'eau de pluie tombait, il ne broncha pas, s'attendant manifestement à un accueil aussi froid. Comme si Dieu avait voulu ajouter à l'effet dramatique de voir surgir un inconnu trempé jusqu'aux os en pleine nuit, le tonnerre éclata, suivi d'un éclair aveuglant qui illumina sa silhouette.

Gunn père s'écarta pour laisser entrer l'inconnu. L'homme fit un pas à l'intérieur et tourna la tête vers la gauche, comme s'il avait toujours su que William était là.

— William Gunn ? s'enquit-il d'une voix rocailleuse qui semblait sortir tout droit d'un tombeau

— Lui-même.

L'étranger tira un pli de son *sporran* et le lui tendit.

— Pour toi, de la part du prince Henry.

Sans même avoir à prendre connaissance de son contenu, Gunn comprit de quoi il s'agissait. Un grand froid lui envahit le corps. Depuis le jour où il avait prêté un serment de sang sur les deux crânes, il avait toujours su que cet appel viendrait. Il avait juré que, le cas échéant, il y obéirait sans discuter, quels que soient les ordres qu'il contenait. Onze ans plus tard, l'*Opus Magnum* faisait appel à lui. Depuis le *dies terribilis*[1], chaque premier-né des familles exilées était irrémédiablement voué à la Vengeance et son destin était immuable. Sa vie appartenait à quelque chose de plus grand que lui, et ne lui était que prêtée temporairement. William avait été chanceux d'en jouir un peu en attendant l'appel.

Il accepta le pli en silence, avec l'impression qu'une chape de plomb venait d'être posée sur ses épaules. De toute évidence, son père en comprenait le sens, lui aussi, car il saisit l'inconnu par le bras pour le forcer à lui faire face.

— Je demande à prendre la place de mon fils, implora-t-il. Je suis veuf et déjà vieux. J'ai vécu ma vie alors que lui a toute la sienne devant lui. J'appartiens au clan Gunn. Notre famille est fidèle à la Vengeance depuis le premier jour ! J'ai prêté le serment bien avant lui.

— Le prince le mande lui, et pas toi, répliqua brusquement l'homme.

1. Jour terrible.

L'inconnu se pencha de façon menaçante jusqu'à ce que son visage soit tout près de celui de Gunn père.

— Si tu veux, je peux lui faire part de tes protestations et vous vous arrangerez entre vous dit-il de cette voix caverneuse qui donnait froid dans le dos. Tu sais déjà le sort que l'*Opus* réserve à ceux qui protestent.

Pour la seule fois de sa vie, William vit son père, intimidé, baisser les yeux. Sans rien ajouter, le messager fit demi-tour et retourna vers le cheval qu'il avait laissé de l'autre côté de la clôture de pieux qui encerclait le manoir. Il se mit en selle et s'élança au galop dans une nuit parsemée d'éclairs et de tonnerre, laissant là le père et le fils dans l'embrasure de la porte, indifférents à la pluie que le vent poussait dans la maison et qui les trempait.

William referma la porte. Il alluma la chandelle d'un bougeoir dans les braises encore rouges de la cheminée. À la lumière de la flamme, il brisa le sceau de cire, ouvrit le pli et prit connaissance de son fatidique contenu. Les quelques mots ne semblaient avoir aucun sens, mais pour qui savait les lire, ils étaient tout à fait clairs.

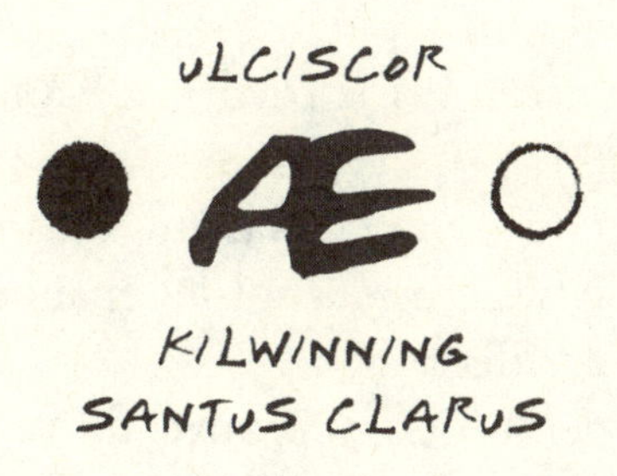

Il tendit le papier à son père, qui y laissa traîner un regard triste avant de le lui remettre, les yeux pleins d'eau.

— Le devoir t'appelle, mon fils, énonça-t-il d'une voix qu'il essayait de garder ferme sans vraiment y parvenir, avant de baisser les yeux sur ses mains noueuses.

William opina avec résignation. Le frisson glacial qui lui remonta le long de l'échine n'avait rien à voir avec le fait qu'il était trempé et torse nu dans la pièce fraîche. À vingt-sept ans, il avait soudain l'impression d'en avoir cent. Puis il se reprit. Cet instant, il l'avait craint, certes, mais il en avait aussi rêvé dès le jour où on lui avait appris quel sang coulait dans ses veines. Depuis, il avait soigneusement soufflé sur les braises de sa haine pour la garder rouge et brûlante.

Songeur mais étrangement serein, William examina la paume de ses mains, où les cicatrices remontant au jour de ses seize ans étaient encore bien visibles.

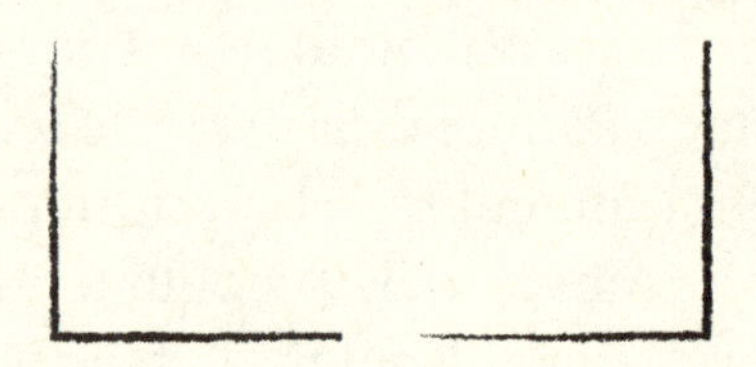

En prêtant serment, il avait fait couler le sang de ses ancêtres. Il était lié par son propre honneur et par celui de tous ceux qui l'avaient précédé depuis 1307. Il ferait tout ce que l'*Opus* exigerait de lui. En s'engageant, il avait abdiqué sa liberté. Tel était son destin.

— Le moment est venu. Je partirai à l'aube, déclara-t-il fermement.

Son père le regarda et hocha la tête. Puis il se leva, posa ses grosses mains calleuses et rudes sur les épaules musclées de son fils, et les serra avec affection.

— Malgré la peine que j'éprouve de te savoir appelé, la Vengeance prime sur tout, mon enfant, dit-il avec tristesse et lassitude. L'ennemi rôde et nous souffle de plus en plus dans le cou. Encore le mois dernier, le fils Charny a été trouvé mort. On l'avait torturé, comme les autres avant lui. À ce rythme, ils finiront par nous avoir tous. J'imagine que les Supérieurs ont décidé de mettre l'*Argumentum*[1] en lieu sûr jusqu'à ce que le temps soit venu de l'utiliser.

---

1 Preuve.

Cédant à l'émotion qui menaçait d'exploser dans sa poitrine comme un volcan en éruption, Gunn père l'agrippa et le serra très fort contre lui puis posa sur sa joue un baiser.

— Va et accomplis la Vengeance, mon fils, l'enjoignit-il. Fais-le dans l'honneur pour les Gunn et pour tous les autres qui ont été massacrés injustement ; pour ceux dont la mémoire a été à jamais ternie et traînée dans les immondices ; ceux dont le nom et l'honneur ont été souillés ; ceux dont la loyauté a été récompensée par la torture et les flammes. Fais tomber les tyrans.

William se dégagea de l'étreinte paternelle et, sans rien ajouter, se rendit dans sa chambre, pour préparer les quelques affaires qu'il emporterait. Et pour prier.

William Gunn ne dormit pas cette nuit-là. Il fourra des vêtements et quelques provisions dans une besace, affûta son épée et son poignard, puis pria avec ferveur jusqu'à ce que le soleil se lève. Ses adieux à son père furent brefs mais déchirants, les deux hommes sachant qu'ils risquaient fort de ne jamais se revoir.

Le voyage dura une semaine pendant laquelle il eut amplement le temps de réfléchir. Pour assurer l'avènement de la Vengeance, l'*Opus* avait tué sa part de coupables et sans doute aussi quelques innocents. Il avait triché, trompé, floué, manipulé, trahi. Toujours, il avait agi dans l'ombre, traquant ses ennemis et les exécutant sans merci, d'une façon qui frôlait l'obscénité et qui ne laissait planer aucun doute sur l'identité du meurtrier. Évidemment, l'ennemi en faisait autant. Nombreux étaient les frères qui avaient perdu la vie aux mains de ceux qui les pourchassaient. L'*Opus Magnum* et le *Gladius Dei*. Les Ténèbres et la Lumière. Le Bien et le Mal. Les deux faces d'une même réalité. La question était de savoir laquelle était laquelle. Mais William Gunn, lui, savait parfaitement de quel côté il se tenait et sa conscience était tranquille. C'était tout ce qui comptait.

Comme l'indiquait le message codé, le rendez-vous était fixé le soir de la pleine lune suivante dans le minuscule village de Kilwinning, où les exilés qui avaient fui la France s'étaient d'abord réfugiés après le *dies terribilis*. Plusieurs d'entre eux étaient même enterrés autour de l'abbaye de l'endroit.

Tous ceux qui avaient été convoqués se retrouvèrent dans les ruines d'une chapelle octogonale, sous les fondations de laquelle était aménagée une pièce secrète, beaucoup plus vaste que le bâtiment visible. Certains se connaissaient déjà, d'autres non. Chacun d'eux fut reçu par un gardien auquel ils durent communiquer le mot de passe, *Nekam*[1] et recevoir sa réponse, *Kadosh*[2], avant d'être admis. Ils étaient une soixantaine en tout.

Le prince Henry Sinclair en personne les accueillit. Baron de Roslin, Pentland et Cousland et comte d'Orkney, l'homme était une légende. Sa grande influence auprès des rois d'Écosse et de Norvège était bien connue. Son immense richesse, acquise en bonne partie comme corsaire, l'était tout autant. Seuls les membres de l'*Opus Magnum* savaient à quoi il en utilisait une grande part.

L'air austère, le visage creusé de profondes rides d'inquiétude et d'amertume, la chevelure clairsemée et la barbe grise, le prince étant grand, mais les soucis avaient prématurément rondi ses épaules et voûté son dos. Debout au fond de la pièce, il regardait les recrues entrer et posait sur chacune d'elles un regard perçant, les évaluant en quelques instants.

Lorsqu'ils furent tous réunis, le maître de l'*Opus* leur rappela le serment qu'ils avaient tous prêté et leur apprit qu'un projet longuement préparé se mettait en branle. En conséquence, ils devaient tous s'embarquer sans tarder pour un long et périlleux voyage dont ils ne connaîtraient la destination qu'à l'arrivée. Là, ils auraient pour mission de fonder une communauté et de veiller sur l'*Argumentum*. Ils n'en reviendraient jamais.

---

1. Vengeance en hébreu.
2. Sacré en hébreu.

25

Rome, 1er mai 1886

Les murs du Vatican avaient de très grandes oreilles. La chose était bien connue de tous ceux qui y vivaient. Autant l'Église était imperméable aux influences extérieures, autant les conspirations de couloir et les intrigues derrière les portes closes y fleurissaient. Pour l'ambitieuse curie du Saint-Siège, toute information avait une valeur stratégique ou financière susceptible d'intéresser une des multiples factions qui y évoluaient. Chacun intriguait et complotait pour faire avancer une opinion, une ambition personnelle ou un candidat qui lui serait ensuite redevable et dont il obtiendrait des faveurs. Personne n'était désintéressé. Aussi, depuis des siècles, ceux qui souhaitaient tenir une rencontre à l'abri de toute indiscrétion le faisaient à l'extérieur des murs de la cité sainte.

Dans un petit hôtel particulier banal d'une rue anonyme de Rome, deux hommes prenaient place dans de luxueux fauteuils en cuir. Pour ne pas être vus ensemble, ils s'y étaient rendus à une heure d'intervalle par des trajets différents. Dans le crépitement du feu allumé dans la cheminée, chacun savourait en silence un verre de grappa, cette eau-de-vie à base de marc de raisin patiemment vieillie dont la divine brûlure réveillerait même un mort. Dehors, le temps était anormalement frais pour un début de mai à Rome et l'alcool leur procurait une agréable chaleur.

Le plus vieux des deux était un cardinal influent, mais par souci de discrétion, il avait revêtu un costume laïc qui lui donnait des airs de banquier. Sa chevelure épaisse et ondulée, élégamment peignée vers l'arrière, était blanche comme neige. Ses yeux, malgré le film un peu laiteux qui en avait recouvert le bleu avec les années, restaient fermes et intimidants. Les yeux d'un homme habitué à exercer le pouvoir. Ils étaient fixés sur son interlocuteur, un homme d'âge moyen aux cheveux poivre et sel, vêtu lui aussi en civil, qui agissait comme sous-secrétaire de la Sacrée Congrégation de l'Inquisition romaine et universelle, la plus ancienne, la plus influence et, surtout, la plus secrète des neuf congrégations de la curie romaine.

Depuis sa création par Paul III en 1542, l'Inquisition avait eu comme fonction de combattre l'hérésie sous toutes ses formes. Elle s'en était acquittée avec fureur, luttant sans relâche contre les doctrines impies, brûlant des juifs et des sorcières par milliers, lâchant des armées d'inquisiteurs dans les campagnes pour y débusquer les déviants et érigeant d'innombrables bûchers sur lesquels elle avait détruit tous les livres qui contredisaient la doctrine de l'Église.

Mais la Sainte Inquisition était bien plus que cela. Son bras le plus important était toujours demeuré secret. Seuls quelques membres de la curie triés sur le volet faisaient partie du *Gladius Dei*, dont le pape en était *de facto* le maître depuis octobre 1307. Avec le temps toutefois, pour préserver le Saint-Père, sa direction avait été déléguée à un de ses conseillers, qui lui relayait discrètement les informations et transmettait ses ordres aux membres. C'était pour remplir cette délicate fonction que le cardinal était maintenant assis en compagnie du sous-secrétaire.

Les deux finirent leur verre et le reposèrent sur un luxueux guéridon d'acajou, entre leurs fauteuils. Maintenant que les formalités étaient accomplies, ils allaient passer aux choses sérieuses.

— Alors ? s'informa le cardinal avec la brusquerie de celui que sa position dispensait de mettre des gants blancs. Je présume que vous aviez une bonne raison de me convoquer ici d'urgence ?

Le visage du sous-secrétaire s'éclaira d'un large sourire qui lui donna un air juvénile.

— Une excellente raison, Éminence, confirma-t-il. Nous avons retrouvé le détenteur de la clé.

Fin diplomate, le cardinal n'avait pas survécu si longtemps dans l'administration vaticane sans trop encourir d'égratignures, en trahissant ses sentiments. Au Saint-Siège, mieux valait garder ses véritables pensées pour soi, idéalement enfermées à double tour. Mais le choc fut tel qu'il ne put retenir un léger mouvement de recul, ce qui plut fort à son interlocuteur.

— Êtes-vous absolument certain de ce que vous me dites ? demanda-t-il.

Pour faire durer un peu son plaisir, le sous-secrétaire prit la bouteille sur la table et remplit les deux verres. Puis il tira de sa poche un télégramme qu'il lui tendit.

— Voyez vous-même.

Le cardinal avala une gorgée d'alcool en prenant connaissance du message. Le télégramme était inhabituellement long, remplissant presque une page entière. L'agent montréalais identifiait comme détenteur de la clé un jeune professeur d'histoire nommé Pierre Moreau. Il précisait que l'*Opus Magnum* connaissait aussi son existence et le protégeait. À preuve, le jour même où le télégramme avait été envoyé, on avait retrouvé le père Noël Garnier non loin de la demeure de l'individu, deux balles en plein cœur, la gorge ouverte et la langue arrachée. Le cardinal frémit involontairement en apprenant que le signe maudit était réapparu sur le front du jésuite.

Il interrompit sa lecture, se pinça le nez et le frotta avec lassitude. Il connaissait bien Noël Garnier. Il l'avait lui-même accueilli au sein du *Gladius Dei*. Le jésuite, déterminé et froid comme la lame d'un couteau, avait toujours figuré parmi les agents les plus fiables et les plus capables. Et voilà qu'on lui avait fait subir le même sort que tant d'autres depuis plus de cinq siècles. Il ne manquait que la décapitation. Peut-être la façon de faire de l'*Opus* avait-elle un peu évolué avec le temps. Ou peut-être le meurtrier avait-il manqué de temps.

Il termina le télégramme. Étrangement, malgré le fait qu'il semblait le protéger, l'*Opus* n'avait pas encore contacté ce Moreau, mais cela ne saurait tarder. L'agent terminait en demandant des instructions pour la suite des choses.

— Avons-nous des raisons de douter de l'authenticité de ces informations ? l'interrogea le cardinal.

— Le message nous a été envoyé par les canaux habituels, répondit le sous-secrétaire. Personne ne peut en connaître la chaîne d'intermédiaires sauf notre agent de Montréal.

— Alors, la Bête est sur la piste, déclara le prince de l'Église, catastrophé. Nous devons agir sans délai. Sinon, on nous damera le pion et il sera trop tard.

Il avala une gorgée et ferma les yeux pendant que la brûlure de l'alcool descendait vers son estomac. Puis, pensif, il contempla momentanément le liquide jaunâtre qu'il faisait tourner dans son verre. Lorsqu'il tourna la tête vers son interlocuteur, sa décision était prise.

— Répondez-lui qu'il doit procéder sans tarder. Que l'erreur soit rectifiée une fois pour toutes. Si ce jeune homme est bien le détenteur de la clé, qu'il meure et que la voie vers l'*Argumentum* disparaisse avec lui. Si jamais il l'a déjà récupéré, qu'on me l'apporte en main propre et je le détruirai moi-même.

Le sous-secrétaire hocha lentement la tête.

— Très bien, Éminence.

— Rappelez-lui que Sa Sainteté accorde implicitement une indulgence plénière à tous ceux qui agiront dans l'intérêt de l'Église en cette matière, ajouta le cardinal. Chacun peut compter sur la vie éternelle au paradis, à la droite de Dieu.

— Lequel ? demanda le sous-secrétaire avec un sourire narquois.

— Il n'y a qu'un seul vrai Dieu : celui d'Abraham, de ses fils, de Moïse et des prophètes ; celui qui unit tous les chrétiens sous la protection de la sainte Église. Un peu plus et je croirais que vous blasphémez, mon père, rétorqua le vieil homme avec un demi-sourire.

— Évidemment. Où avais-je la tête ?

Les deux firent tinter leurs verres avant de trinquer.

— Je télégraphierai vos ordres dans l'heure, l'informa le sous-secrétaire.

— Bien. Qu'il fasse les choses avec la plus extrême discrétion.

Le cardinal tendit sa main droite, dont le majeur était orné d'un anneau serti d'un rubis. Le sous-secrétaire la baisa respectueusement, salua de la tête et se retira.

Seul, le prince de l'Église se servit une autre rasade de grappa et en avala une gorgée avant de se caler dans son fauteuil. Grâce à ses agents, dont plusieurs avaient payé de leur vie une bribe d'information, le *Gladius Dei* n'ignorait pas qu'après que l'*Argumentum* eut été récupéré à Arcadie, voilà presque deux cent cinquante ans, l'*Opus Magnum* avait changé sa façon de faire. Depuis lors, au lieu de confier la garde du précieux objet à certains membres triés sur le volet, ses dirigeants avaient fragmenté l'information afin que personne ne la détienne dans sa totalité. Deux d'entre eux possédaient ce qu'il était convenu d'appeler une clé qui, correctement interprétée par ceux qui détenaient les connaissances requises, mènerait à l'endroit où reposait l'*Argumentum*. Les dirigeants de l'ordre, seuls, décideraient du moment propice pour réunir toutes les informations. Ainsi, même si un agent était capturé, il ne pouvait rien révéler qui permît à un ennemi de s'emparer de l'objet.

Naturellement, le *Gladius Dei* avait ajusté son approche en conséquence. Au lieu de chercher l'*Argumentum*, il avait entrepris d'assassiner tous les détenteurs de clé. Ainsi, au final, l'*Opus* non plus ne saurait plus où il se trouvait, ce qui était aussi bon que de détruire physiquement l'objet. À force de patientes enquêtes, le *Gladius* avait presque réussi. Mais alors qu'il touchait au but, quelque chose s'était produit. Le dernier porteur de clé avait survécu et on avait perdu sa trace. C'était voilà vingt ans, alors que le pape Pie IX venait à peine de confier au cardinal la direction de l'ordre. Depuis, il cherchait.

Ses doigts formant un triangle devant son visage, il réfléchit, trop blasé pour s'autoriser à croire qu'une affaire qui mettait l'Église en péril depuis tous ces siècles tirait peut-être à sa fin et que la Vengeance tant désirée par l'*Opus Magnum* ne serait jamais exercée.

26

DANS LE BUREAU de l'évêché de Montréal, l'atmosphère était tendue. L'espoir d'un triomphe prochain, ressenti voilà si peu de temps, avait été remplacé par un sentiment d'impuissance et de deuil. Le prêtre et la religieuse étaient atterrés. Ni l'un, ni l'autre n'arrivait à croire que le jésuite, pourtant si expérimenté, avait été assassiné. Les choses s'étaient passées trop vite et personne n'avait vu venir le coup.

Outre le regret d'avoir perdu un valeureux soldat de l'Église, qui avait consacré la plus grande partie de sa vie à lutter contre la Bête, le prêtre était d'autant plus ébranlé qu'il détestait être pris par surprise. Il avait été choisi pour sa prudence, sa discrétion, sa patience et son sens de l'organisation. Et voilà qu'il se retrouvait pris de court, alors que le *Gladius Dei* ne tolérait pas l'erreur. Heureusement, on semblait lui accorder une chance de se racheter. Il savait qu'il n'en aurait pas d'autre.

Il venait d'informer la religieuse de ce qui s'était produit. Comme toujours, elle s'était réfugiée à l'intérieur d'elle-même, ne trahissant ni peine ni colère.

— Pouvons-nous être absolument certains qu'il a été tué par l'*Opus*? demanda-t-elle d'une voix éteinte en jouant avec le chapelet qui était entrelacé entre ses doigts.

— J'ai moi-même examiné le cadavre, soupira le prêtre, et il n'y a aucun doute possible : il portait les deux angles droits au front. La même marque laissée par ces monstres sur chacun des nôtres qu'ils sont parvenus à assassiner.

— C'est triste à dire, mais le meurtre du père Garnier nous fait progresser. En protégeant si bien Pierre Moreau, l'*Opus* l'a identifié comme celui que nous cherchions.

— Oui, mais cela nous confirme aussi que nos adversaires sont en avance sur nous, alors que nous croyions le contraire. Nous allons devoir changer nos plans.

Le prêtre fit glisser un papier sur la table et elle le prit.

— J'ai télégraphié à Rome pour résumer la situation et la réponse est arrivée cet après-midi. Le cardinal nous ordonne de procéder sans plus attendre.

Il consulta sa montre et se leva.

— Il doit être arrivé. Je vais aller le chercher.

Il laissa la sœur seule dans le bureau. Elle eut le temps de réciter quelques *Ave* en égrenant les billes de son chapelet avant qu'il ne revienne en compagnie d'un colosse dont la moustache se prolongeait en épais favoris, aux cheveux noirs comme la nuit, aux épaules larges et musclées, et aux mains aussi grosses que des pelles à foin. Le visage de l'homme démontrait sans équivoque qu'il n'avait jamais craint la bagarre, les coups ayant écrasé son nez de manière permanente.

La mine placide, le nouveau venu se planta debout près de la table, les jambes écartées et les bras croisés sur son immense poitrail, dans une pose qui rappelait celle que Louis Cyr, le célèbre homme fort, prenait sur les affiches de son spectacle.

— Ma mère, la salua-t-il d'une voix qui semblait émerger d'une caverne, sans faire mine de soulever la casquette molle qui lui couvrait le crâne.

— Voici Damase Thériault, le présenta le prêtre. Damase est un bon chrétien, entièrement dévoué à la cause de notre sainte Église. Je lui ai demandé de venir ce soir car il nous faut faire appel à ses services.

Le prêtre avait volontairement omis d'identifier la religieuse et Thériault, qui connaissait visiblement les règles du jeu, ne parut pas s'en formaliser. Le prêtre prit une enveloppe brune sur la table, en sortit une photo qu'il posa à plat et la fit pivoter de façon à ce que Thériault et la religieuse puissent en prendre connaissance. Elle représentait un groupe d'élèves du Collège de Montréal. De chaque côté, dans la rangée du haut, des professeurs prenaient place avec eux, l'air à la fois sérieux et fier. Du doigt, le prêtre désigna Pierre Moreau. Autour de sa tête, il avait tracé un cercle rouge avec un crayon gras.

— Voici l'homme, Damase, lui apprit-il.

Il sortit d'autres photographies et les lui tendit.

— Et voici ceux qui lui sont chers.

Le curé lui remit enfin l'enveloppe.

— Tu trouveras ici ce que nous savons déjà sur lui et sur son entourage. Procède comme nous en avons convenu et agis vite. Surtout, ne laisse aucune trace qui pourrait permettre de remonter jusqu'à nous.

Damase Thériault prit l'enveloppe, l'entrouvrit pour vérifier la présence du document puis y remit les photographies.

— Fais-moi rapport dès que la chose sera réglée, dit le prêtre.

— Autre chose ? demanda le colosse.

— Ce sera tout.

— Très bien.

Thériault les salua de la tête et se retira sans ajouter un mot.

— Est-il fiable ? insista la religieuse après qu'il fut sorti.

— Autant qu'un chien fidèle, l'assura le prêtre. Il obéit sans poser de questions. Il est aussi membre du Département de police de Montréal, ce qui lui facilite grandement les choses.

— Et il est efficace ?

Le prêtre grimaça.

— Redoutablement, comme tous ceux qui n'ont pas de conscience.

— Alors, il ne reste plus qu'à prier pour que Dieu le guide et que cette abomination disparaisse une fois pour toutes.

Le prêtre se leva et tendit galamment la main à la sœur pour l'aider à en faire autant. Ils sortirent de la pièce et, comme la veille, arpentèrent les couloirs déserts de l'évêché jusqu'à la porte arrière.

— Que le seul vrai Dieu soit avec toi, mon frère, dit la religieuse en se retournant avant de sortir.

— Et avec toi aussi, répondit rituellement le prêtre en traçant le signe de la croix dans l'air.

Il resta longtemps à regarder la porte close, angoissé. Peut-être était-il déjà trop tard. Si oui, sa vie ne vaudrait plus rien.

27

PIERRE SE SENTAIT étrangement fébrile quand il se présenta chez Émile Fontaine, à l'heure convenue. Ses préoccupations ne s'étaient pas encore estompées depuis l'épisode de sa chambre et il avait hâte d'entendre ce qu'auraient à dire les autres membres de la loge. Tous plus expérimentés que lui, ils considéreraient forcément les événements récents avec un calme et un recul qui lui manquaient.

Comme toujours, ce fut Julie qui lui ouvrit. Elle était splendide dans une robe de velours bleu pâle qui faisait ressortir ses yeux de même couleur et ses cheveux roux, libres sur ses épaules. Au lieu de reculer pour le laisser entrer, elle jeta un coup d'œil furtif derrière elle et, ne voyant personne, l'accueillit avec un baiser court mais furieux qui lui fit tressaillir les entrailles.

— Un petit souvenir que tu pourras emporter avec toi pendant que tu t'ennuies avec mon père et ses copains, expliqua-t-elle avec un sourire coquin.

Julie détacha ses mains de ses hanches, le laissa passer et referma. Pierre caressa au passage la douce joue rose de sa bien-aimée, laissant son pouce errer sur sa lèvre inférieure, si charnue et invitante.

— Je préférerais passer la soirée à regarder tes beaux yeux, chuchota-t-il. Tu le sais ?

Elle s'approcha de lui pour lui susurrer à l'oreille.

— Si tu finis avant minuit, repasse. Je t'ouvrirai et nous aurons quelques minutes au salon. Et si jamais tout le monde est couché…

Elle se recula un peu et se lécha lascivement les lèvres. Pierre sentit une envie folle de saisir cette langue humide et luisante avec ses lèvres.

— Promis, répondit-il, un large sourire éclairant son visage.

Au son des pas d'Émile Fontaine, ils s'éloignèrent pudiquement l'un de l'autre. Lorsque le notaire arriva, il avait un air soucieux que Pierre ne lui connaissait pas.

— Tu es prêt ? demanda-t-il sans sourire.

Ils sortirent ensemble et, une minute plus tard, le notaire héla un boghei rue Sherbrooke. Tout au long du trajet, monsieur Fontaine s'enferma dans le silence.

La rencontre se tenait dans l'antichambre de la loge, au cinquième étage. Une trentaine d'hommes s'y trouvaient, la plupart faisant grise mine. Toutes les places étaient prises autour de la longue table qui occupait le centre. On avait beau avoir ajouté des fauteuils le long des murs, quelques messieurs devaient tout de même rester debout. Un épais nuage de fumée de cigare et de pipe flottait sous le plafond de la pièce et les discussions étaient déjà animées. Monsieur Fontaine abandonna aussitôt son futur gendre et se rendit auprès de Gédéon Ouimet, aussi renfrogné que lui.

Dès qu'il le vit, Solomon Wolofsky, qui se tenait dos au mur non loin de là, ouvrit les bras et accourut vers lui, tout sourire.

— Pierre ! l'accueillit-il en lui serrant chaleureusement la main. Comment vas-tu ? Je vois que ta logeuse t'a transmis la convocation. J'ai bien essayé de la convaincre de me laisser monter pour glisser le papier sous ta porte, mais la mégère ne voulait rien savoir et, franchement, elle me faisait un peu peur. Elle me l'a arraché des mains et l'a enfoui entre ses mamelles en disant qu'elle s'en occuperait. Pas besoin de te dire que je n'ai pas tenté d'aller le récupérer. Béni soit El-Schaddaï qui a fait le lait de la mère, qui nourrit les hommes.

Sans égard pour l'ambiance sérieuse qui imprégnait l'antichambre, le petit marchand rit de bon cœur, ce qui lui attira quelques regards désapprobateurs.

— Enfin, l'important est que le message se soit rendu, ajouta-t-il plus discrètement.

— Il était passablement humide et ne sentait pas très bon, mais comme tu vois, je suis là, répondit Pierre, amusé malgré lui.

— Viens saluer les autres.

Presque à son corps défendant, Solomon l'entraîna par le bras et lui fit faire le tour de la pièce. Il salua successivement Gédéon Ouimet, Toussaint-Antoine-Rodolphe Laflamme, Arthur Buies et plusieurs autres membres de la loge dont il n'avait pas retenu les noms après son initiation. Même Honoré Beaugrand avait jugé bon de se dégager de ses devoirs de maire pour assister à la rencontre, ce qui en disait beaucoup sur l'importance qu'il lui accordait.

Wolofsky lui présenta aussi ceux qu'il ne connaissait pas. Il se trouvait là des membres de loges anglophones qui avaient eu vent de l'affaire et qui souhaitaient savoir de quoi il retournait. Ils formaient une brochette impressionnante de la haute société anglo-saxonne de Montréal. Un peu hébété, Pierre serra la main de représentants des familles Molson, McCord, McTavish et Smith qui, en d'autres circonstances, n'auraient même pas daigné l'honorer d'un regard, mais qui l'accueillaient pourtant fort amicalement.

Il fut ensuite mené vers un très vieil homme à l'air renfrogné et aux favoris abondants qui prenait place au bout de la table et que tous semblaient traiter avec une grande déférence.

— Pierre, je te présente notre frère William Badgley, avocat, anciennement juge de la cour de circuit du district de Montréal, député, doyen de la Faculté de droit de l'Université McGill, procureur général du Bas-Canada et, surtout, passé grand maître de la Grande Loge provinciale du district de Montréal. C'est d'ailleurs à titre de représentant de la Grande Loge du Québec qu'il est parmi nous ce soir. Frère William, voici Pierre Moreau.

Le vieillard, octogénaire avancé, tendit une main frêle à la peau parsemée de taches de vieillesse, que Pierre serra avec une infinie précaution, de peur d'en broyer les os.

— Émile me dit que tu as été initié voilà peu, dit Badgley dans un français cassé mais acceptable, ses yeux foncés le détaillant avec une parfaite lucidité sous d'immenses sourcils broussailleux.

— Voilà huit jours à peine, confirma Pierre, stupéfait que cet homme le connaisse.

— Et comment trouves-tu ta nouvelle fraternité ?

Un peu contrit, il ne put retenir une grimace.

— Hormis une cérémonie au cours de laquelle j'avais les yeux bandés, tout ce que j'ai vu de la maçonnerie, à date, est un cadavre de jésuite et des frères très énervés, avoua-t-il, un peu embarrassé.

— Il est dommage, en effet, que tes premiers pas dans l'ordre se fassent dans de telles circonstances, maugréa le vieil homme. Mais ce n'est pas la première fois qu'on nous traîne dans la boue et ce n'est sans doute pas la dernière. Particulièrement dans le Canada français catholique. Tu verras, lorsque tout ça sera derrière nous, tu apprendras à apprécier ta loge.

— Je l'espère, répondit Pierre, qui en doutait fort.

Solomon le guida ensuite vers deux hommes dans le coin de la pièce. Grands et minces, vêtus avec élégance de costumes de bonne coupe, ils discutaient calmement. En s'approchant, Pierre les observa et eut l'impression de les connaître. Puis, il se rappela qu'ils étaient là, le soir de son initiation, pendant les agapes, mais dans le tourbillon des toasts et des discussions, il n'avait pas souvenance de leur avoir parlé. Dès qu'ils le virent arriver, les deux hommes s'interrompirent poliment et attendirent que les présentations soient faites.

— Georges Belval, dit le premier, la moustache fine et les cheveux châtains ondulés, enserré dans son complet austère et droit comme un chêne, en lui serrant la main. Je suis le second surveillant de la loge. Dans la vie profane, je suis médecin. Comme je n'ai pas eu l'occasion de te féliciter avant pour ton initiation, permets-moi de le faire maintenant.

— Barthélémy Perreault, l'informa le second, véritable dandy, appuyé sur une canne à pommeau d'argent qui n'était qu'un ornement pour homme élégant. Avocat de mon état. Et je me joins aux félicitations de Georges.

L'homme était mince et vêtu à la dernière mode d'une redingote coupée droit à la hauteur des genoux, une chemise à col orné d'une cravate sombre et large, d'un pantalon rayé et de couvre-chaussures blancs. Ses cheveux blonds étaient lissés vers l'arrière avec une laque qui dégageait un agréable parfum et, contrairement à la majorité des hommes, son visage était rasé de près.

Pierre expliqua, un peu embarrassé, qu'il était professeur d'histoire au Collège de Montréal et, à sa surprise, les deux hommes firent preuve d'un intérêt aussi sincère que leur culture était grande, le questionnant sur les ouvrages historiques récents et s'enquérant de l'opinion qu'il en concevait. Les minutes suivantes passèrent si agréablement, ponctuées de commentaires pleins d'esprit et de remarques savantes, que les petits coups secs qui réclamaient l'attention les prirent par surprise.

À l'autre extrémité de la table, Gédéon Ouimet attendait que tous se taisent.

— Mes très chers frères, déclara un peu pompeusement l'ancien premier ministre, d'une voix qui trahissait son habitude des discours, je vous remercie d'être venus en si grand nombre. Ce n'est malheureusement pas pour fraterniser que nous sommes réunis ce soir, mais bien pour faire le point sur un événement qui pourrait avoir des effets néfastes pour notre ordre. Je parle, bien entendu, de la découverte, voilà deux jours, du cadavre du père Noël Garnier, au coin des rues Saint-Laurent et Sherbrooke, et du fait qu'il semble avoir été assassiné de manière à imiter le châtiment du premier degré de la franc-maçonnerie. Comme nos frères Pierre et Solomon ont eu la malchance d'être parmi les premiers sur la scène du crime, avant d'aller plus loin, j'aimerais qu'ils nous la décrivent afin que nous sachions tous de quoi nous parlons.

Un peu pris de court, ils s'exécutèrent de leur mieux et racontèrent ce qu'ils avaient vu, s'interrompant à maintes reprises pour compléter mutuellement leur récit avec une complicité qui s'avérait toute naturelle.

— Ces entailles, sur le front du jésuite, pourriez-vous les dessiner ? les pressa Badgley.

— Euh... Oui, je crois, répondit Pierre en consultant Wolofsky du regard.

On leur fournit du papier et un crayon, et ils s'exécutèrent côte à côte sur le coin de la table, se consultant pour reproduire le plus précisément possible les blessures sur le front du père Garnier. Lorsqu'ils eurent terminé, ils donnèrent le dessin au vieux juge, qui l'examina longtemps, une moue lui gonflant la lèvre inférieure, avant de le faire circuler pour que tous en prennent connaissance.

L'anxiété remplit soudain la pièce, qu'un épais silence enveloppa. Le juge Badgley, les yeux mi-clos, semblait perdu dans ses pensées. Il toussota pour demander la parole.

— Les marques sur le front du jésuite ont vaguement l'allure d'une équerre et d'un compas, c'est vrai, déclara-t-il, mais en ce qui me concerne, pas assez pour nous inquiéter. On pourrait y voir tout autre chose. Par contre, je n'ai pas besoin de vous dire que la gorge ouverte de l'oreille à l'oreille et la langue arrachée, elles, sortent tout droit de nos rituels.

— Peut-être n'est-ce qu'un hasard ? suggéra monsieur Fontaine, l'air de l'espérer plus qu'il n'y croyait.

— On dirait pourtant que le meurtrier a volontairement laissé sur le cadavre tout qu'il fallait pour incriminer la franc-maçonnerie, lui opposa Belval.

L'air absorbé, Beaugrand fronçait les sourcils en faisant distraitement tourner autour de son annulaire droit la magnifique chevalière que Pierre avait entraperçue lors de leur première rencontre. Cette fois, il reconnut la décoration en or appliquée sur la pierre noire : une équerre et un compas entrecroisés. Comme de raison, songea-t-il.

— Une chose est certaine : il connaissait bien nos rituels, remarqua le maire de Montréal, l'air grave. Ce qui soulève une question épineuse : et si le meurtrier était vraiment un franc-maçon ?

— J'y ai pensé, moi aussi, commenta Badgley, mais je ne le crois pas.

— Pourquoi cela ?

Le vieil homme posa ses coudes sur la table, joignit les mains et laissa son regard courir sur l'assistance.

— Eh bien, posons l'hypothèse qu'un des nôtres ait bien perdu l'esprit et qu'il ait décidé de livrer une guerre ouverte à l'Église catholique. Si tel était le cas, il n'aurait pas utilisé une arme à feu. Prisonnier de sa folie, il se serait assuré d'appliquer avec une rigoureuse exactitude le châtiment évoqué dans le rituel. Il aurait tué le jésuite en lui tranchant la gorge, pas en l'abattant d'abord pour le taillader *post mortem*[1]. C'est ce qui me fait croire que ce meurtre n'a pas été commis par un frère, mais par un profane bien renseigné qui veut nous faire du tort.

— J'ai bien peur qu'il réussisse à nous nuire, avança Ouimet.

— Je n'en suis pas si certain, intervint Solomon Wolofsky. Pierre et moi étions là lorsque les policiers sont arrivés. Une minute plus tard, un représentant de l'évêché les a rejoints. Ils se sont empressés d'embarquer le corps, comme s'ils voulaient éviter que la nouvelle se répande. Tu te souviens, Pierre ?

Moreau acquiesça de la tête. Il se rappelait très bien l'impression d'empressement qui s'était dégagée des policiers et du prêtre. Même madame Simoneau l'avait remarquée.

— Ma logeuse m'a confirmé qu'ils semblaient très pressés, dit-il. Ils ont été jusqu'à nettoyer le sang sur le sol à grands coups de chaudière avant de partir.

---

1. Après la mort.

— Voilà une bien curieuse attitude, observa Badgley en se frottant les favoris. L'évêché aurait pourtant tout avantage à ce que la chose soit aussi notoire que possible puisqu'elle donnerait crédit aux bêtises qu'il colporte sur la franc-maçonnerie.

— Aucun journal n'a rapporté le meurtre hier ou aujourd'hui, rapporta Beaugrand. On dirait que l'affaire a été étouffée.

— Notre frère Maurice Demers est membre du Département de police, reprit Badgley. Il ne pouvait pas être ici ce soir, mais j'ai pris la liberté de discuter avec lui et il s'avère que les policiers ne sont même pas au courant du meurtre.

Un murmure d'effarement parcourut la pièce.

— C'est comme si une faction au sein de la police avait agi sous les ordres directs du clergé sans que les autorités soient avisées, compléta Perreault.

— Et comme si l'Église ne voulait pas que cela se sache, remarqua Buies, l'air perplexe.

Personne n'ajouta rien, chacun cherchant à donner un sens à ces informations contradictoires.

— Si, pour une raison qui m'échappe, les curés tiennent à étouffer l'affaire, cela me convient parfaitement, conclut Perreault.

Ouimet approuva de la tête.

Pierre se mordilla les lèvres, hésitant à prendre part à un débat qui le dépassait, lui qui n'était membre de la loge que depuis huit jours. Mais ces deux derniers jours, en dépit de toutes ses tentatives de se raisonner, l'inquiétude ne l'avait jamais tout à fait quitté et il en avait assez. Il leva la main pour demander la parole et raconta comment il avait croisé le jésuite deux fois dans les jours qui avaient précédé sa mort, puis le rapport qu'il avait établi avec la présence de son cadavre tout près de chez lui.

— J'en suis venu à me demander s'il me suivait et s'il avait été assassiné alors qu'il me guettait, avoua-t-il.

— Je peux comprendre que tu sois troublé, dit Belval, mais tu peux être rassuré. D'une part, il est clair que le jésuite a été tué ailleurs avant d'être déposé là où il a été découvert. D'autre part, je connais personnellement trois autres frères qui vivent non loin de chez toi, et auxquels le « message » pourrait tout autant être adressé. Et puis, si je ne m'abuse, tu habites tout près de l'intersection Sherbrooke et Saint-Laurent. Le meurtrier a jeté le cadavre là parce que c'était pratique, tout simplement. Je ne vois pas pourquoi tu t'imaginerais que tout ça t'était destiné.

Pierre se sentit soudain un peu stupide. Il se reprocha d'avoir sauté si vite aux conclusions, alors qu'il ne disposait pas de toutes les informations nécessaires pour comprendre la situation. À tout le moins, il aurait dû en parler avec monsieur Fontaine, qui lui aurait sans doute dit, en gros, ce qu'il venait d'entendre et l'aurait dispensé de deux jours de tourments inutiles. Il était devenu franc-maçon presque contre son gré. Il avait eu peur des conséquences que cela impliquait et son sentiment de culpabilité avait pris le dessus sur son intelligence pour lui faire échafauder un invraisemblable complot. Il sentit ses joues rougir de honte. Il n'avait que vingt-deux ans et son immaturité venait de lui éclater en plein visage.

William Badgley lui adressa un sourire rempli de douceur qui lui fit comprendre qu'il savait ce qu'il était en train de se dire et qu'il ne devait pas se châtier ainsi. Pierre le lui retourna de son mieux.

— En résumé, mes frères, déclara le vieux juge, s'il est vrai que l'évêché s'est empressé de taire l'affaire, j'en conclus qu'elle ne nous concerne pas et que nous nous sommes excités pour rien. Restons-en là. Plusieurs ont vu le cadavre et il est possible que la rumeur du meurtre se répande, mais parmi eux, je doute que quelqu'un soit capable de faire le lien entre les blessures et la franc-maçonnerie. Je ferai rapport en ce sens à la Grande Loge.

Dans l'antichambre, l'atmosphère était beaucoup plus détendue qu'à l'arrivée. Tous semblaient rassurés et la crispation avait quitté les visages. Ouimet tira gravement sa montre de son gousset et arqua les sourcils en constatant l'heure.

— Mes frères, votre compagnie m'est agréable, comme toujours, mais il est passé neuf heures du soir et la plupart d'entre nous n'ont pas le privilège de la retraite, dit-il. Comme la question me semble éclaircie de façon satisfaisante, je propose que nous mettions un terme à l'assemblée.

Tous se levèrent et, après moult embrassades fraternelles, commencèrent à prendre congé. Pierre s'apprêtait à en faire autant, anticipant avec joie une heure avec Julie, et peut-être même quelque plaisir charnel pris à la sauvette, lorsque Perreault s'approcha de lui.

— Es-tu pressé, mon frère ? s'enquit-il.

— Euh... j'allais partir, répondit Pierre en cherchant désespérément une échappatoire.

— Il n'est que neuf heures. Nous pourrions prendre un verre en vitesse ? J'aimerais bien poursuivre un peu notre conversation. Je ne te retiendrai pas longtemps, je te le promets.

— C'est que...

— Allez, insista Perreault. Nous pourrons faire plus ample connaissance.

Il aperçut Solomon Wolofsky près de la porte.

— Solomon ! proposa-t-il. Pierre et moi allons prendre un verre. Tu te joins à nous ?

— Bien sûr ! répondit Wolofsky, rayonnant.

Coincé, Pierre s'en fut, la mort dans l'âme, prévenir monsieur Fontaine qu'il ne rentrerait pas avec lui et lui expliqua la raison.

— Tu vois ? s'exclama le notaire, ravi. Tu commences à te faire des amis ! Je te l'avais dit ! Les relations, Pierre, il n'y a que ça. Et, en prime, ajouta-t-il sur le ton d'un conspirateur, Barthélémy Perreault est dans les Hauts Grades de la franc-maçonnerie.

— Les Hauts Grades ?

— Les degrés qui suivent ceux d'apprenti, de compagnon et de maître maçon, jusqu'au trente-troisième. Si tu deviens son ami, ils s'ouvriront pour toi. Chanceux. J'attends depuis des années et personne ne m'a encore invité. Il semble que tu seras mieux loti que moi.

Souverainement indifférent à ce que pouvaient bien être les Hauts Grades et à la raison pour laquelle monsieur Fontaine les convoitait tant, Pierre prit congé et s'en alla rejoindre ceux qui l'attendaient et qui allaient le priver de Julie.

28

PIERRE NE FUT PAS vraiment étonné d'apprendre qu'en plus des nombreuses loges où se réunissaient les frères, le temple maçonnique était pourvu d'un bar où ceux qui le souhaitaient pouvaient se retrouver après les tenues pour se détendre en prenant un verre et en fumant un cigare avant de retourner à la maison. Du peu qu'il en savait, l'ordre était axé sur la sociabilité et quel meilleur moyen de favoriser la formation de liens fraternels et professionnels qu'un verre ?

Comme il n'y avait aucune tenue dans l'édifice ce soir-là, l'endroit était presque désert. Ils prirent place à une table près d'un mur et Perreault y déposa son élégant gibus, qu'il avait aplati. Wolofsky se contenta de suspendre son feutre mou et usé sur une des oreilles de la chaise droite. En les regardant tous les deux, Pierre se dit qu'il était grand temps qu'il se mette à porter le chapeau, lui aussi, comme tout homme respectable.

— Scotch ? offrit Perreault.

Les deux acquiescèrent et, visiblement un habitué de l'endroit, Perreault se retourna pour faire un signe de la main au serveur qui se tenait derrière le bar, au fond de la salle.

— Trois scotchs, je te prie !

De la tête, l'homme signifia qu'il avait bien entendu. Déconcerté, Pierre dévisagea Solomon.

— Quoi ? fit celui-ci.

— Tu n'es pas juif, toi ?

— J'espère bien que oui ! s'écria Wolofsky, en portant ses mains à ses joues, une parodie de terreur sur le visage. Sinon, le rabbin va me chasser de la synagogue samedi prochain ! Pourquoi tu me demandes ça ?

— Tu bois de l'alcool…

— Mais oui, comme tout le monde. Je mange et je fais pipi, aussi… Être juif n'est pas une maladie, tu sais.

Perreault secoua la tête en riant.

— Je crois que ce que Pierre essaie de dire, avec une touchante maladresse, c'est qu'il a une idée assez floue du judaïsme et qu'il est surpris d'apprendre que vous n'êtes pas tous de sombres bonshommes barbus et austères qui vivent au rythme des interdits et qui craignent le jugement du Dieu vengeur d'Abraham, de Jacob et de Moïse.

— Euh… C'est à peu près ça, oui, admit Pierre.

Il haussa les épaules, embarrassé.

— Pardonne-moi, dit-il à Solomon. Mais vous ne vous mêlez pas beaucoup. Il est difficile de vous connaître.

— Si ton peuple avait été blâmé pour tous les malheurs qui ont frappé le monde depuis un demi-millénaire, de la famine à la peste en passant par les crises économiques, tu aurais tendance à t'isoler, toi aussi.

— Sans doute, oui, intervint Perreault. Là se trouve la force de la franc-maçonnerie. Toutes les religions se valent et nous les traitons avec un égal respect. Chacun est libre de pratiquer la sienne. Si seulement le clergé catholique voyait les choses de la même manière, la nation canadienne-française ferait un saut d'un siècle vers l'avenir. La fraternité commence par la bonne entente entre deux individus différents. Savais-tu, Pierre, que lors de son initiation, Solomon avait prêté son serment sur la Torah ?

— Bah ! Pourquoi s'embarrasser de toutes ces pages quand tout est déjà dit dans *Bereshit*, *Shmot*, *Vayikra*, *Bamidbar* et *Dvarim*[1] ?

---

1. La *Genèse*, l'*Exode*, le *Lévitique*, le *Livre des Nombres* et le *Deutéronome*, parties de la Bible chrétienne.

— J'ignorais que tu parlais chinois ! le taquina Pierre.

— C'est de l'hébreu, ignare !

Pendant que Solomon l'abreuvait d'une tirade amicale de ce que Pierre imaginait être des insultes en hébreu, le serveur arriva avec leurs verres sur un plateau et les posa devant chacun d'eux.

— Mets ça sur mon compte, je te prie, demanda Perreault.

Le serveur fit oui de la tête avant de retourner derrière son bar. Perreault leva son verre et les deux autres en firent autant.

— À la fraternité, dit-il.

Ils firent tinter leurs verres et trinquèrent.

— Ah… fit Solomon en se pourléchant. Béni soit El-Schaddaï pour avoir créé tout ce qui fermente.

— Tu sais que je t'envie, Pierre ? lui avoua Perreault. J'ai toujours rêvé d'enseigner. Former les jeunes esprits, les ouvrir au monde, les exposer à des idées diverses, leur faire découvrir la liberté et la responsabilité qui vient avec… Tu influences l'avenir. Chaque jour, lorsque tu entres en classe, tu construis le temple de l'humanité.

Solomon approuva silencieusement de la tête.

— C'est ainsi que je le vois, en effet, répondit Pierre, surpris de découvrir que son opinion était si naturellement partagée.

La conversation reprit de plus belle, agréable, tout à fait naturelle, comme s'il s'était agi de trois vieux amis qui se retrouvaient après une brève séparation. Pour la première fois depuis qu'il avait joint la loge, Pierre se sentait à l'aise et détendu. Il se demanda s'il n'était pas en train de découvrir les vertus de la fraternité que monsieur Fontaine lui avait tant vantée et si, finalement, il allait trouver autre chose que des cérémonies ridicules chez les francs-maçons.

Ils discutèrent de tout et de rien en renouvelant leur verre.

— Et le mariage avec la fille d'Émile, c'est pour bientôt ? le relança Perreault.

— Juin 1887. Plus tôt si c'est possible.

— Je ne n'ai pas vu mademoiselle Fontaine depuis quelques années, mais on la dit charmante.

— Tu n'as pas idée, soupira Pierre en regardant au ciel. Elle est intelligente, belle, séduisante, pleine de vie. Elle…

Lorsqu'il reporta son regard sur ses compagnons, ils se tordaient de rire.

— Ah ! L'amour ! laissa échapper Solomon.

— Tu es marié, toi ? s'informa Pierre.

— Moi ? Dieu m'en préserve ! se défendit le marchand avec un air sincèrement horrifié.

— Et toi ?

— Je n'ai pas encore eu cette chance, non, répondit Perreault. Mais je ne désespère pas. Je n'ai pas encore quarante ans. Il doit bien se trouver une jolie veuve quelque part, qui souhaite un peu de compagnie masculine.

— Ou une veuve désespérée de nourrir ses six enfants, blagua Solomon. Pas grave. Tu as les moyens !

Sans avertissement, Pierre se donna une grande claque sur le front, qui fit sursauter les deux autres. Il consulta sa montre et son visage prit une expression de panique.

— Julie ! s'écria-t-il en se levant brusquement. J'ai promis de passer la voir. Je dois partir !

— Elle ne peut pas se passer de toi pour un soir ? insista Perreault. Allez, prends un autre verre.

— Allons, Barthélémy, l'interrompit Wolofsky. Tu sais bien que c'est lui qui ne peut pas se passer d'elle. Mais ça viendra dans quelques années !

Les deux hommes échangèrent un regard complice et se levèrent à leur tour.

— Comme Solomon et moi sommes reconnus pour notre cœur tendre et que nous sommes, de surcroît, de bons frères, déclara Perrault, nous allons de ce pas héler un fiacre et te déposer en chemin. Comme ça, tu auras un peu plus de temps pour te perdre dans les doux yeux de mademoiselle Fontaine. Ou de te livrer à des activités que la décence m'interdit de nommer mais que je t'envie beaucoup.

D'un coup de poignet, Perreault déploya son gibus noir et le coiffa avec une élégance étudiée, ramassa sa canne, qu'il avait appuyée contre une chaise vide, et la brandit vers la porte.

— En avant ! clama-t-il. Nous avons un amour à sauver !

La conversation continua dans le fiacre, ponctuée de blagues et de rires, tant et si bien qu'ils furent tous surpris lorsque le véhicule s'arrêta et que le cocher annonça qu'ils étaient arrivés. Pierre serra chaleureusement la main des deux hommes avant de descendre.

— Merci pour l'agréable soirée, dit Perreault.

— Passe un bon moment en compagnie de ta dulcinée ! ajouta Solomon avec un clin d'œil complice. L'avantage d'être catholique, c'est que tu peux te permettre tous les péchés en autant que tu te confesses après !

Le jeune professeur se retourna en riant et allait se diriger vers la maison lorsqu'il s'arrêta net, le regard fixe.

— Qu'y a-t-il ? se troubla Wolofsky, en faisant signe au cocher de ne pas se remettre en marche tout de suite.

— La porte, observa Pierre, décontenancé. Elle est grande ouverte.

Alarmé, il allait se diriger vers le balcon lorsque, d'un commun accord, Solomon et Barthélémy descendirent du fiacre pour l'accompagner. Le dandy se muant instantanément en homme d'action, Perreault empoigna sa canne par le petit bout, comme un gourdin, le lourd pommeau d'argent prêt à frapper. Ensemble, ils montèrent les marches. Le premier, Pierre entra dans la maison.

— Monsieur Fontaine ? appela-t-il, angoissé. Madame Fontaine ? Julie ?

Aucune réponse ne lui parvint et Pierre sentit sa poitrine se serrer. Le silence qui régnait dans la maison plongée dans le noir était lourd, presque troublant. Il ravala sa salive. Les mains tremblantes, il tira de sa poche une boîte d'allumettes dans l'intention de s'éclairer un peu, mais Solomon posa la main sur son épaule pour l'arrêter.

— Ne fais pas de lumière, lui murmura-t-il à l'oreille. Et sois silencieux. Si des cambrioleurs sont entrés, ils pourraient être encore là.

À pas de loup, tendus comme les cordes d'un même violon, ils avancèrent l'un derrière l'autre dans le hall sombre, s'immobilisant ponctuellement pour tendre l'oreille, aux aguets, Perreault prêt à abattre sa canne à la moindre menace. Pierre jeta un coup d'œil prudent dans le fumoir et plissa les yeux. La lumière du lampadaire à l'extérieur éclairait suffisamment la pièce pour lui permettre de déterminer qu'elle était vide.

Ils continuèrent jusqu'au salon et s'arrêtèrent devant la porte. Ses yeux prirent quelques secondes pour s'acclimater à la noirceur et Pierre put apercevoir deux silhouettes assises dans des fauteuils tournés vers la cheminée où des braises étaient encore rouges. Soulagé, il reconnut monsieur et madame Fontaine. Ils avaient dû simplement mal verrouiller la porte et s'endormir devant le feu.

Il s'approcha sur la pointe des pieds pour ne pas les réveiller en sursaut et leur causer une frayeur, puis posa doucement la main sur l'épaule de son futur beau-père.

— Monsieur Fontaine, chuchota-t-il en le secouant doucement. Monsieur Fontaine. Réveillez-vous.

La tête d'Émile Fontaine vacilla lourdement sur ses épaules, comme une quille en équilibre, puis se renversa sur le côté et roula sur le sol. Elle s'immobilisa à quelques pieds de la cheminée. Pétrifié d'horreur, Pierre ne parvint pas à détacher son regard de l'abominable spectacle. Dans la pénombre, son esprit complétait ce que ses yeux ne pouvaient voir.

Derrière lui, une allumette craqua. Une lampe à huile illumina une scène qui resterait à jamais gravée dans sa mémoire. Le salon des Fontaine ressemblait à un abattoir. Le plancher de bois franc, toujours si soigneusement ciré qu'il luisait comme un miroir, était couvert de sang. L'odeur âcre et cuivrée imprégnait l'air. Le canapé sur lequel Julie et lui avaient fait l'amour voilà quelques jours à peine en était maculé. Distraitement, il nota que leurs pas y avaient laissé des empreintes.

Le meurtrier ne s'était pas contenté de tuer. Il avait monté une macabre mise en scène. Dans le fauteuil, le notaire n'était plus qu'une statue sanglante et décapitée, la cravate encore impeccablement nouée autour du col de chemise. Sa femme était installée dans le fauteuil voisin, à gauche de l'âtre. Ses mains reposaient sur les bras du meuble et ses jambes étaient croisées aux chevilles, dans une attitude de parfaite détente bourgeoise, même si ses vêtements étaient trempés de sang. Sa tête avait été sectionnée, puis méticuleusement replacée sur son cou dans un équilibre précaire, de sorte que la moindre secousse la ferait rouler comme celle de son mari. Quant à leur visage, il avait été littéralement découpé et pelé, ne laissant qu'une masse sanglante de muscles et de tissus. Aux deux, on avait arraché les yeux.

Sonné, les vomissures lui remontant dans la bouche, Pierre recula de quelques pas, tel un automate, renversant au passage une petite table basse sans même s'en rendre compte. Ce fut la voix de Perreault, tremblante mais contrôlée, qui le ramena un peu à lui.

— J'envoie le cocher avertir la police ! s'écria-t-il en s'élançant à grandes enjambées vers la sortie. Solomon, sors-le d'ici !

Retrouvant un peu ses esprits, Pierre réalisa soudain les implications de ce qu'il venait de découvrir. Il eut l'impression qu'un éclair le traversait de part en part. Arrachant la lampe des mains de Solomon, il sortit en trombe du salon et se mit à courir comme un fou en appelant, criant et pleurant à la fois.

— Julie ! Julie !

À demi fou d'angoisse et de peur, convaincu qu'il allait trouver sa bien-aimée dans le même état et priant avec toute la ferveur dont il était capable pour que ce ne soit pas le cas, il dévala le corridor jusqu'à la cuisine, qu'il trouva déserte. Il fit aussitôt demi-tour et ouvrit au passage les portes des placards, avec le même résultat. Il escalada l'escalier quatre à quatre. Une fois à l'étage, il hésita, haletant. Il n'y était jamais monté et, dans sa panique, il lui fallut un instant pour situer la chambre de sa fiancée à partir de la vue qu'il avait de la rue. Il se précipita et ouvrit brusquement la porte. Les relents du parfum de Julie le frappèrent aussitôt et ses yeux repérèrent instinctivement la petite bouteille déposée sur la coiffeuse, près de la fenêtre. Sur une chaise, un peignoir était drapé, prêt pour le lendemain matin. Le lit était parfaitement fait. Personne n'y avait dormi.

Il s'appuya contre le cadre de la porte pour reprendre son souffle. Solomon le rejoignit.

— Elle est là ? s'enquit-il, essoufflé et inquiet.

Pierre ne put que secouer négativement la tête, écartelé entre le soulagement de ne pas la trouver massacrée et la peur de ne pas savoir ce qui lui était arrivé. Seuls les cadavres de ses parents se trouvaient dans la maison. De toute évidence, elle ne s'était pas couchée. S'était-elle enfuie pendant qu'on assassinait ses père et mère, ou avait-elle été enlevée ?

Il remarqua un papier sur le lit. Il s'approcha, le ramassa d'une main tremblante. Le papier était épais et luxueux. Déconcerté, il y trouva quelques mots et un dessin grossièrement tracé : une épée qui tenait lieu de croix à un Christ.

> *Pierre Moreau,*
> *L'*Argumentum *contre la vie de Julie Fontaine.*

Il eut beau le relire plusieurs fois, il ne comprit rien. Voyant son désarroi, Solomon le lui prit pour en prendre connaissance.

Après un moment de stupéfaction, il le plia et le mit dans sa poche. Sur les entrefaites, Perreault revint et Solomon le mit brièvement au courant des faits.

— Le cocher est parti avertir la police, dit-il d'une voix remplie de compassion. Je l'ai payé d'avance pour qu'il ramène lui-même les agents. Ils seront ici dans quelques minutes. Viens. Il ne sert à rien de rester ici. Nous les attendrons dehors.

Ensemble, ils firent le tour des autres chambres. Julie n'était nulle part. Perreault et Solomon prirent Pierre chacun par un bras pour le conduire à l'extérieur.

Grâce à la présence d'esprit de Perreault, trois policiers en uniforme bleu furent sur place en moins de trente minutes, ce qui tenait de l'exploit. Tandis que l'un d'eux restait avec Pierre, le guettant en essayant de ne pas en avoir l'air, les deux autres agents conversèrent brièvement avec Wolofsky et Perreault, qui leur brossèrent un tableau de la situation. Puis ils entrèrent dans la maison pour constater l'état des choses. Ils n'y restèrent pas longtemps. Révulsé par la scène, le plus jeune des deux vomit même dans les plates-bandes en sortant.

Hébété et perdu, Pierre avait l'impression d'être prisonnier d'un cauchemar mille fois plus cruel que ceux qui l'affectaient habituellement. Il eut du mal à tenir des propos cohérents au policier qui l'interrogea minutieusement pendant plus d'une heure, debout en bordure de la rue. On lui posa mille questions auxquelles il répondit par monosyllabes, d'une voix monocorde. Non, il ne connaissait pas d'ennemis à Émile Fontaine. Oui, il avait passé la soirée en sa compagnie, jusqu'à ce qu'ils se séparent un peu après neuf heures. Chez les francs-maçons. Oui, il en faisait partie. Oui, des témoins qui pouvaient corroborer ce qu'il disait. Une trentaine. Il n'avait qu'à les interroger. Oui, monsieur Fontaine était revenu directement chez lui, pour autant qu'il puisse le dire. Non, il ne savait pas où il gardait son argent, ni même s'il en avait dans la maison. Oui, il était repassé pour voir Julie, sa fiancée. Non, il n'avait absolument rien contre Émile Fontaine ou sa femme. Au contraire, il avait beaucoup de respect et d'affection pour eux. Non, il ne lui devait pas d'argent. Oui, il allait épouser mademoiselle Fontaine.

Il répondit jusqu'à ce que la tête lui tourne et que Perreault doive le soutenir pour l'empêcher de s'effondrer. Un peu mal à l'aise, les policiers le remercièrent de sa collaboration en lui expliquant qu'ils devaient faire leur travail. Puis ils l'assurèrent qu'on le tiendrait au courant du déroulement de l'enquête, que tout serait mis en œuvre pour retrouver mademoiselle Fontaine dans les plus brefs délais et mettre la main au collet des meurtriers. Ils partirent rejoindre leurs collègues, qui étaient arrivés entre-temps. Ils allaient sans doute passer le reste de la nuit à examiner la maison de la cave au grenier, à la recherche de quelque indice.

Au bord de la rue, les bras ballants, le visage flasque, Pierre regardait droit devant lui sans rien voir de particulier. Complètement sonné, il était incapable de la moindre décision, dénué de toute initiative. Jamais il ne s'était senti aussi apathique. Il avait l'impression d'avoir participé à un combat de vingt rounds contre John Sullivan, le champion des poids lourds, et d'avoir seulement encaissé les coups. Rester là ? Partir ? Pour aller où ? Pour faire quoi ?

— Il est en état de choc, entendit-il quelqu'un déclarer non loin de là. Il faudrait que Belval l'examine.

Il crut vaguement reconnaître la voix de Solomon Wolofsky.

— Je… je vais… retourner chez moi, balbutia-t-il à mi-voix à l'intention de personne en particulier.

— Il n'en est pas question, décida Perreault.

Dans sa torpeur, Pierre fut surpris de le trouver là, près de lui. L'avocat lui passa le bras autour des épaules.

— Tu dormiras chez moi ce soir, déclara-t-il. Et autant de soirs qu'il le faudra. Tu ne dois pas rester seul, mon frère.

Amorphe, il se laissa guider par Barthélémy et Solomon jusqu'au landau bourgogne et noir qui attendait. Il ne savait pas où habitait Perreault et il ne voulait pas le savoir. Il s'en fichait. Il se fichait de tout.

29

Arcadie, octobre 1449

LE VISAGE CARESSÉ par la brise marine qu'il aimait encore avec ferveur, William Gunn remplissait ses vieux poumons de l'air salin. Le vent du large qui faisait voler ses longs cheveux blancs comme la neige fraîche était froid, annonçant un hiver qu'il ne verrait pas. Adossé à un grand pin qui devait pousser là depuis des siècles, dans ce monde encore neuf, il regardait les vagues s'écraser bruyamment en éclats mousseux au bas de la falaise abrupte. Il avait souvent fréquenté cet endroit pour retrouver un peu la mer à laquelle il avait dû dire adieu voilà plus d'un demi-siècle. Il avait aimé y passer les quelques heures d'oisiveté qu'il arrivait à trouver pour réfléchir à la direction que sa vie avait prise. C'était avant que la communauté ne se retrouve dépouillée du peu de liberté qui lui restait et que ses membres ne soient massacrés l'un après l'autre.

Tout cela pour la Vengeance. Même s'il s'y était volontairement consacré, par fidélité et par conviction, Gunn ne pouvait s'empêcher d'en remettre la pertinence en question, maintenant qu'il en était le dernier porteur et que sa propre vie avait atteint son crépuscule. On l'avait forcé à tracer un trait sur ses rêves, ses ambitions, ses désirs et son avenir. Il s'était voué tout entier à une cause infiniment plus grande que lui. Désormais, il ne souhaitait plus rien sinon de s'engouffrer dans les flots qui l'appelaient en bas et d'y trouver la douceur de l'oubli ou la résurrection éternelle, selon le cas. Il ne possédait plus qu'un tout petit peu de courage et cela suffirait pour accomplir ce qui lui restait à faire.

S'il s'était assis là, la veille, c'était pour se préparer à la mort. Il avait vu le soleil s'enfoncer dans les flots, puis en émerger pour annoncer le jour nouveau. Il avait admiré une ultime fois la voûte céleste, dont les innombrables étoiles démontraient mieux que tous les sermons la toute-puissance du Créateur. Le monde était une vaste et parfaite mécanique. Quel que soit le nom qu'on lui donnait, Dieu en était l'horloger. Chacune de ses créatures en était une pièce agissant selon sa force, ses habiletés et ses compétences pour assurer le mouvement de l'ensemble. Au fond, que ce Créateur soit Yahvé, El, Baal ou quelque autre divinité n'avait aucune importance. *In principio creavit Deus cælum et terram*[1]. C'était là tout ce que l'on devait savoir. Le reste serait révélé après la mort. Les querelles et les haines qui avaient Dieu comme objet paraissaient bien futiles à celui qui allait mourir.

En juillet 1397, non loin de l'endroit où Gunn était maintenant assis, le prince Henry et les colons choisis par lui avaient débarqué au terme d'un long et difficile voyage. Avec l'enthousiasme de la jeunesse et la foi inébranlable des convaincus, tous s'étaient aussitôt mis au travail, érigeant d'abord une tour ronde de pierre maçonnée de deux étages à huit arches, selon le modèle des chapelles templières. Sur la clé de voûte de la porte, à la place d'honneur, on avait gravé les mots solennels : *Et in Arcadia Ego*[2], surmontés par les deux lettres qui, depuis 1307, les symbolisaient pour qui en connaissait le sens :

AE

1. Au commencement, Dieu créa les cieux et la terre. *Genèse* 1,1.
2. Même à Arcadie, j'existe.

Là, loin de toute civilisation, dans cette seconde Arcadie après l'Écosse, le prince avait solennellement déposé l'*Argumentum* en rappelant à tous son importance et la mission qu'ils menaient au nom de leur famille respective.

Puis, à la sueur de leur front, mais dans l'enthousiasme, ils avaient construit un petit village que le prince avait solennellement baptisé Arcadie, du nom du pays idéal des anciens Grecs. Lorsque tout avait été au point, le maître de l'*Opus Magnum* leur avait fait ses dernières recommandations et les avait remerciés pour le sacrifice auquel ils consentaient. Puis il était reparti, les abandonnant pour toujours à la vie de simplicité et de dénuement qu'ils avaient acceptée de leur plein gré, sans espoir de retour.

Au début, les habitants des environs avaient démontré une curiosité amicale pour les nouveaux arrivants et avaient cherché à établir des liens avec eux. Mais, conformément aux instructions, les Arcadiens souhaitaient rester isolés et quelques expéditions particulièrement sanglantes avaient suffi à éliminer les curieux. Un vide superstitieux s'était bientôt créé autour du village.

Pendant la décennie qui avait suivi, Arcadie avait été à la hauteur de son nom. La vie avait été idyllique et la Vengeance, seule raison d'être de la colonie, avait été presque oubliée, cédant le pas à la responsabilité de veiller paisiblement sur la preuve qu'elle invoquerait un jour. La communauté était sereine et heureuse. Des couples s'étaient formés et des enfants leur étaient nés, leurs rires et leurs gazouillis animant le village. Gunn et sa compagne, la douce Marthe, avaient eu un garçon nommé Robert qui faisait la joie de ses parents. L'avenir s'annonçait bon.

Puis tout s'était écroulé. Les peuplades environnantes, que l'on croyait matées ou désintéressées, avaient plutôt méticuleusement planifié leur revanche et, une fois leur nombre suffisant, s'étaient mises à harceler le village, massacrant sauvagement tous ceux qui avaient l'inconscience de s'aventurer dans la forêt ou vers la mer. Arcadie s'était retrouvée en état de siège permanent, ses habitants prisonniers des hautes palissades de pieux qu'ils avaient dû ériger à la hâte pour se protéger. Les plus hardis sortaient chasser en groupe et, souvent, tombaient dans de sanglantes embuscades. On retrouvait les malheureux affreusement mutilés. Toujours, l'ennemi restait invisible, se fondant dans les bois comme un revenant, émergeant de nulle part pour frapper comme l'éclair et disparaître aussitôt. Les armes n'y faisaient rien. Nulle épée, ni arbalète, ni arc ne peut toucher un fantôme.

L'ennemi avait la patience d'un chat guettant une souris. Pendant des années, il avait maintenu le siège sans jamais relâcher son attention. Peu à peu, la faim s'était installée, emportant d'abord les enfants, puis les femmes. Une victime à la fois, toute la population avait fini par disparaître. Robert, puis Marthe, s'étaient éteints paisiblement dans les bras de Gunn, qui n'avait jamais pu les oublier. Ils lui manquaient encore tous les jours.

Il n'était resté que lui et Philippe de Presles, un Français à la peau épaisse comme du cuir et au tempérament aussi solidement trempé que l'acier de son épée, descendant de Templier comme lui. Ensemble, ils avaient trouvé le courage de survivre, se remémorant mutuellement les raisons pour lesquelles ils enduraient toute cette misère. Peut-être étaient-ils plus rusés que les autres, ou peut-être l'ennemi avait-il décidé qu'il préférait les tourmenter que les occire, mais on les laissa tranquilles. Les deux hommes avaient vieilli dans la solitude, la peur et l'amertume, constamment aux aguets, se nourrissant du peu qu'ils arrivaient à arracher à la terre et du gibier qu'ils parvenaient à tuer, assez près de la palissade pour pouvoir sortir le récupérer sans trop de danger. Parfois, des hululements sinistres retentissaient dans la nuit, leur rappelant qu'Arcadie était leur prison et qu'ils étaient des condamnés à mort en sursis.

Arcadie était un cruel échec, mais au prix d'une centaine de vies, l'*Argumentum* était en sécurité. Ceux qui le recherchaient en avaient perdu la trace. La Vengeance restait toujours possible et c'était là tout ce qui importait. Un jour, le sang des Gunn serait lavé, comme celui de toutes les autres familles spoliées. Les tyrans et les traîtres tomberaient, au vu et au su de tous. Leur ultime récompense serait la honte et le déshonneur.

Voilà quatre jours, Gunn avait trouvé Philippe de Presles sur sa paillasse, pâle, haletant et en sueur. Dès qu'il s'était agenouillé près de lui, le malade avait toussé du sang et quand il avait touché son front froid et moite, il avait su que c'était la fin. Mais le vieil homme était coriace et il agoniserait encore longtemps.

— Ne me laisse pas crever comme un chien, avait imploré Presles en s'agrippant à sa chemise.

— Tu aurais pu avoir la décence d'attendre un peu, que je meure le premier, vieille carne, avait répondu Gunn, ne sachant que dire d'autre.

En entendant la piteuse tentative de taquinerie, Philippe avait réussi à esquisser un sourire et à lui adresser un regard qui était en réalité une supplique. Les mots avaient été superflus. Comprenant ce qui lui était demandé, Gunn avait tiré de sa botte un long stylet mince et acéré. Presles avait docilement levé le bras gauche pour exposer son aisselle. Après lui avoir caressé fraternellement les cheveux, Gunn lui avait fait ses adieux et, d'un coup sec, avait enfoncé la fine lame jusqu'à ce qu'elle transperce le vieux cœur usé. Son compagnon avait rendu l'âme sur-le-champ, presque sans souffrance.

Après avoir pleuré des larmes amères, faisant fi de sa propre faiblesse, il avait traîné le corps près de la palissade et creusé pour lui une fosse dans laquelle il l'avait étendu. Il avait ensuite déposé sur sa poitrine la longue épée à double tranchant que Presles affectionnait tant et qu'il avait méticuleusement entretenue jusqu'à son dernier jour.

— Repose en paix et que le Créateur t'accueille auprès de lui, Philippe, mon cher frère, avait-il murmuré, la voix cassée par l'émotion, avant de commencer à répandre la terre sur son vieil ami.

Une fois Philippe enterré, Gunn avait ceint sa propre épée, passé sa cotte de mailles, bien trop grande et rouillée, puis coiffé son heaume. D'un pas qui traînait presque huit décennies de vie, il s'était rendu à la tour et avait vérifié une ultime fois que le trésor confié jadis par le prince Henry s'y trouvait toujours, impossible à détecter sauf pour celui qui avait des yeux pour voir. Une fois satisfait, il était sorti du village pour la première fois depuis des années, le quittant sans même se retourner. L'ennemi pouvait bien le tailler en pièces s'il le voulait, maintenant le vieil homme n'en avait cure. Sa mission était accomplie. Il avait veillé de toutes ses forces, aussi longtemps qu'il avait pu. Il y avait consacré la plus grande part de sa vie, loin de sa terre natale, de sa famille, de ses racines. Il avait tout donné. N'ayant rien demandé en retour, il n'avait rien reçu.

La communauté n'existait plus, mais sa disparition avait été envisagée depuis le début et des mesures étaient prévues. En temps et lieu, d'autres viendraient prendre la charge de l'*Argumentum* et assureraient sa protection. Il en irait ainsi jusqu'au jour de la Vengeance.

Il songea qu'il était tout de même triste de mourir en sachant que personne ne restait pour l'enterrer. Sa dépouille pourrirait au pied de la falaise, nettoyée par les oiseaux. C'était ce que Dieu avait voulu pour lui et cela n'avait plus d'importance. Il avait été fidèle à la mission jusqu'à ses dernières forces. Il était vieux. Si vieux. Le dernier. Mais il n'avait pas souffert pour rien.

Gunn inspira une dernière fois. Le temps était venu d'en finir. Il se leva avec peine, tous ses os lui faisant mal, avança vers le bord de la falaise et ouvrit grand les bras. Il n'éprouvait ni peur ni remords. L'imminence de la mort ne lui apportait que sérénité. Le vent fit virevolter ses longs cheveux blancs. En bas, la mer semblait l'appeler pour l'envelopper dans son dernier repos. C'était sur elle qu'il était arrivé, et il était juste que ce soit en elle qu'il reparte. Tout était accompli. D'autres ressusciteraient Arcadie.

Il sourit en songeant à tous ceux qu'il allait bientôt retrouver dans la lumière divine. Ses parents, ses amis, ses frères et sœurs d'Arcadie. Puis il sauta.

— Vengeance ! hurla-t-il de toutes ses forces alors qu'il fendait l'air.

Son cri ne cessa que lorsque son vieux corps usé se fracassa sur les rochers.

30

PIERRE EST TOUT PETIT. Sa chambre est dans le noir et il est assis dans son lit, les genoux ramenés sur sa poitrine. Il suce son pouce. De l'autre côté de la porte, de grands bruits l'ont réveillé. Il y a eu des cris aussi. Mais il n'y en a plus maintenant. Tout est silencieux. Pierre a envie de se lever et d'aller rejoindre sa maman. Dans ses bras, il n'a jamais peur. Mais il n'ose pas. Il y a des monstres dans la maison, il en est certain. Et s'il sort de sa chambre, il sera dévoré.

Il sait que bientôt, la chose qui se trouve dans la maison viendra s'emparer de lui. Elle le prendra sous son bras et l'emportera dans la ruelle, comme toujours. Il se met à pleurer. Il a si peur que ses petites mains tremblent. Il se glisse sous ses couvertures et les remonte jusque sous ses yeux, incapable de détacher son regard de la porte. Lorsque la poignée tourne, il sent un liquide chaud lui mouiller les cuisses.

Il ravale sa salive et ferme sa petite main sur le médaillon qui pend sur sa poitrine. Il appartient à son papa. La veille, il le lui a passé autour du cou après un de ses cauchemars. En lui ébouriffant les cheveux, il lui a dit qu'il était magique et que tant qu'il le porterait, il n'aurait plus de mauvais rêves. Papa s'est trompé. Celui-ci est encore plus terrifiant que les autres.

La chose est dans l'embrasure de la porte. Pierre peut voir sa silhouette qui se détache de la pénombre. Pierre essaie de fermer les yeux pour faire semblant de dormir, mais il sait que cela ne changera rien. Quoi qu'il fasse, le rêve se termine toujours de la même façon.

À pas de loup, la créature s'approche du lit. Pierre ne la reconnaît pas. Elle a changé de visage. Elle ressemble à monsieur Fontaine. Lorsqu'elle se penche vers lui, sa tête se détache de ses épaules et tombe sur l'oreiller, face à face avec Pierre. Les yeux de monsieur Fontaine ont disparu. À leur place se trouvent deux trous sombres et ensanglantés qui tachent la taie. Maman va être fâchée.

Au loin dans la maison, un cri de femme monte, perçant, déchirant. La voix n'est pas celle de sa maman. C'est celle de Julie.

Montréal, 2 mai 1886

Pierre essaya en vain d'ouvrir les yeux, mais ils étaient trop lourds. Son corps semblait coupé de sa volonté. Il avait l'impression que le moindre mouvement était au-delà de ses forces. Il inspira profondément à quelques reprises et émergea un peu de son engourdissement. Ses paupières lui obéirent enfin et, pendant quelques instants, il eut l'impression qu'il rêvait toujours.

Il se trouvait dans une chambre qu'il n'avait jamais vue. Le papier peint à motifs fleuris, les tentures de velours bleu foncé, la commode et le lave-mains en acajou à la teinte rougeâtre, le fauteuil richement orné de brocard bleu et doré, le tapis épais, tout cela était de bon goût, mais étranger. Cette constatation contribua à secouer un peu sa torpeur. Son corps recommença à lui obéir et il se leva sur un coude. Un étourdissement le frappa et il dut se concentrer quelques secondes pour contrôler sa nausée. Où était-il ? Comment y était-il arrivé ?

Il repoussa ses couvertures rendues humides par la sueur de son sommeil tourmenté et s'assit au bord du lit, les paupières qui papillonnaient, et se passa les mains sur le visage. Petit à petit, ses souvenirs se reconstituèrent. Des images remontèrent à la surface. La porte des Fontaine grande ouverte. La maison plongée dans le noir. Le silence oppressant. Perreault et Solomon, derrière lui. La tension. La peur. Le notaire et sa femme, décapités dans leur salon, leurs yeux arrachés. La note laissée sur le lit de sa fiancée.

Soudain, il fut complètement alerte et l'angoisse revint, entière, violente, paralysante. Julie avait disparu. Il avait suffi qu'il la possède pour qu'on la lui enlève aussitôt. Il devait faire quelque chose. N'importe quoi, mais agir. Sinon, il deviendrait fou. Son ventre se crispa. Il eut à peine le temps de saisir le bassin qui se trouvait sur le lave-mains pour y vomir. Il n'évacua que de la bile amère qui lui brûla la gorge. Il resta là, la tête dans les mains, le souffle court, le visage mouillé de sueur.

Petit à petit, les faits se remirent en ordre dans sa tête. Il se revit dans le fiacre en compagnie de Perreault et Wolofsky. Perreault l'avait ramené chez lui. C'était donc là qu'il se trouvait. Il avait aussi un vague souvenir de Georges Belval qui l'examinait puis lui faisait avaler deux cuillérées d'un liquide amer. Puis il ne se rappelait plus rien jusqu'à son réveil.

Il se leva et sa tête se remit à tourner. Il tenta de prendre appui sur le lave-mains, mais le meuble devint double et sa main passa dans le vide. Il s'affala lourdement sur le sol, renversant au passage le bassin plein de bile qui s'étala sur le plancher, et se frappa la tempe sur le coin du meuble. Étourdi, des cloches retentissant dans son crâne, il tenta de se relever. Le mieux qu'il put accomplir fut de se mettre à quatre pattes dans ses propres vomissures, la tête pendante, au bord de l'inconscience.

Le voile sombre qui l'enveloppait se retirait un peu lorsqu'on ouvrit la porte avec fracas. Des pas se rapprochèrent. Des mains lui empoignèrent les bras pour l'aider à se relever. On le rassit sur le lit.

— Respire bien, mon frère, dit une voix pleine de compréhension. Le malaise va vite passer.

Un visage se matérialisa au-dessus du sien, dont le sourire crispé ne masquait pas entièrement l'inquiétude.

— Belval? réussit à articuler Pierre en essayant de clarifier l'image.

— Mon pauvre ami, le plaignit l'autre, contrit. Tu t'es réveillé plus vite que prévu. Tu es chez notre frère Barthélémy Perreault, rue Bleury. Solomon Wolofsky et lui t'ont conduit ici hier soir après… les événements. Puis Solomon est venu me chercher. Je t'ai trouvé très mal en point. Le choc, tu comprends ? Tu délirais presque. Je t'ai administré une bonne dose de laudanum pour te faire dormir. C'est ce qui te cause cette nausée et ces étourdissements. Tu t'es fait mal ?

— Non.

Belval examina sa tempe, qu'il trouva un peu enflée, mais sans coupure.

— Prends de profondes inspirations, conseilla-t-il. L'effet se dissipera vite.

Des pas pressés retentirent dans le couloir. Perreault fit irruption dans la chambre, suivi de Solomon qui portait un cabaret sur lequel se trouvaient une tasse et une cafetière en porcelaine. Les cheveux en bataille, la chemise fripée, le col ouvert, les manches roulées jusqu'au coude, ils avaient tous deux l'air d'avoir passé la nuit sur la corde à linge, ce qui était sans doute précisément ce qu'ils avaient fait. Pierre pensa que s'il avait besoin d'une preuve de l'amitié de ces deux hommes qu'il connaissait à peine, le fait de passer une nuit blanche parce qu'ils avaient peur pour lui en constituait une éclatante.

Wolofsky posa le cabaret sur le lave-mains et versa le café noir et fumant. Après avoir consulté Belval du regard et obtenu son aval, il tendit la tasse à Pierre.

— Bois, dit-il avec compassion. Il est bien fort. Ça te remettra les idées en place. Béni soit El-Schaddaï, qui nous rend notre âme tous les matins au réveil. J'étais parti faire le café. J'aurais dû attendre. Je suis désolé. Tu as dû te demander ce qui t'arrivait.

— Barthélémy, Solomon et moi nous sommes relayés toute la nuit dans ce fauteuil, expliqua le médecin.

Un silence malaisé s'installa et tous baissèrent les yeux, aucun ne sachant que dire d'autre.

— Alors, je n'ai pas rêvé, laissa tomber Pierre d'une voix étranglée. Tout ça est bien arrivé. Julie… Ses parents…

Perreault prit place au bord du lit et lui serra amicalement l'épaule en hochant la tête.

— Tu n'as pas rêvé, confirma-t-il avec toute la douceur que requéraient les circonstances. Émile et sa femme ont bien été assassinés et leur fille a disparu.

Pierre sentit monter en lui une profonde culpabilité en repensant à monsieur et madame Fontaine. Qu'avaient-ils fait de mal pour être massacrés ainsi ?

— Si j'étais reparti avec lui, hier… geignit-il, incapable de compléter sa phrase.

Il aurait pu sauver leur vie et défendre Julie. Empêcher qu'elle soit enlevée. La garder auprès de lui, pour pouvoir l'épouser, la chérir. Dans son esprit confus, au cœur des images horribles qui se bousculaient, il n'y avait qu'elle. Elle n'avait pas été massacrée comme ses parents. On l'avait emmenée. Mais où ? Et pourquoi ? L'avait-on maltraitée ? Était-elle même encore vivante ? Il se fit violence pour contenir un sanglot.

— Ne te frappe pas inutilement la poitrine, mon frère, le consola Solomon. Si tu avais été là, tu aurais subi le même sort que les Fontaine.

— Un policier veut te parler, l'informa Perreault. Si tu t'en sens capable, habille-toi et viens nous retrouver dans le salon. C'est la première pièce à droite de l'escalier. Sinon, je le renverrai. Mais il reviendra tôt ou tard.

— Aussi bien le voir tout de suite, soupira Pierre.

Après avoir passé ses vêtements de la veille, qui dégageaient des relents répugnants de transpiration, de poussière et de sang, Pierre quitta sa chambre et descendit l'escalier sur des jambes encore flageolantes. Quand il entra dans le salon, il trouva, assis sur des fauteuils luxueux et un long canapé, Belval, Perreault et

Solomon, mais aussi Gédéon Ouimet, William Badgley, Honoré Beaugrand et un inconnu qui se tenait debout, droit comme un chêne, près de la cheminée.

Lui qui avait ridiculisé la fraternité à laquelle monsieur Fontaine l'avait presque forcé à se joindre, voilà qu'il y trouvait des hommes qui l'accueillaient chez eux pour qu'il ne soit pas seul, et d'autres qu'il connaissait à peine et qui étaient pourtant solidaires de son malheur. Était-ce là l'esprit fraternel que le notaire lui avait tant vanté ? Même dans son état de détresse, Pierre éprouva une grande reconnaissance. En les regardant, il ne put s'empêcher de songer, le cœur gros, qu'Émile Fontaine lui manquait. Plus jamais il ne verrait le jovial notaire parmi les frères qu'il aimait tant.

En l'apercevant, tous se turent, gênés. Puis ils se levèrent et l'entourèrent.

— Barthélémy nous a prévenus de… Quelle terrible affaire, dit Gédéon Ouimet. Je… Je… je ne sais que dire. C'est épouvantable.

Le politicien se tut, terrassé par l'émotion. Beaugrand, lui, l'enveloppa dans une chaleureuse étreinte.

— Pauvre garçon, dit-il, la voix voilée par les sentiments, en le serrant fraternellement contre lui. J'ai peine à imaginer ce que tu ressens, même si Émile était mon ami très cher.

Lorsqu'il le relâcha, le journaliste, pourtant reconnu pour son caractère batailleur, avait les yeux dans l'eau. Le juge Badgley prit le relais, plus réservé, mais non moins sincère.

— Nous sommes ici pour te dire que tu peux compter sur l'appui et l'aide de tes frères, mon garçon, dit-il en lui posant une main noueuse sur l'épaule. Si tu as besoin de quoi que ce soit, demande à Solomon et il saura qui contacter. Tu m'as bien compris ? N'importe quoi. Nous ferons tout ce que nous pourrons. Tu es un des nôtres et cette histoire nous affecte tous.

Badgley se retourna et désigna le moustachu qui se tenait toujours près de la cheminée.

— Pour commencer, j'ai demandé à notre frère Maurice Demers, inspecteur au Département de police, de venir lui-même t'informer de la situation. Il te donnera l'heure juste.

Demers était grand et d'aspect un peu bourru. La mâchoire carrée, d'épais favoris un peu grisonnants, la lèvre supérieure couverte d'une grosse moustache en tablier de sapeur taillée bien droit, la chevelure poivre et sel ondulée et séparée au centre par une raie minutieusement tracée, il était sanglé dans un costume gris fer bien taillé et le feutre élégant qui était posé sur le manteau de la cheminée semblait lui appartenir. Le col de sa chemise lui serrait le cou et ses manches étaient fermées par des boutons de manchette. Il dégageait un air d'autorité et de sérieux qui en imposait, sans pour autant donner à son interlocuteur l'impression d'être écrasé.

Il s'approcha et tendit la main à Pierre, qui la serra distraitement en l'interrogeant du regard. Puis il lui indiqua le fauteuil qui avait été gardé pour lui et l'invita à s'asseoir.

— Je tiens d'abord à te dire à quel point je suis désolé de ce qui t'arrive, mon frère, déclara-t-il. J'ai consulté le rapport de mes collègues très tôt ce matin et j'ai pris connaissance des détails.

— Alors ?

— Pour le moment, il n'y a rien de nouveau. Nous avons affaire à un double meurtre compliqué par un enlèvement. Pourquoi ? Par qui ? Pour l'instant, Dieu seul le sait et le diable s'en doute. Peux-tu penser à quelque chose que tu n'as pas mentionné hier soir ?

Pierre passa une main nerveuse dans ses cheveux en broussaille et repassa mentalement les événements et ce qu'il avait répondu aux questions des policiers.

— La note ? fit-il, incertain en avisant Wolofsky.

— Solomon me l'a remise ce matin. « L'*Argumentum* contre la vie de Julie Fontaine », cita-t-il. Et ce dessin… Un Christ en croix sur une épée… Ça te dit quelque chose ?

— Non. Absolument rien.

— Peut-être le message était-il destiné à quelqu'un d'autre. Quelqu'un qui sache ce qu'est cet *Argumentum.* Il est déjà établi que rien n'a été volé dans la maison. Émile Fontaine avait un coffre-fort que personne n'a tenté de forcer. Le mobile du crime est donc tout autre.

Demers se mit à marcher de long en large dans le salon.

— S'est-il produit quelque chose d'inhabituel dans les jours qui ont précédé le meurtre ? l'interrogea-il. N'importe quoi. Un événement anormal, une rencontre curieuse, des mots qui ne te disaient rien sur le coup…

Cette fois, Pierre n'eut pas à réfléchir longtemps. Il lui rappela le meurtre du jésuite et la conviction qu'il avait eue, jusqu'à la réunion de la veille, qu'il était lié à la franc-maçonnerie. Il raconta combien il avait souvent croisé le jésuite dans les jours précédents, comme si le prêtre le suivait ou tenait absolument à lui devenir familier.

— Je sais tout cela, oui, dit l'inspecteur sans se commettre. Autre chose ?

— Je crois que quelqu'un est entré chez moi.

Il relata l'étrange impression qu'il avait ressentie, trois jours plus tôt, que sa chambre avait été fouillée. Les livres qui n'avaient pas été remis au même endroit et dans le même ordre, les choses légèrement déplacées, les rideaux entrouverts, l'armoire mal fermée, le couvre-lit un peu remonté…

Demers écoutait soigneusement, les mains dans le dos, la tête penchée.

— Il manquait quelque chose ? demanda-t-il.

— Pas que je sache, admit Pierre. C'est comme si on avait cherché quelque chose de précis et qu'on ne l'avait pas trouvé.

— Hum… fit l'inspecteur en se lissant distraitement la moustache. Quoi d'autre ?

— Rien, sinon…

— Sinon ?

— Ce n'est probablement rien.

— Raconte toujours.

— Eh bien, voilà trois semaines, je me suis rendu au presbytère de Notre-Dame-de-Grâce pour obtenir mon acte de baptême et faire publier les bans de mon mariage avec Julie l'an prochain. Mais le curé ne l'a pas trouvé. Pourtant, mon père dit que j'y ai été baptisé.

L'inspecteur s'arrêta et vint se planter devant lui, vrillant dans ceux de Pierre des yeux d'un brun pâle inhabituel.

— On entre chez toi pour trouver quelque chose et voilà qu'on enlève ta fiancée en exigeant que tu remettes quelque chose en échange de sa vie. L'*Argumentum*... Tu es certain que ça ne te dit rien ? Tu n'as jamais entendu ce mot ?

— Jamais.

— Voilà qui est embêtant car cette chose, quelle qu'elle soit, semble être le nœud de toute l'affaire.

Demers se remit à marcher en silence et personne n'osa interrompre sa réflexion. Lorsqu'il s'arrêta, il semblait avoir décidé quelque chose.

— Tu viens tout juste d'être initié, déclara-t-il. Je présume que tu n'es pas un familier des hauts grades de la franc-maçonnerie ?

— Tout ce que j'en sais, c'est que Barthélémy en fait partie et je ne l'ai appris qu'hier soir. Pourquoi ?

Le policier attrapa une chaise droite et la transporta près du fauteuil de Pierre. Il y prit place.

— Parce que, soudain, ton impression d'un lien entre le meurtre du jésuite et le rituel maçonnique ne semble plus aussi farfelue. Vois-tu, le vingt-neuvième degré de la franc-maçonnerie présente des ressemblances frappantes avec le meurtre d'Émile et de sa femme.

Il regarda Badgley, l'invitant silencieusement à prendre le relais.

— Dans ces circonstances aussi exceptionnelles qu'urgentes, déclara le juge, qui avait manifestement déjà soupesé la question, il est justifié de révéler le contenu d'un degré qu'un frère n'a pas encore reçu. Barthélémy, temporairement et pour cette fois-ci seulement, la Grande Loge te libère de ton serment. Si tu veux bien en faire un résumé à Pierre.

Perreault accepta de la tête, se leva et prit quelques secondes pour mettre de l'ordre dans ses idées. Pendant la demi-heure qui suivit, il relata méticuleusement le déroulement de la cérémonie propre au vingt-neuvième degré.

31

LE RECUEILLEMENT RÈGNE dans la loge des Hauts Grades. Les banquettes sont passablement dégarnies, car rares sont les frères qui ont reçu le vingt-neuvième degré. Dans le fauteuil à l'Orient se trouve le Vénérable Maître. Il rompt le silence d'un coup de maillet.

— Que l'on drape la loge pour la plonger dans le deuil et le regret, ordonne-t-il d'une voix posée.

Quelques frères se lèvent pour draper les murs de grandes tentures noires, de sorte que la pièce prend une allure triste et oppressante.

— Frère Expert, reprend le commandeur, allez quérir le profane dans le cabinet de réflexion où il a médité sur la voie qu'il souhaite suivre. Assurez-vous qu'il est convenablement préparé à l'épreuve qu'il va subir. Si vous le jugez tel, accompagnez-le à la porte du temple. Frère Maître des Cérémonies, tamisez les lumières et préparez la loge pour les travaux au vingt-neuvième degré de la franc-maçonnerie, connu sous le nom de Chevalier d'Occident.

Tandis que le frère expert se retire, le Maître des Cérémonies fait le tour de la pièce, mouchette à la main, pour étouffer une à une presque toutes les chandelles. Il n'en laisse que quelques-unes allumées, plongeant la loge dans une pénombre qui convient à un degré marqué par la tristesse. Sur la partie supérieure du mur, à l'Orient, au-dessus du Vénérable Maître, brille une petite étoile de métal au-dessus d'une chandelle qui l'éclaire. À côté est suspendu un étendard vertical dont la partie supérieure est blanche et porte une croix pattée rouge, alors que sa partie inférieure est noire.

Le Maître des Cérémonies ouvre un coffre de bois et en sort trois crânes et deux longues dagues en argent. Il revient vers le petit autel rectangulaire, au centre de la pièce. Il dispose un des crânes sur la Bible, au-dessus de l'équerre et du compas entrecroisés, et le coiffe d'une couronne de lauriers. Les deux autres sont placés de chaque côté du livre saint et ornés respectivement d'une mitre et d'une couronne royale en fer-blanc imitant l'or. Puis il dispose les dagues de chaque côté de l'autel, près du bord.

— Mes frères, ordonne le Vénérable, revêtez vos atours de deuil.

En silence, tous passent une robe noire aux larges manches, qui leur descend jusqu'aux pieds, puis se rassoient et se recueillent, laissant derrière eux le train-train quotidien pour se bien disposer à l'événement solennel qu'ils s'apprêtent à vivre. Lorsque l'ambiance est redevenue sereine, le Vénérable frappe un coup sec et tous se lèvent dignement, la main sur le cœur.

— Mes frères, ordonne-t-il, aidez-moi à ouvrir cette loge de Chevaliers d'Occident. Frère Second Surveillant, quelle heure est-il ?

— L'heure du bûcher est passée, Vénérable Maître, répond l'officier qui siège au midi. Les cendres des nôtres sont froides depuis longtemps et le vent les a répandues aux quatre coins du ciel. Les larmes sont versées, mais notre deuil est toujours vif.

— Frère Premier Surveillant, quel est notre devoir maintenant que l'heure du bûcher est passée ? s'enquiert ensuite le Maître.

Celui qui prenait place à l'Occident, face à lui, répond à son tour.

— C'est de lutter, jusqu'au jour de la Vengeance, contre l'ignorance, la tyrannie et le fanatisme qui coûtèrent leur réputation, leurs possessions et leur vie à nos frères, et de méditer sur leur souvenir, Vénérable Maître.

Le rituel d'ouverture se poursuit jusqu'à ce que tous les officiers aient donné toutes les réponses d'usage. Le Vénérable frappe alors une succession de trois, cinq et sept coups de maillet, que reproduisent à tour de rôle tous les officiers.

— Exercez la patience et méditez, mes frères, déclare-t-il quand le silence est retombé dans la loge. Car il faudra attendre encore longtemps pour venger ceux qui ne sont plus. D'ici là, accueillons parmi nous un nouveau frère, désireux de lutter pour la cause et de nous apporter son aide.

Au son d'un ultime claquement du maillet, la loge est maintenant prête et tous les frères se rassoient. Après quelques minutes, on frappe à la porte. Le frère Couvreur, dont la fonction est de n'admettre que les francs-maçons, se lève d'un trait et, d'un geste dramatique, tire son épée d'apparat de son fourreau pour la brandir, à l'ordre, devant son visage.

— Vénérable Maître, on frappe à la porte de la loge! s'exclame-t-il avec force.

— Voyez qui se tient à l'entrée et n'hésitez pas à faire votre devoir s'il n'est pas des nôtres.

Le Couvreur fait glisser le judas pour voir de l'autre côté de la porte.

— Qui ose déranger les travaux de cette loge d'Hérédom? demande-t-il.

— Un pauvre pèlerin qui s'est égaré sur le chemin qui mène à la Terre sainte et qui demande à être admis pour se reposer un peu, répond la voix assurée du frère Expert.

— Et pourquoi cherche-t-il ce chemin?

— Parce qu'il souhaite mettre son bras au service des Pauvres Chevaliers du Temple.

— Pouvons-nous lui faire confiance?

— Je l'ai interrogé et je m'en porte garant.

— Attendez que je fasse rapport.

Le couvreur referme le judas et répète mot à mot au Maître ce qu'on vient de lui dire.

— Qu'il soit admis, ordonne ce dernier. Mais gardez l'arme au clair et demeurez aux aguets, frère Couvreur, car l'histoire a maintes fois prouvé que nos ennemis sont rusés et qu'ils ne reculent devant aucune bassesse pour parvenir à leurs fins.

Le Couvreur ouvre et va à la rencontre du candidat pour lui bloquer le chemin. Il lui appuie la pointe de son épée sur sa poitrine tout en saisissant son vêtement de l'autre main. Puis il recule en le tirant vers l'intérieur pendant que le frère Expert le suit.

— Étranger, par ordre du Vénérable Maître, tu es autorisé à pénétrer en ce lieu, déclare-t-il d'une voix sombre. Sache toutefois que la douleur que te cause cette lame n'est qu'un fade avant-goût de celles que tu ressentiras lorsque nous te châtierons si tu avais un jour l'imprudence de révéler ce que tu apprendras. Comprends-tu bien cela et acceptes-tu de ton plein gré de courir ce risque ?

— Je le comprends et je l'accepte, répond le candidat, la voix un peu tremblante.

— Alors, pénètre où ne se réunissent que des hommes justes.

Les yeux bandés, l'impétrant est conduit à l'intérieur et placé à l'ouest de la loge, devant l'autel. Dans le faible éclairage du chandelier le plus proche, il fait pitié à voir, comme l'exige le rituel. Son costume rappelle celui d'un pèlerin en Terre sainte, des siècles auparavant. Une culotte, une chemise et des chausses en cuir sales, un manteau blanc déchiré et souillé portant sur l'épaule gauche une croix noire, un vieux chapeau de feutre déformé enfoncé sur la tête – autant de loques usées jusqu'à la corde par un long et difficile voyage. On lui a enduit le visage et les mains de suie et il a l'air de ne pas s'être lavé depuis des lustres. Ses poignets sont enfermés dans des bracelets de fer reliés par une lourde chaîne qui traîne presque sur le plancher.

Derrière lui, le frère expert tire sans bruit un poignard de sa robe, se place derrière le candidat et le lui appuie sur la gorge, ce qui le fait sursauter.

— Qui es-tu, étranger ? tonne la voix du Vénérable.

— Un pauvre pèlerin égaré, répond le candidat après que l'Expert lui eut soufflé la répartie correcte.

— Et pour quelle raison déranges-tu les travaux de ce refuge ?

— J'ai dévié du chemin vers la Terre sainte et je souhaite me reposer avant de le retrouver.

— Pourquoi veux-tu donc connaître ce chemin ?

— Pour mettre mon bras et ma vie au service des Pauvres chevaliers du Temple.

Au signal du Maître des Cérémonies, tous les hommes sur les banquettes éclatent d'un rire sonore qui dure une bonne minute et qui s'arrête net lorsqu'il fait un signe de la main.

— Ne sais-tu donc pas que les Templiers n'existent plus ? demande le Vénérable Maître, courroucé. N'as-tu pas appris qu'ils sont tombés injustement, victimes de la cupidité et du vice ? Qu'ils ont été brûlés par leurs ennemis et que leurs cendres froides ont depuis longtemps été dispersées aux quatre vents ? Que ceux qui ont survécu ont dû se disperser et se terrer comme des bêtes, eux jadis si nobles ?

Cette fois, ce sont des plaintes et des gémissements qui emplissent la loge. Les frères présents se frappent rituellement la poitrine trois fois de leur poing droit. Le frère expert ne lui soufflant aucune réponse, le candidat se contente de hausser les épaules pour exprimer son ignorance.

— Il te reste cependant un espoir, étranger, car ce n'est pas le hasard qui a guidé tes pas jusqu'à nous, mais la destinée. Sache que tu te trouves ici à l'ombre du gonfanon Beaucent, parmi ce qui subsiste de l'ordre des Pauvres Chevaliers du Christ et du Temple de Salomon.

— *Non nobis, Domine, non nobis, sed nomini, tuo da gloriam !* tonnent les frères à l'unisson.

Le silence, lourd et chargé d'émotion, retombe sur le temple et dure assez longtemps pour que le candidat commence à se dandiner nerveusement.

— Si tu t'en montres digne, ton souhait de te joindre au Temple peut encore être exaucé, dit enfin le Maître. Crois-tu que les Templiers furent injustement supprimés ?

Le frère expert lui murmure les réponses à l'oreille, de sorte que personne d'autre ne peut les entendre.

— Je le crois, puisque vous me le dites et que je n'ai nulle raison de douter de votre parole, dit l'impétrant.

— Crois-tu à l'importance de rétablir la vérité et l'honneur ?

— J'y crois de même.

— Acceptes-tu d'être un instrument de leur rédemption ?

— Je l'accepte.

— Pour être des nôtres, tu devras prêter un serment qui ne sera rompu que par la mort. Tu vivras fidèle ou tu ne vivras pas. Désires-tu te lier à nous ?

— Je le désire.

— Avance donc jusqu'à l'autel, agenouille-toi humblement et place tes mains, enchaînées comme le furent celles de nos frères déshonorés, sur ce qui s'y trouve.

Le candidat prend place. Le frère expert guide ses mains pour les poser sur les crânes coiffés de lauriers. Si le candidat ressent du dégoût, il le cache bien.

— Répète après moi, ordonne le Vénérable. Je jure sur les restes de ceux qui ont été injustement brûlés, que jamais je ne révélerai les secrets qui vont bientôt m'être communiqués, sous peine d'avoir le visage arraché et la tête détachée des épaules. Je jure aussi que je me tiendrai toujours prêt à servir l'ordre et que j'obéirai lorsque cela me sera demandé ; que je travaillerai à réhabiliter la mémoire des innocents qui furent sacrifiés injustement sur l'autel de la cupidité et du dogme ; et que je les vengerai sans hésitation le moment venu. Que Dieu guide mon bras tant que je serai loyal. Qu'il me punisse si je cesse de l'être.

Le Vénérable fait une pause avant de reprendre.

— Vois, mon frère, les instruments de ton devoir.

Le frère expert détache le bandeau qui lui couvre les yeux depuis son entrée et appuie légèrement sur sa nuque pour incliner sa tête vers l'autel. Le Maître prend les deux poignards dans ses mains et, d'un geste dramatique, les plante près du crâne couronné et du crâne mitré.

— Honnis soient les traîtres ! tonne-t-il.

— Vengeance ! s'écrient les frères d'une voix forte qui remplit le temple.

Tous se rassoient et le silence retombe dans la loge. Le Maître prend la main du candidat et l'aide à se relever. Puis il retourne s'asseoir à sa place.

— Approche et entends l'histoire traditionnelle de ce degré, frère désormais admis parmi les Chevaliers d'Occident, ordonne-t-il d'un ton devenu bienveillant.

Le Maître des Cérémonies conduit le nouvel initié à l'Orient et le Vénérable entame un récit qui a été fait à chaque nouveau frère de ce degré depuis qu'il a été écrit.

— Ce degré, mon frère, rappelle l'injustice dont les Templiers furent victimes en l'an 1307, alors que le pape Clément V et le roi Philippe IV le Bel les décimèrent.

Sur l'ordre silencieux du Maître des Cérémonies, les frères sur les banquettes gémissent de nouveau.

— Clément convoitait leur pouvoir alors que Philippe désirait leur richesse, poursuit le Vénérable. Par-dessus tout, les deux craignaient les savoirs secrets qu'ils détenaient. Heureusement, nos anciens frères étaient influents et avaient été informés du jour où les méchants frapperaient, et ils purent préparer leur fuite. Quelques jours avant l'attaque, le trésor de l'ordre fut transporté dans le plus grand secret de Paris jusqu'au port de La Rochelle. Emportant les richesses et les frères chargés de leur protection, la flotte quitta la France pour toujours. Dans sa cargaison se trouvait un secret nommé *Argumentum*, preuve d'une chose si terrible qu'elle faisait trembler le pape et que le roi désirait la posséder. Sa préservation valait que l'on versât le sang qui coulait dans les veines de tous les frères. Ceux qui restèrent, dont le *magister* du Temple Jacques de Molay et le précepteur de Normandie, Geoffroy de Charnay, acceptèrent de se sacrifier pour que l'ordre continue à vivre.

Des gémissements et des soupirs lourds montent dans le silence.

— Nos frères voguèrent vers l'Écosse, où le roi Robert Bruce, et toute la population avec lui, avaient été excommuniés par le pape l'année précédente. Le roi combattait alors Edward II d'Angleterre et avait besoin de troupes. Or, les chevaliers du Temple étaient les combattants les plus redoutés de toute la chrétienté et plusieurs clans écossais avaient fourni des bras vigoureux et occupé des fonctions importantes au sein de l'ordre. De tous ceux-là, les Saint-Clair étaient les plus puissants et c'est par leur intermédiaire que fut conclue une alliance sacrée qui ne fut jamais brisée. À partir de l'Écosse, le trésor du Temple fut mis en sûreté dans un endroit appelé Arcadie. Mais le sort n'avait pas fini de s'acharner sur nos frères car Arcadie fut détruite. Après deux siècles d'incertitude, l'*Argumentum* y fut récupéré et caché ailleurs. Des clés furent remises aux plus fidèles d'entre eux pour qu'en temps voulu, ils puissent ouvrir le dépôt sacré et récupérer ce pour quoi tant de nobles Templiers s'étaient sacrifiés. Le destin n'avait toutefois pas fini d'éprouver nos frères et, une à une, ces clés furent détruites par nos ennemis de sorte qu'aujourd'hui, l'*Argumentum* repose là où plus personne ne peut s'en emparer.

De nouveaux gémissements, ténébreux et déchirants, remplissent la loge.

— Notre devoir, mon frère, reprend le Vénérable, est de retrouver ce qui est perdu. Ce jour-là, les Templiers renaîtront de leurs cendres pour brandir l'*Argumentum* à la face du monde. Ils démasqueront alors les traîtres et les impies, et feront tomber les puissants. La vérité sera rétablie et l'honneur de l'ordre sera lavé dans le sang.

— Vengeance ! Vengeance ! Vengeance ! clament les frères.

Le Vénérable s'arrête un moment et considère le nouvel initié.

— La mission du Chevalier d'Occident ne se trouve donc pas en Terre sainte, comme tu le croyais, mon frère, mais bien dans cette vallée de larmes où le sang versé par les nôtres a été mêlé aux crachats méprisants des puissants et d'où s'enclenchera la Vengeance qui doit être accomplie.

— Vengeance ! Vengeance ! Vengeance !

Le Maître se lève et descend de son plateau pour faire face à l'initié.

— Il me reste à te confier les signes et les mots de passe de ce degré. Les signes se font comme ceci.

Le Vénérable Maître pose ses doigts à la racine de ses cheveux, comme des griffes, et fait un geste brusque vers le bas, comme s'il s'arrachait le visage. Puis il pose son pouce droit sous son oreille gauche et le fait lentement glisser sur sa gorge jusque sous l'oreille droite.

— Ces gestes rappellent le châtiment encouru par quiconque trahira nos secrets, explique-t-il. Ils sont utilisés par les Chevaliers d'Occident pour se reconnaître entre eux de par le monde. Le mot de passe est *Nekam* et sa réponse est *Kadosh*. Le premier signifie « Vengeance » et le second, « Sacré ». Tu devras les utiliser pour être admis dans une loge de Chevaliers d'Occident, que l'on désigne sous le nom de loge d'Hérédom, ce qui signifie « refuge ». Tu sais maintenant tout ce qui est nécessaire pour être un des nôtres et nous faire honneur. Prends place parmi tes frères.

Le nouvel initié est reconduit sur les banquettes et la tenue est conclue au son de cris qui appellent la Vengeance.

32

SA DESCRIPTION ACHEVÉE, Perreault, qui n'avait cessé de se promener de long en large dans le salon, vint se planter devant Pierre.

— Voilà. En gros, c'est le contenu du vingt-neuvième degré. Évidemment, il faut tenir compte du fait qu'au milieu du dix-huitième siècle, expliqua-t-il, lorsque le rituel maçonnique a été fixé dans sa forme actuelle, en France, la mode était aux Templiers. Tout le monde en parlait et éprouvait le désir romantique d'en être. C'est sans doute pour répondre à ce besoin et attirer ainsi des membres que l'ordre a créé quelques degrés dits « templiers », que nous appelons degrés de Vengeance et dont le vingt-neuvième est l'aboutissement. Bien sûr, tout cela n'est qu'une vertueuse comédie, comme tout ce que nous faisons en loge. Il s'agit toujours de mettre en valeur des qualités morales, dans ce cas-ci la fidélité à ses obligations et le refus de l'intolérance, de la tyrannie et du fanatisme. Ceux qui veulent y trouver des racines historiques ne sont que des rêveurs.

Perreault se rassit. Ébranlé, Pierre se frotta le visage, remarquant distraitement qu'il n'était pas rasé.

— Tu as donc compris qu'un assassin semble bel et bien s'inspirer des rituels maçonniques, confirma Demers. Émile et sa femme ont été tués exactement comme le décrit le châtiment prévu au degré de Chevalier d'Occident. C'est aussi dans ce degré qu'on mentionne l'*Argumentum*.

Un lourd silence tomba.

— Alors Julie est entre les mains d'un fou… déduisit Pierre, désespéré.

— Un fou qui connaît bien les rituels maçonniques, même les plus élevés, ajouta Perreault.

— Et, malheureusement, un fou qui les croit vrais, compléta Ouimet.

Pierre soupira, las. Il se sentait dépassé par les événements et désespérément impuissant. Il aurait voulu pouvoir se recroqueviller et dormir jusqu'à ce que ce cauchemar s'achève. Il était reconnaissant à tous ces hommes d'avoir partagé avec lui le contenu d'un degré maçonnique qu'ils avaient juré de garder secret, mais il ne s'en trouvait pas plus avancé.

— La question est de savoir pourquoi on a jugé bon d'enlever mademoiselle Fontaine plutôt que de la tuer, elle aussi, reprit Demers. La seule explication qui me vienne est qu'il désire quelque chose de précis et qu'elle lui apparaît comme la meilleure monnaie d'échange.

— Il veut l'*Argumentum*, intervint Solomon, l'air sombre. Comme dans le vingt-neuvième degré. Il l'a lui-même déclaré dans la note qu'il a laissée.

— Et il doit croire qu'il l'obtiendra.

— Mais l'*Argumentum* n'existe pas ! s'écria Beaugrand, exaspéré. Comment lui donner une chose qui n'est que le produit de l'imagination ?

— Cela, il ne semble pas le savoir, dit l'inspecteur, et il est capital que son fantasme soit entretenu. Il faut coûte que coûte qu'il continue à croire à l'existence de cet *Argumentum*. S'il fallait qu'il perde ses illusions, il achèverait certainement mademoiselle Fontaine sur-le-champ.

— Tôt ou tard, il finira bien par réaliser que Pierre ne possède pas ce qu'il demande, déclara Solomon.

— Assurément, mais nous devons repousser cet instant le plus longtemps possible. Plus nous entretenons ses illusions, plus nous augmentons nos chances de le trouver et de sauver mademoiselle Fontaine. Tôt ou tard, le ravisseur te contactera, Pierre. Alors, nous tenterons de l'appâter.

— Et d'ici là ?

— Nous ne pouvons qu'attendre, se désola Demers en soupirant, nettement contrarié de ne pas pouvoir agir. La note t'était spécifiquement adressée. C'est donc toi qu'il contactera. Lorsque cela se produira, tu devras m'avertir sans perdre une seconde. Nous déterminerons ensemble la marche à suivre.

Incapable de dire un mot, Pierre hocha la tête avec lassitude pour montrer qu'il avait compris. L'inspecteur lui tendit une carte portant ses coordonnées et lui fit promettre de l'utiliser au moindre besoin.

— De mon côté, conclut-il, je te tiendrai au courant des développements de l'enquête. J'essaierai de repasser ce soir. Entre-temps, s'il se passe quoi que ce soit, qu'on me le fasse savoir sans délai.

Il tendit la main à Pierre, qui l'accepta et la serra mollement.

— Merci, dit-il.

— Tu es mon frère, le réconforta simplement Demers, comme si ses efforts et son attention allaient de soi.

L'ombre d'un sourire fit retrousser son épaisse moustache. Il salua les autres de la tête et sortit. Pierre le regarda partir, abattu. Maurice Demers était policier et, contrairement à lui, il pouvait considérer froidement la situation. Il avait raison, évidemment. Il n'y avait rien d'autre à faire que de patienter en espérant que le ravisseur soit sincère et que sa note exprime ses intentions réelles. Si oui, en le contactant, il fournirait peut-être inconsciemment une piste qui permettrait à la police de remonter jusqu'à lui. Sinon, Julie était déjà morte et Pierre n'osait même pas imaginer ce qu'elle avait pu subir.

Il promena son regard dans le salon de Barthélémy Perreault et soudain, il eut l'impression d'étouffer. Il se sentait incapable de rester dans cette pièce une seule seconde de plus, impuissant, à attendre qu'un fou lui fasse signe. Il devait sortir, bouger, agir, faire quelque chose, n'importe quoi. Et puis, à part Barthélémy et Solomon, qu'il connaissait un peu plus, les frères, malgré la bonté dont ils faisaient preuve, restaient pour la plupart des inconnus. Sa famille n'était pas nombreuse, mais il avait toujours eu Adrien et, plus que jamais, il éprouvait le besoin d'être près du cousin avec lequel il avait tout partagé. Il avait besoin de sa solidité, de son amour indéfectible, de son appui. De sa foi, même. Autrement, il allait perdre l'esprit. Et puis, il devait avertir le père supérieur qu'il abandonnait temporairement ses cours. En apprenant ce qui s'était passé, il comprendrait certainement.

Il se leva brusquement.

— Je sors, annonça-t-il avec détermination.

— Pour aller où ? s'étonna Beaugrand.

— Voir mon cousin Adrien, au collège. Il ne sait pas ce qui s'est passé. J'ai… J'ai besoin de lui parler.

Perreault se leva aussitôt d'un bond.

— Je t'accompagne, dit-il avec détermination.

— Moi de même, ajouta Solomon.

Pendant un instant, Pierre fut tenté de refuser leur offre, mais il se ravisa. Avec la loyauté que ces deux là avaient démontrée depuis la veille, ils ne méritaient pas cet affront. Et puis, il ne voulait pas être seul, pas même une seconde.

Renfrognés, Pierre, Barthélémy et Solomon marchèrent en silence jusqu'à Sainte-Catherine, où ils hélèrent un fiacre. En route, Pierre regarda défiler, sans vraiment les voir, les maisons cossues et les grands arbres qui bordaient la rue Sherbrooke, et qui avaient constitué l'essentiel de son univers depuis deux ans. Il songea que la veille encore, lorsqu'il arpentait cette artère, c'était pour se rendre au travail ou chez les Fontaine. Pour lui, cette rue avait toujours été synonyme de satisfaction : celle de se rendre enseigner à des jeunes garçons à l'esprit vif et encore assez ouvert pour accepter autre chose que des préjugés, ou celle de retrouver sa douce Julie et d'entrevoir le futur en sa compagnie. En un rien de temps, son bonheur s'était envolé, comme des plumes au vent.

Il ne fallut pas longtemps pour arriver au Collège de Montréal. Le fiacre était à peine arrêté que Pierre avait ouvert la portière et sautait à terre. Perreault le rejoignit et demanda au cocher d'attendre leur retour. Solomon, lui, resta dans la cabine.

— Je suis juif, expliqua-t-il en haussant les épaules avec fatalisme lorsque ses deux compagnons l'interrogèrent du regard. Les sulpiciens n'apprécieront pas ma visite et je ne suis pas certain de vouloir les fréquenter, moi non plus. Je vous attendrai ici.

D'un pas pressé, Pierre remonta le trottoir qui menait à l'édifice, Barthélémy le suivant en faisant claquer sa canne sur les briques. Ils entrèrent par la grande porte qu'il avait si souvent franchie et trouvèrent le hall vide, les cours ayant déjà débuté. Pierre se dirigea vers le bureau du père supérieur pour l'aviser de la situation et obtenir l'autorisation d'interrompre Adrien dans sa leçon. Il fut arrêté par une voix nasillarde et désagréablement grinçante.

— Tiens ! Vous voilà, vous !

Il se retourna pour apercevoir le supérieur qui se tenait à une vingtaine de pas de lui, les bras croisés sur sa poitrine maigrichonne, une moue sévère sur les lèvres et les sourcils froncés. Pierre avait toujours trouvé que ce visage mince, avec son long nez, rappelait celui d'une de ces gargouilles qui ornaient les hauteurs des grandes cathédrales médiévales.

— Monsieur Mofette, dit-il avec empressement en s'assurant de s'adresser au supérieur de la manière traditionnelle. Ça tombe bien, je voulais justement vous parler.

— Moi de même.

Le prêtre vint se planter devant lui. Il leva le menton pour le regarder dans les yeux à travers ses épaisses lunettes même s'il était beaucoup plus petit que lui, sans consacrer la moindre attention à Perreault.

— Il s'est passé quelque chose d'affreux, débita Pierre à toute vitesse, insensible à l'attitude belliqueuse du prêtre. Ma fiancée a été enlevée et ses parents ont été assassinés. Personne ne sait où elle se trouve. La police enquête. Je devrai m'absenter, au moins le temps de…

— Absentez-vous pour de bon, déclara sèchement le supérieur.

— Pardon ?

Le prêtre tira une lettre de sa soutane et la lui tendit.

— Je l'ai écrite ce matin. J'allais vous la poster, mais vous ne valez même pas le coût d'un timbre, cracha-t-il, plein de fiel.

Interdit, Pierre prit la lettre pour la déplier et la lire. Elle était rédigée d'une main ronde et nerveuse sur une feuille à en-tête du collège.

Collège de Montréal
Mardi, le 2 mai 1886
Monsieur Pierre Moreau,
Ayant récemment appris que vous avez jugé bon de joindre les rangs d'une société secrète dont les idées subversives et libérales sont contraires à la morale catholique, sévèrement proscrites par Sa Sainteté Léon XIII et entièrement incompatibles avec vos fonctions d'enseignant dans notre institution, vous êtes, en date de la présente, remercié de vos services.

Gérard Mofette p.s.s., supérieur

Assommé, avec l'impression d'être enfermé dans un cauchemar sans fin, Pierre releva la tête vers le supérieur.

— Que… ? Mais… bredouilla-t-il.

— Ne gaspillez pas votre salive à nier, éructa le supérieur. Vous prouveriez seulement que vous êtes un menteur en plus d'un hypocrite.

Avec l'arrogance que procure à un petit homme la certitude de la victoire, le prêtre brandit une photographie que Pierre, mortifié, reconnut aussitôt : c'était celle qui avait été prise le soir de son initiation. Celle dont monsieur Fontaine l'avait assuré qu'elle ne sortirait jamais des archives de la loge. Il fallut un peu de temps à son esprit embrouillé pour arriver à l'inévitable conclusion qui s'imposait : quelqu'un avait volontairement remis cette photographie aux autorités du collège. Quelqu'un l'avait trahi. Mais qui ? Et surtout, pourquoi dévoiler son appartenance à la franc-maçonnerie, alors que chacun avait juré le secret ?

L'avocat en lui se mettant en marche, Perreault arracha la lettre des mains de Pierre pour en prendre connaissance.

— Vous n'avez pas le droit d'agir de cette façon, protesta-t-il en brandissant sa canne après l'avoir lue.

— Et vous, vous feriez mieux de vous mêler de vos affaires, Barthélémy Perreault, s'emporta le sulpicien en lui agitant son index maigre sous le nez comme s'il était un élève turbulent. Je sais très bien qui vous êtes et vos accointances sont connues. Vous avez beau être avocat, vous ne me faites pas peur et vos « frères » non plus. Et dites à votre ami le maire Beaugrand qu'il peut bien lancer des accusations dans le torchon qu'il qualifie de journal s'il en a envie.

— Vous pourriez devoir reconsidérer rapidement cette position, monsieur, dit calmement Barthélémy sans chercher à voiler la menace dans sa voix.

— À part lorsque ce mécréant de Gédéon Ouimet était premier ministre, la justice de la Province a toujours mangé docilement dans la main du clergé, vociférait le prêtre. Entamez des poursuites contre l'Église si le cœur vous en dit. Nous verrons bien jusqu'où elles se rendront.

Pierre chercha désespérément un argument à opposer au supérieur, mais n'en trouva aucun et toute volonté de sauver son poste le quitta. L'effort n'en valait pas la peine. Les preuves étaient accablantes. Il baissa les yeux, amorphe et résigné.

— Quant au drame qui frappe la famille de votre fiancée, persifla le supérieur en reportant sa hargne sur lui, j'ai bien peur que les fréquentations malsaines du notaire Fontaine aient fini par le rattraper. Faites attention qu'il ne vous arrive la même chose, monsieur Moreau. À force de fréquenter le diable, on finit par perdre son âme. Vous êtes encore jeune. Avec l'aide de Dieu, vous pouvez retrouver le droit chemin.

Pierre le dévisagea, dégoûté au-delà des mots, en essayant de comprendre comment quelqu'un, prêtre de surcroît, pouvait faire preuve d'une pareille méchanceté ; comment un homme qui avait censément voué sa vie au bien d'autrui et au salut des âmes pouvait être aussi étroit d'esprit et imbu de ses idées. Tout à coup, il voyait mieux à quelle flamme des francs-maçons comme Beaugrand, Buies et feu Émile Fontaine alimentaient leur colère contre l'Église et d'où ils tiraient la force de leur engagement envers une société laïque et libérale. Mais il regrettait aussi amèrement de s'être laissé entraîner parmi eux. Après tout, ce mauvais rêve avait débuté après son initiation.

— N'avez-vous donc pas de cœur ? murmura-t-il, atterré et vaincu. Et la charité chrétienne ? Qu'en faites-vous ?

— Je la réserve aux bons catholiques. Les francs-maçons n'ont qu'à invoquer le diable. Après tout, ils ont l'habitude de sa fréquentation.

La main de Perreault qui serra son coude lui fit comprendre qu'il était futile de poursuivre l'échange avec un bigot de cette espèce.

— Je… je veux voir Adrien, déclara Pierre.

— Ah, vraiment ? Eh bien vous n'êtes pas le seul, figurez-vous ! pesta le supérieur. Si jamais vous lui mettez le grappin dessus, à votre cousin, rappelez-lui qu'il est encore membre de cette communauté et qu'il n'est pas autorisé à disparaître quand bon lui semble !

Pierre sentit un grand froid lui envelopper le cœur et sa bouche s'assécha.

— Disparaître ? Que voulez-vous dire ? demanda Perreault pour lui.

— Qu'il n'a pas été revu depuis hier soir, éclata le supérieur. Je ne sais pas où il a passé la nuit, mais ce n'était pas dans sa chambre, en tout cas. Son lit n'était même pas défait. Finalement, vous êtes deux pommes pourries qui ne sont pas tombées très loin du même pommier. Lorsqu'il daignera reparaître, dites-lui qu'il est attendu dans mon bureau et qu'il aura avantage à avoir une excellente explication s'il ne veut pas être envoyé en mission dans un coin perdu.

Pierre et Barthélémy échangèrent un regard chargé de sous-entendus angoissants.

— Salaud de prêtre, jura Barthélémy.

L'avocat entoura de son bras les épaules du professeur déchu et l'entraîna vers la sortie. La tête basse, le regard accusateur du sulpicien lui brûlant la peau de la nuque, Pierre était hébété. En douze heures, il avait découvert ses futurs beaux-parents décapités et dévisagés, sa fiancée avait été enlevée, et voilà qu'il venait de perdre sa situation et qu'Adrien, qui était comme un frère pour lui, s'était volatilisé.

— Doux Jésus… Tu crois que ?…

— Ne sautons pas aux conclusions, l'interrompit aussitôt Perreault. Peut-être ton cousin avait-il une bonne raison de s'absenter. Par contre, nous devons avertir Maurice Demers sans tarder de ce nouveau développement.

Amorphe, incapable de la moindre décision, Pierre acquiesça et se laissa prendre en charge. Perreault et lui allaient franchir la porte du collège lorsqu'une voix cassée par la mue adolescente l'interpella.

— Professeur Moreau ! Professeur Moreau !

Pierre aperçut Edmond Boutin, un de ses élèves favoris, qui accourait, ses membres trop longs lui donnant un air maladroit. Le garçon efflanqué était visiblement insensible au regard noir que lui adressait le supérieur.

— C'est vrai ce qu'on dit ? s'informa-t-il en le rejoignant. Que vous n'enseignez plus au collège ?

La gorge serrée, Pierre se contenta d'approuver de la tête en espérant que les larmes qui lui montaient aux yeux n'étaient pas trop visibles.

— C'est dommage, monsieur, continua le garçon avec sincérité. Vous allez me manquer. Et aux autres aussi.

— Toi de même, Edmond. Tu… Tu diras au revoir à ta classe pour moi ?

— Bien sûr, monsieur.

Pierre allait tourner les talons quand le garçon l'arrêta.

— Euh… Attendez…

Edmond fouilla dans la poche de son pantalon et en sortit un bout de papier chiffonné qu'il lui glissa dans la main avec la subtilité née de l'habitude de se passer des notes secrètes en classe.

— Monsieur Adrien m'a laissé ça pour vous, expliqua-t-il. Il est venu au dortoir en pleine nuit et m'a réveillé pour me le donner. Il avait l'air… comment dire ? Il était amoché. Comme s'il s'était battu. Il m'a dit qu'il sortait d'un entraînement particulièrement rude avec vous, mais je ne l'ai pas cru. Il m'a fait promettre de n'en parler à personne et de vous guetter pour vous le remettre. Voilà. C'est fait.

Étouffé par l'angoisse, Pierre se retint de mentionner qu'il ne s'était pas entraîné avec Adrien depuis des jours. Il remercia Edmond, qui hésita un peu en se tordant les doigts. Le supérieur s'approcha finalement.

— Edmond, tu devrais être en classe, le blâma-t-il.

— Je sais, monsieur. Je voulais seulement dire adieu au professeur Moreau, répondit le garçon.

Le prêtre empoigna Edmond par le col de sa veste et le poussa rudement vers l'avant.

— Alors, c'est fait, maintenant. Ouste ! Je t'attends à mon bureau à la fin des classes pour deux heures de retenue.

Il reporta son attention sur Pierre.

— Quant à vous, Pierre Moreau, vous n'êtes plus le bienvenu ici. Veuillez quitter sur-le-champ la propriété du Saint-Sulpice. Et n'y revenez plus jamais ! Me fais-je bien comprendre ?

Avec un souverain dédain, il détailla Perreault de pied en cap.

— Et emportez vos mauvaises fréquentations avec vous avant qu'elles ne finissent par corrompre notre belle jeunesse.

Perreault lui retourna son mépris avec intérêt. Puis il tourna brusquement les talons en tirant Pierre avec lui. Une fois dehors, ils descendirent vers la rue, où la voiture les attendait. Ils y montèrent et s'assirent.

— Alors ? s'enquit Solomon en leur ouvrant.

— Alors, il est des moments où j'ai honte d'être catholique et où je préférerais être juif comme toi ! tonna Perreault en faisant rageusement claquer la portière.

— Mon cousin a disparu et j'ai été congédié, lui apprit Pierre, consterné.

Dès qu'il eut pris place sur la banquette, Pierre déroula la note toute chiffonnée que lui avait remise Edmond Boutin. Il y reconnut l'écriture de son cousin, qui semblait l'avoir griffonnée à la hâte.

N.-D., 5 h, 2e confessionnal à droite. SEUL !
A.

Aussi perplexe qu'inquiet de l'état de son cousin, il la montra à Perreault et Wolofsky.

— Je sais que j'ai dit qu'il ne fallait pas sauter aux conclusions, admit Barthélémy lorsqu'il eut pris connaissance du message, mais je n'aime pas ce que je lis. On ne donne pas de rendez-vous secrets sans avoir très peur de quelque chose. Et comme ton cousin semble avoir fui le séminaire en pleine nuit, ça commence à faire beaucoup de choses étranges à ignorer. Il faut avertir Demers immédiatement.

— Passons d'abord rue Saint-Paul. Je dois voir mon père.

— Ce serait plus prudent de…

— Barthélémy ! explosa Pierre. Tous ceux que j'aime disparaissent autour de moi ! Ma fiancée, ses parents, et maintenant mon cousin ! Je dois m'assurer que mon père est en sécurité ! Ça ne prendra pas vingt minutes.

Perreault consulta Wolofsky du regard et ce dernier acquiesça du chef. Il sortit la tête par la fenêtre.

— Cocher, chez Moreau & Moreau, rue Saint-Paul, ordonna-t-il. Et en vitesse !

— Bien, m'sieur ! dit l'homme avant de faire claquer ses rênes.

Lorsque la voiture se mit en marche sur les pavés, Pierre relut la note d'Adrien. Ses mains furent prises d'un tremblement incontrôlable qui se répandit dans ses bras, puis à tout son corps.

Ensuite seulement, vinrent les sanglots. Et le bras de Solomon qui lui entoura l'épaule.

33

Troyes, France, 15 février 1628

Le garçon dominait de son mieux la peur qui s'était insinuée en lui comme un parasite et qui menaçait de le paralyser. Il ne voulait pas faire honte à son père, seigneur de Chavannes et de Neuville, qui l'avait tiré du lit au milieu de la nuit, l'air austère et tendu, pour lui intimer de se vêtir et de le suivre. Pendant qu'ils chevauchaient dans les rues de Troyes, il s'était enfermé dans un mutisme qui ne lui ressemblait pas, lui qui était d'ordinaire avenant et enjoué. Paul avait eu beau lui demander des explications, il n'en avait reçu aucune.

— Tu sauras bientôt, avait sèchement déclaré son père avant de se taire pour le reste de la route.

Ils chevauchèrent jusqu'à l'orée de la ville et s'arrêtèrent devant le château de l'Isle Aumont. Construit jadis par le comte Hugues 1er, celui-là même auquel on attribuait la création de l'ordre du Temple, le bâtiment était passé dans le domaine royal lors du mariage de la comtesse Jeanne et de Philippe IV le Bel, roi de France, en 1284. Dans la région, on grommelait encore que cette union avait fait partie d'une vaste conspiration visant à affaiblir les Templiers, qui s'était conclue trente ans plus tard avec leur terrible destruction. Après tout, c'était en Champagne que l'ordre avait ses racines. Le comte Hugues avait installé son propre cousin, Hugues de Payens, comme premier maître de l'ordre. Plusieurs de ses neuf fondateurs et plus d'un *magister* du Temple en étaient natifs. Les Templiers y avaient reçu leur règle monastique des mains du cardinal d'Albano, légat du pape Honorius II. Les propriétés de l'ordre y avaient été parmi les plus importantes et les plus riches de la chrétienté.

Ils descendirent de cheval et frappèrent. Un inconnu les laissa entrer. Ils suivirent les couloirs sombres et déserts jusqu'à la chapelle où le comte Hugues avait jadis prié. À leur approche, la porte s'ouvrit comme par magie et ils entrèrent, son père à sa droite lui tenant fermement le bras. Le long des murs, des candélabres diffusaient une faible lumière. Dans la pénombre, Paul fut saisi d'appréhension en constatant que les banquettes latérales étaient remplies d'hommes vêtus de manteau blanc et de cagoule. La tête penchée, les yeux rivés sur le plancher de pierre, ils partageaient la même attitude de recueillement. Aucun ne bougea lorsqu'ils traversèrent la pièce pour se diriger vers le chœur et s'arrêter à quelques pas d'un autel rectangulaire drapé de blanc qu'on avait érigé au pied des marches.

Ils restèrent longtemps plantés là. Un lourd silence régnait dans la chapelle, on n'entendait que le bruit des respirations et des toussotements.

— Mes frères, s'exclama son père d'une voix puissante, je fais comparaître devant vous mon fils Paul, héritier des seigneuries de Chavannes et de Neuville, qui a atteint ses seize ans et qui, conformément à nos usages, doit être initié aux mystères sacrés de la Vengeance ! À vous de juger s'il en est digne. Je place sa vie entre vos mains.

Un long silence accueillit cette tirade. Puis un homme, qui était assis sur un magnifique fauteuil ouvragé dans le chœur, se leva et s'avança lentement jusqu'en haut des marches qui menaient vers la plancher de la chapelle. Les mains croisées sous son manteau, qui portait une croix pattée à la hauteur de l'épaule gauche, il examina longuement Paul et son père. Même si son visage était caché, tout dans son attitude dénotait une grande sévérité et le garçon en éprouva une profonde appréhension.

— Je reconnais la légitimité de ta requête, frère Louis, dit-il d'une voix profonde semblant provenir d'outre-tombe. Est-il ton premier-né?

— Il l'est, répondit le père de Paul.

— Son sang est-il pur?

— Dans ses veines coule le sang de ceux qui ont survécu à l'injustice et qui ont consacré la vie qui leur avait été conservée à protéger l'*Argumentum*.

— Puisque tu te portes garant de sa qualité, mon frère, conduis-le à l'autel pour qu'il s'y agenouille.

En proie à une anxiété croissante qui menaçait de se muer en panique, Paul s'était retourné vers son père, une interrogation dans les yeux.

— Fais ce qu'on t'ordonne, fils, avait-il murmuré entre ses dents. Tu n'as pas de choix en cette matière. Bientôt, tu comprendras.

Paul sentit la peur mal contenue dans la voix de son père. Obéissant, il s'avança néanmoins jusqu'à l'autel, puis s'agenouilla. L'homme descendit les marches du chœur pour venir le rejoindre et le toisa un moment. Le garçon entrevit brièvement sous sa capuche un nez long et des lèvres minces. Puis il l'interpella de cette voix d'outre-tombe qui glaçait le sang.

— Paul, fils aîné du sieur Louis de Chomedey, seigneur de Chavannes et de Neuville, et de dame Marie de Thomelin, tu te présentes aujourd'hui devant tes pairs, ayant atteint l'âge de raison, pour apprendre qui tu es vraiment et pour nous permettre de décider si tu es digne de tenir le flambeau dont la lumière jaillira un jour pour éclairer le mensonge et la trahison!

— Vengeance! s'écrièrent tous ceux qui étaient là, leurs voix se répercutant sur les arches de la voûte. *Non nobis, Domine, non nobis, sed nomini, tuo da gloriam!*

Le maître entreprit alors un long récit qui plongea rapidement Paul dans un état de complète fascination. Selon celui-ci, les Templiers avaient été injustement accusés, jadis, par le pape Clément V qui désirait s'approprier le grand secret qu'ils avaient pourtant préservé pour protéger l'Église. Par cupidité, le roi Philippe IV s'était emparé d'une partie de leurs richesses. Pour sa loyauté et sa fidélité, l'ordre avait été payé avec la honte et l'ignominie. Son honneur et son souvenir avaient été souillés. Aussi, depuis le *dies terribilis* du 13 octobre 1307, les descendants de ces malheureux se vouaient-ils tout entiers à la Vengeance qui serait un jour exercée contre l'Église. Ils protégeaient l'*Argumentum*, le secret qui en serait la pierre angulaire, et attendaient patiemment que les conditions propices soient réunies pour le révéler au monde. Chaque lignée descendant d'un des Templiers qui avait échappé au massacre y consacrait son premier-né, qui était accueilli au sein de l'*Opus Magnum*, créé par Jacques de Molay lui-même, le jour de ses seize ans. S'il refusait le fardeau, il était sacrifié sans pitié et l'honneur passait à son cadet. Cette allégeance ne relevait pas d'un choix personnel. Il s'agissait d'une donation dont les formes avaient été fixées par le dernier *magister* du Temple avant son martyre.

Captivé comme un enfant auquel on raconte une histoire de chevaliers avant de dormir, Paul buvait les paroles du maître. Il était descendant de Templier, lui, petit noble de Champagne… Sa vie venait de prendre un sens qu'il n'aurait jamais imaginé même dans ses rêves les plus fous.

Puis le maître lui révéla la nature de ce que les Templiers avaient protégé au prix de leur vie. Paul fut d'abord sceptique. Il se retourna vers son père, qui était demeuré en retrait sur sa droite, et le vit hocher gravement la tête pour confirmer la véracité de ce qu'il venait d'entendre. Dès lors, le sol se déroba sous lui. Tout ce qu'il avait appris, tout ce en quoi il avait cru, s'effondrait. Dieu lui-même l'abandonnait. Ayant sans doute vécu jadis le même désarroi, son père lui posa une main rassurante sur l'épaule et la serra comme si ce geste pouvait lui insuffler du courage.

Une silhouette se déplaça dans le chœur de la chapelle et descendit à son tour les marches en portant un plateau qu'il posa solennellement sur l'autel. Puis il se posta en retrait à la gauche du maître. Seule la pression accrue et rassurante de la main paternelle sur son épaule permit à Paul de maîtriser le haut-le-cœur qui montait dans sa gorge. L'homme avait disposé devant lui deux crânes humains calcinés, enchâssés dans une splendide base en or qui leur donnait des airs de calices sacrilèges.

Le maître tendit la main et l'autre homme y déposa un poignard à lame recourbée que Paul reconnut comme une arme de Sarrasin.

— Tu as appris qui tu es, jeune Paul, déclara le maître. Acceptes-tu d'accueillir l'*Opus Magnum* dans ta vie?

Derrière lui, il sentit que son père retenait son souffle. Mais il n'avait pas à douter.

— Je... Je l'accepte, répondit le garçon, émerveillé.

— Alors, offre tes mains, paumes vers le haut.

Paul obéit. Sa dextre fut solidement empoignée et, avant qu'il ne comprenne ce qui se passait, le maître avait entaillé le gras du pouce deux plaies assez profondes qui formaient un angle droit et qui se mirent aussitôt à saigner. Malgré lui, le garçon émit un sifflement de douleur. Puis sa main gauche subit le même sort.

Le maître prit sa dextre et sa senestre, les retourna et les appliqua sur les deux crânes. Aussitôt, le sang frais se mit à y couler en lents ruisselets.

— Répands le noble sang templier qui coule dans tes veines sur les restes de Jacques de Molay et de Geoffroy de Charnay, qui ont souffert pour que la Vengeance vienne. La rage au cœur, prononce le serment solennel de l'*Opus Magnum*.

L'homme dicta les paroles que Paul répéta une à une, tétanisé par leurs terribles implications.

— Moi, Paul de Chomedey, fils et descendant de Templier, ayant atteint l'âge de raison, je jure, de mon plein consentement et en toute connaissance de cause, sur la tête des deux frères torturés injustement, que dès à présent et pour toujours, je consacrerai ma vie entière à protéger l'*Argumentum* et à préparer la Vengeance. Je m'engage à obéir en tout aux ordres de l'*Opus Magnum*. Je déclare que, le moment venu, ma main sera sûre et que je frapperai le pape et son Église de toute ma force ; que je ne trahirai pas le secret qui m'a été confié, fût-ce pour sauver ma vie ou celle des miens ; que j'ai conscience que si je le faisais, ceux que j'ai voulu protéger paieraient de leur vie.

Lorsque le serment fut complété, Paul fut relevé. Ses mains ensanglantées furent nettoyées et pansées.

— Frère Paul, puisque tu as prêté le serment et que tu es désormais voué à la Vengeance, sache que notre mot de passe est *Nekam* et que sa réponse est *Kadosh*. Tu ne dois jamais discuter des affaires de l'*Opus*, ni entrer là où se réunissent ses membres avant de les avoir échangés.

Le maître fit un léger signe de la tête. Deux hommes encagoulés se levèrent et quittèrent la chapelle. Après quelques instants, une voix pleine de rage retentit de l'autre côté de l'épaisse porte, qui s'ouvrit avec fracas. Paul se retourna.

On traînait de force un homme en soutane, aux poignets attachés derrière le dos, qui se débattait férocement en les abreuvant d'insultes fort peu chrétiennes. Il fut durement jeté aux pieds du maître, qui le saisit par les cheveux pour le mettre à genoux. Avant que l'inconnu ne puisse proférer un autre mot, il fut frappé violemment au front avec le pommeau de la dague. Étourdi, il resta coi.

— Cet homme est prêtre, expliqua le maître à Paul avec un calme parfait. Il appartient aussi au *Gladius Dei*, le Glaive de Dieu, un ordre créé par le pape Clément V après que les Templiers eurent emporté avec eux le secret auquel il tenait tant. Sa mission est de retrouver l'*Argumentum* et de le détruire. Nous sommes opposés comme le sont le Bien et le Mal, la Lumière et les Ténèbres, Dieu et Satan. Nous ne pouvons coexister. Aussi réservons-nous aux membres du *Gladius* le sort qu'ils méritent et les marquons-nous du signe qu'ils reconnaissent entre tous.

Sans prévenir, le maître appuya la lame sur la gorge de son prisonnier et, d'un coup sec, l'ouvrit. Le sang chaud gicla en un jet continu sur l'autel et macula le sol. Paul eut un mouvement de recul instinctif. Il n'avait encore jamais vu un homme mourir.

Les deux hommes qui avaient amené le prêtre dans la chapelle le soutinrent sous les aisselles pendant que la vie s'écoulait de lui par pulsations de plus en plus lentes. Paul avait vu des cochons égorgés sur le domaine familial et fut étonné de constater la similitude entre les deux. Lorsque la victime fut inerte, ils la firent pivoter sur elle-même.

Sous le regard à la fois horrifié et envoûté du garçon, le maître enfonça le poignard dans la nuque du mort. Un craquement sinistre indiqua que deux vertèbres s'étaient séparées. Puis il poussa sur la poignée et la lame effilée trancha la chair sur le côté droit du cou. Il en fit autant de l'autre côté, détachant la tête avec l'habileté d'un boucher, pour la déposer sur l'autel dans un clapotis écœurant.

— Je vais maintenant te révéler le signe par lequel nous nous manifestons à nos ennemis, déclara le maître.

Tenant la tête par les cheveux, il enfonça la pointe du poignard dans la peau du front et y traça quatre droites entrecroisées.

— Ce signe se compose des deux angles de quatre-vingt-dix degrés que nous portons tous. Leur opposition symbolise Dieu dans sa totalité, soit le mâle qui tend vers le haut, et la femelle qui l'accueille en elle, déclara-t-il à Paul. Ces deux contraires forment El, le dieu d'Abraham. Par ce signe, nous rappelons à nos ennemis que nous veillons sans relâche. C'est aussi par ce signe que nous nous reconnaissons entre nous, car il ne devient complet que lorsque s'unissent les mains de deux frères de la Vengeance.

Il fit un signe de la tête et les deux hommes tirèrent le corps décapité vers l'extérieur, laissant derrière eux une dégoûtante traînée de sang, tandis qu'un autre emportait la tête.

— La tête sera déposée dans un endroit où nos ennemis ne pourront manquer de la voir, expliqua le maître. Ainsi, notre message sera bien reçu.

La porte de la chapelle se referma et le maître invita Paul à prendre place sur une banquette avec son père.

— Et maintenant, Paul de Chomedey, dit-il, voici la mission que l'*Opus Magnum* te confie.

Lorsque le maître eut terminé, Paul sut que sa vie ne serait jamais celle qu'il avait imaginée.

34

Montréal, 2 mai 1886

LE FIACRE DÉVALA LES RUES aussi vite que le permettaient la circulation de midi et les piétons qui traversaient n'importe comment. À l'intérieur, le silence était lourd, ni Perreault ni Wolofsky n'osant prononcer un mot par respect pour l'angoisse de leur ami. Replié très loin en lui-même, Pierre laissait distraitement son regard errer par la fenêtre de la portière en se mordillant nerveusement les lèvres, abasourdi par tout ce qui lui était arrivé en si peu de temps.

Perreault l'observait discrètement, la commisération se lisant sur son visage. Il se disait que le pauvre garçon était encore bien jeune pour avoir vu la mort dans toute son horreur, deux fois plutôt qu'une. Comme si cela ne suffisait pas, en un clin d'œil, il avait perdu sa fiancée, sa situation et maintenant, peut-être, le cousin qui lui était si cher. C'était beaucoup, même pour un homme endurci et, si Solomon et lui ne lui apportaient pas tout le soutien dont ils étaient capables, il craignait fort que Pierre s'effondre en pièces trop nombreuses pour être recollées.

Il adressa un regard chargé d'appréhension à Solomon qui était assis à côté de l'infortuné et trouva le faciès perpétuellement réjoui soudain triste et compatissant. Les yeux rieurs avaient perdu leur éclat et semblaient tristes. Au travers de sa grosse barbe, sa bouche faisait une moue dépitée. Il exprima son sentiment d'impuissance par un de ces haussements d'épaules fatalistes dont il avait le secret.

— Béni soit El-Schaddaï, qui, comme il l'a fait à ce pauvre Job, ne nous envoie que les épreuves que nous pouvons endurer.

Sa supplique fut accueillie de façon glaciale et il se tut. Sherbrooke, McGill College et Dorchester défilèrent à bonne vitesse sans que Pierre leur accorde la moindre attention. Une étrange tristesse se mêlait à l'immense lassitude qui l'habitait et le paralysait presque. Incrédule et entièrement dépassé, il se remémorait les événements qui s'étaient succédé à un rythme délirant. S'il fallait que son père… Il secoua la tête. Il n'osait pas envisager cette possibilité. Fréquentant peu Hubert Moreau, il ne parvenait même pas à se rappeler de la dernière fois qu'il avait mis les pieds dans la boutique familiale. Deux ans ? Sans doute, et peut-être même davantage.

En apercevant la basilique Notre-Dame et ses deux hautes tours carrées devant la place d'Armes, il sentit son cœur se serrer encore davantage en songeant que, le soir même, il allait y retrouver Adrien, qui avait si peur de quelque chose qu'il lui avait fixé un rendez-vous secret. Au passage, Pierre jeta un coup d'œil au temple maçonnique avec des sentiments partagés. Toute cette folle histoire n'avait-elle pas débuté après qu'il en eut, de son plein gré, franchi le seuil ? En devenant maçon, il n'avait pas rejeté la foi catholique, loin de là. Mais il avait bel et bien joint une organisation hostile à la sainte Église et il devait se faire violence pour ne pas croire que tout ce qu'il subissait depuis était une vengeance divine.

Car il n'y avait maintenant plus de doute possible : tous ces événements étaient liés à la franc-maçonnerie. Trois meurtres perpétrés dans des formes maçonniques. Le premier et le vingt-neuvième degré illustrés dans le sang. La photographie qui lui avait coûté son poste ne pouvait avoir été fournie au supérieur du collège que par quelqu'un de mal intentionné. Une seule conclusion était possible : un des « frères » de la loge Les Cœurs réunis n'était pas ce qu'il prétendait être et avait décidé de noircir encore davantage la réputation de l'ordre. Mais pourquoi s'acharnait-il spécifiquement sur Pierre Moreau, qui venait à peine d'être admis et qui n'y connaissait absolument rien ? Quel danger représentait-il pour qu'on le tourmente ainsi ? Qu'avait-il fait pour mériter que sa vie s'effondre autour de lui, comme un édifice aux fondations fragiles qui cède au premier tremblement ?

Sentant sans doute son tourment, Solomon posa la main sur l'avant-bras de Pierre et le tapota avec affection. Le juif hésita, cherchant manifestement quelque chose à dire pour lui remonter le moral.

— Allons, Pierre, finit-il par lâcher, il ne sert à rien de te morfondre comme ça. De toute façon, Yahvé en fait toujours à sa tête. Je le sais : ça fait plus de deux mille ans qu'il tourmente mon peuple. Et qu'est-ce que nous avons fait pour mériter ça ? Ben… Lui seul le sait. Parfois, il nous aime, parfois notre tête ne lui revient pas. Une nuée de sauterelles par ici, une petite tempête par là, une peste ou quelque déluge, et il se sent mieux après. Il est comme ça, Yahvé. Si tu étais un juif, tu comprendrais. Mais tu es un gentil, alors… Eh ! fit-il avec son petit haussement d'épaules fataliste.

— Merci, Solomon, soupira Pierre. Tu as vraiment un don pour remonter le moral.

Exaspéré, il roula des yeux avant de reporter son attention à la fenêtre. La voiture poursuivit sa route, laissant derrière elle la basilique et le temple se faire face comme deux adversaires massifs et silencieux, et s'engagea dans Saint-Sulpice, puis tourna enfin à gauche dans Saint-Paul.

La tension monta d'un cran alors que les boutiques et les entrepôts défilaient. Quand le marché Bonsecours fut en vue sur leur droite, avec ses étals remplis de marchandises disposés çà et là devant la façade du bâtiment surmonté d'une magnifique coupole cuivrée, le véhicule ralentit enfin. Les trois hommes en sortirent aussitôt au son de la criée des marchands qui tentaient d'attirer les clients. Perreault paya le cocher.

— Merci, et gardez la monnaie, mon brave, lui dit ce dernier. Ne nous attendez plus. Nous marcherons.

La réputée boutique des frères Hubert et Xavier Moreau se trouvait au rez-de-chaussée d'une bâtisse en granite gris, de l'autre côté de la rue, de biais au marché. Avec sa devanture protégée par un auvent sobre et des rideaux de dentelle fine aux fenêtres, l'endroit dégageait une impression de luxe et de raffinement à la hauteur des marchandises qu'il proposait à sa clientèle fortunée. De là où ils se tenaient, ils pouvaient aisément apercevoir le lettrage doré des vitrines: «Moreau & Moreau, importateurs de vins fins et spiritueux, 1859».

Soudain pris de frénésie, Pierre se précipita à la course dans la rue, sans attendre ses compagnons. Il faillit être écrasé par une charrette remplie de tonneaux, dont le conducteur l'évita de justesse.

— Regarde où tu vas, pauvre d'esprit! l'apostropha le charretier en agitant le poing, avant de poursuivre son chemin en jurant avec une étonnante créativité.

Indifférent aux épithètes dont on l'affublait, Pierre ne quitta pas la boutique des yeux. Dès que la voie fut libre, il repartit de plus belle.

Toujours de l'autre côté de la rue, ses compagnons le virent se figer devant la porte et ses épaules s'affaisser. Le grand avocat et le petit marchand juif échangèrent un regard alarmé avant de s'empresser de le rejoindre.

— Qu'est-ce qui se passe? l'interrogea Perreault, une fois à ses côtés.

Pierre tourna lentement la tête vers lui avec, sur le visage, l'air ahuri que devait avoir un analphabète en feuilletant *Guerre et paix* de Tolstoï.

— Vois toi-même, répondit-il d'une voix éteinte en désignant les vitrines.

Tracassé, Perreault posa la tranche de ses mains contre la vitre pour couper la lumière et regarda à l'intérieur. Solomon l'imita.

— *Ben zona*[1] ! lâcha le petit marchand, stupéfait, en constatant l'état des lieux.

La boutique était complètement vide. Les tablettes qui couvraient les murs du plancher au plafond, le comptoir qui occupait tout le mur du fond, les présentoirs au milieu de la pièce, tout avait été emporté. Sur le plancher de bois, le contour des meubles enlevés était encore visible dans la poussière.

— Vous perdez votre temps, dit une voix derrière eux avant qu'ils ne puissent échanger la moindre remarque.

Ils se retournèrent tous les trois pour découvrir un ouvrier court et trapu, en bleu de travail. Le crâne dégarni, la casquette remontée vers l'arrière du crâne, une barbe de trois jours couvrant sa mâchoire carrée d'un ombrage foncé, il les toisait avec amusement, les mains sur les hanches.

— La boutique est fermée, expliqua-t-il. Dommage, Moreau & Moreau avait la meilleure sélection de gros gin dans tout Montréal. Importé d'Angleterre, à part ça.

— De... depuis quand ? balbutia Pierre.

— Quand ? Oh... réfléchit l'homme avec une moue pensive. Pfffff... Je ne sais pas exactement... Je dirais, euh, un peu moins de trois semaines ? Ouais, autour de ça.

L'homme toucha le bord de sa casquette.

— Bon, ben à la revoyure, messieurs.

L'homme poursuivit son chemin. Sidéré, Pierre dévisagea ses compagnons.

— Quoi ? s'écria Solomon.

— Presque trois semaines, répondit Pierre en ravalant sa salive. C'est à peu près le moment où j'ai visité mon père.

Il tendit le bras pour arrêter la première voiture qu'il vit.

— Rue Saint-Denis ! s'écria-t-il à l'intention du cocher tandis que ses compagnons s'engouffraient à l'intérieur. Vite !

1. Fils de pute, en hébreu.

Une trentaine de minutes plus tard, ils se tenaient tous les trois dans le hall de la maison où Pierre avait grandi. Sauf qu'elle était vide, elle aussi. De plus de vingt ans d'occupation, il ne restait que des traces dans la poussière du plancher. Les tentures, les rideaux, les meubles, les tapis, tout avait été emporté. Seul le papier peint, sur lequel des zones plus pâles indiquaient où des tableaux et des cadres avaient été accrochés, permettait de croire qu'elle avait jamais été habitée. Dans la cuisine, les tablettes étaient dénudées de vaisselle, de verrerie et de chaudrons, les armoires avaient été laissées ouvertes, trahissant le fait que leur contenu avait été emporté à la hâte.

Avec Perreault tenant sa canne bien serrée, prêt à frapper, ils visitèrent une à une toutes les pièces. Pierre avançait sur des jambes raides, tel un automate, à la recherche d'une note semblable à celle qu'on avait laissée sur le lit de Julie, mais n'en trouva aucune. Même sa chambre de petit garçon avait été complètement aseptisée. Il ne restait plus rien de son passé. C'était comme si Pierre Moreau n'avait jamais existé.

— Une chose est certaine, ton père semble avoir été pressé de tout enlever, remarqua Wolofsky en se frottant la barbe avec méfiance.

— Ou alors, quelqu'un d'autre était très impatient de faire disparaître toute trace de ton père, renchérit Perreault.

Pierre haussa les épaules avec lassitude. Dans un cas comme dans l'autre, le résultat était le même : la maison était mystérieusement déserte. Soit son père avait décidé de déménager comme un voleur et, dans ce cas, Pierre ne pouvait comprendre pourquoi, en dépit de leurs relations distantes, il n'en avait pas été averti. Soit son père avait été enlevé et sa maison avait été entièrement vidée. Mais pourquoi kidnapper Hubert Moreau ? Pourquoi, surtout, effacer toute trace de lui ? Cela n'avait aucun sens.

Désemparé, les bras ballants, il resta planté dans l'embrasure de la porte de son ancienne chambre, son esprit fatigué tentant de donner un sens à l'incompréhensible.

— Viens, mon pauvre ami, lui conseilla Solomon en lui entourant les épaules de son bras. Il ne sert à rien de rester ici.

Ils redescendirent sans rien dire. Lorsqu'ils furent sur la galerie, Pierre verrouilla la porte avec la clé qu'il avait utilisée pour entrer, en se demandant pourquoi diable il prenait cette peine.

Un coup d'œil jeté par acquit de conscience lui confirma ce qu'il savait déjà: la maison de l'oncle Xavier, mitoyenne avec celle ce son père, était vide elle aussi. Les frères Moreau, hommes d'affaires bien connus et respectés, s'étaient évanouis dans la nature.

35

Après un autre déplacement imprégné de malaise dans les rues de Montréal, Solomon et Pierre s'étaient attablés au bar du temple maçonnique. Même si une photographie confidentielle en était récemment sortie pour coûter sa carrière au jeune professeur, l'endroit, à proximité immédiate de la basilique Notre-Dame, paraissait plus approprié pour attendre discrètement l'heure fixée par Adrien. Avec tout ce qui s'était produit en si peu de temps, il était hors de question de rester à découvert sur un banc de la place d'Armes, où n'importe qui pouvait les observer à la dérobée.

Perreault s'était porté volontaire pour aller chercher Maurice Demers afin qu'il soit mis au courant des récents développements. En attendant son retour, Pierre, encore profondément secoué par le nouveau choc qu'il venait d'encaisser, avait fait cul sec de son premier scotch – un double – pour en commander aussitôt un deuxième. La chaleur de l'alcool calma un peu ses nerfs à vif, même si ses mains continuaient à trembler. Il ne rompit pratiquement pas son silence, que Solomon respecta, se contentant de lui offrir une présence humaine compréhensive et amicale tout en sirotant son propre verre.

Ils attendaient depuis plus de deux heures et l'inquiétude commençait à les gagner lorsque Barthélémy revint enfin avec Demers. Essoufflé, le col déboutonné, la cravate relâchée et les mèches dépeignées, l'avocat était à des lieues du dandy élégant de la veille. L'inspecteur, lui, paraissait toujours parfaitement maître de lui-même et ne démontrait aucune émotion, sinon le pli entre les sourcils qui trahissait sa préoccupation. Les deux s'assirent et, pendant qu'étaient expédiées les salutations d'usage, Perreault commanda une tournée pour tout le monde et deux verres pour lui-même. Il avala le premier d'un seul trait, soupira, les yeux fermés, et sembla revivre un peu.

— Désolé pour le délai. Après avoir pris Maurice, j'ai eu l'idée de faire un petit détour par le palais de justice, expliqua-t-il. Je voulais vérifier les titres de propriété des maisons de ton père et de ton oncle.

— Et ? fit Pierre, anxieux.

Perreault prit une gorgée avec davantage de modération puis se frotta le bas du visage avec sa main, l'air de chercher par où commencer.

— Eh bien, il s'avère que la maison de ton enfance n'a jamais appartenu à Hubert Moreau, reprit-il. Le propriétaire désigné sur le contrat d'achat est une compagnie qui, après vérification, n'existe que sur papier, dont l'adresse est fausse et qui a payé comptant lors de l'achat, en septembre 1866. Je ne te surprendrai pas beaucoup en ajoutant que la situation est pareille pour la maison mitoyenne, qui a été acquise au même moment par la même compagnie fantôme.

Il avala une nouvelle gorgée et laissa son regard errer à la surface du liquide ambré.

— Il y a plus…

Autour de la table, tous s'avancèrent imperceptiblement, suspendus aux lèvres de Perreault.

— L'édifice qui abrite la boutique de ton père et ton oncle appartient aussi à cette compagnie. Quant à la société d'importation Moreau & Moreau, importateurs de vins fins et spiritueux, elle n'est pas la propriété d'Hubert et de Xavier Moreau. Je te le donne en mille…

— La compagnie fantôme, compléta Pierre, atterré.

— Exactement.

Perreault, troublé, avala une autre gorgée pendant qu'un lourd silence enveloppa les quatre hommes.

— Alors… Ça… Ça veut dire que… balbutia Pierre en adressant un regard désemparé au policier, recherchant désespérément quelqu'un qui pût donner un sens à tout cela.

— Il appert que, depuis des années, ton père a mené une double vie, confirma Demers.

Le haussement d'épaules et la grimace du professeur d'histoire trahirent mieux que les mots son sentiment d'impuissance et de découragement. Il avait l'air d'un homme qui abandonnait, qui lâchait prise devant un destin trop cruel et trop puissant pour qu'il puisse lui résister.

Comprenant la question qui brûlait les lèvres de Pierre sans qu'il arrive à la formuler, l'inspecteur lui donna la seule réponse qu'il pouvait imaginer.

— Actuellement, Dieu seul connaît la cause de ces cachotteries et le diable s'en doute, continua-t-il, mais elles ont forcément quelque chose à voir avec tout ce qui se produit autour de toi. Si je m'écoutais, je commencerais à croire que tu te trouves au beau milieu d'un complot.

— Moi, j'ai commencé depuis un moment déjà, figure-toi, ricana Pierre avec cynisme.

Demers tira un calepin de la poche intérieure de son veston, tourna les pages couvertes d'une écriture fine jusqu'à en atteindre une vierge, puis il consulta sa montre.

— Barthélémy m'a raconté en gros ce qui s'était produit depuis que nous nous sommes quittés ce matin. Si j'ai bien compris, ton cousin t'a donné rendez-vous à cinq heures. Cela nous laisse une bonne heure. J'aimerais que tu reprennes ton histoire depuis le début, question d'y voir clair.

L'inspecteur mouilla la pointe de son crayon avec sa langue, prêt à noter. Pierre s'extirpa de son abattement et résuma la succession d'événements que lui et ses deux compagnons avaient vécus au cours des dernières heures : l'accueil que lui avait réservé le supérieur du collège et son congédiement brutal ; la photographie compromettante que le prêtre haineux avait triomphalement brandie et qui ne pouvait lui avoir été fournie que par un membre de la loge Les Cœurs réunis ; enfin, le message laissé par Adrien à Edmond Boutin et le rendez-vous fixé, le jour même, à cinq heures, dans la basilique.

— Tu l'as encore avec toi ?

Pierre fouilla dans la poche et tendit la note au policier. Demers la lut attentivement, en examina le recto et le verso, et l'observa même contre la lumière de la fenêtre.

— C'est bien l'écriture de ton cousin ? voulut-il s'assurer.

— Oui.

— Aucun doute ?

— Aucun.

Pierre poursuivit, bien que Demers la connût déjà la suite du récit : la boutique et la maison de son père, trouvées dépouillées de tout contenu. À plusieurs reprises, le policier l'interrompit pour lui faire préciser un détail, sans jamais cesser de noircir calmement les pages de son calepin. En cours de route, Pierre vida son second verre et allait tendre le bras pour en commander un troisième lorsque Solomon l'interrompit.

— Je comprends que tu aies les nerfs à fleur de peau, mon frère, dit-il avec compassion, mais te soûler n'aidera personne à y voir clair. Si tu veux revoir ta fiancée vivante, tu dois garder ta tête. Eh ! Tu pourras toujours célébrer après, lorsque tu la tiendras dans tes bras.

— Un café ! ordonna Perreault au serveur. Noir et bien fort !

— Barthélémy m'a dit que tu voyais un lien entre la disparition soudaine de ton père et une visite que tu lui as faite récemment ? insista Demers.

Le café arriva et, alors que le serveur se retirait, Pierre en prit une gorgée. La chaleur lui arracha une grimace.

— Eh bien, le 16 avril dernier, expliqua-t-il une fois de plus, je me suis rendu au presbytère de la paroisse Notre-Dame-de-Grâce pour voir le curé. J'avais besoin de mon acte de baptême pour faire publier les bans de mon mariage avec Julie. Ce n'était qu'une formalité, mais il a eu beau chercher, il n'a jamais trouvé mon nom dans le registre. Comme mon père m'avait toujours dit que j'avais été baptisé dans cette paroisse, la chose m'a un peu dérouté.

— Hum… Le père n'existe pas, et voilà maintenant que le fils non plus, remarqua l'inspecteur en notant dans son calepin.

— Le même soir, je me suis rendu chez mon père pour voir s'il y comprenait quelque chose.

— Qu'a-t-il dit ?

— De ne pas m'en faire, qu'il y avait certainement une erreur. Il m'a conseillé d'y retourner et d'insister.

— Quelle était son attitude ? As-tu senti quelque chose d'inhabituel ?

Pierre reprit du café et reposa sèchement sa tasse dans la soucoupe, préoccupé.

— En fait, maintenant que j'y repense, dit-il, perplexe, il m'a paru pris de court. Pendant un instant, je jurerais qu'il a pâli. Je me souviens même de lui avoir demandé s'il se sentait mal. C'était comme si j'étais tombé par inadvertance sur quelque honteux secret de famille. L'impression n'a duré qu'un instant et je n'y ai pas repensé depuis. Or, selon ce que nous a appris un passant tantôt, la boutique aurait subitement fermé ses portes dans les heures ou les jours qui ont suivi ma visite. C'est d'autant plus surprenant que, aussi loin que je me rappelle, Moreau & Moreau a toujours été l'unique gagne-pain de mon père et de mon oncle. Qu'ils l'abandonnent de cette façon est tout simplement inconcevable.

L'inspecteur déposa son crayon et son calepin, puis se mit à faire tourner distraitement le cube de glace qui flottait dans le scotch.

— À moins qu'ils n'en aient jamais eu besoin, affirma-t-il en avalant pensivement une gorgée.

Pierre laissa échapper un long soupir de lassitude et se frotta énergiquement le visage à deux mains.

— Bon Dieu de bon Dieu de bon Dieu, je suis en train de perdre l'esprit, gémit-il à travers ses doigts.

Il s'accouda sur la table, ses deux mains encerclant sa tasse.

— Voilà quelques jours, j'étais Pierre Moreau, fils d'Hubert Moreau, importateur de vins et spiritueux respectable et respecté. J'enseignais l'histoire au Collège de Montréal et je fréquentais Julie Fontaine, fille du notaire et de madame Émile Fontaine. Tout était simple et j'étais tout à fait heureux. Comblé, même. Mon avenir s'annonçait bien. Et voilà que mon père semble n'avoir jamais été celui que je croyais, ni mon oncle, d'ailleurs ; que j'ai été congédié ; que Julie a été enlevée et que ses parents ont été décapités ! Merde, réveillez-moi, quelqu'un !

— Pense à ce pauvre Job, que Yahvé a éprouvé jusqu'à la limite de ses forces pour un simple pari avec Satan, dit Solomon, inconfortable. Il a perdu ses biens, ses enfants et même sa santé ! La lèpre l'a couvert de plaies des pieds à la tête. Il…

Demers et Barthélémy lui firent les gros yeux.

— Il… euh… C'est… euh… bien pire que… euh…

— « Oh ! S'il était possible de peser ma douleur, et si toutes mes calamités étaient sur la balance, elles seraient plus pesantes que le sable de la mer[1]. » Tu ne trouves pas que ça commence à beaucoup me ressembler ? cracha Pierre, le venin sortant presque de sa bouche.

— Euh… Bon. Mon exemple était peut-être mal choisi… admit Solomon, piteux.

Pris d'une rage soudaine, née de son impuissance, de son anxiété et de sa fatigue, Pierre abattit son poing sur la table avec tant de force que les tasses se renversèrent, répandant le café. Il se leva d'un coup, saisit le dossier de sa chaise et se mit à la fracasser par terre, chaque coup en faisant voler des éclats, jusqu'à ce qu'il n'en reste plus que des débris.

— Foutus francs-maçons de mon cul ! hurla-t-il, les tendons saillant sous la peau de sa gorge, son visage s'empourprant à

1. *Job* 6,2-3.

mesure qu'il frappait. Tout ça est arrivé parce que je me suis retrouvé dans cette maudite cochonnerie de société secrète ! Le jésuite près de chez moi ! Monsieur et madame Fontaine ! Tous tués à la manière maçonnique, peu importe le degré. Et la photographie qui m'a coûté mon poste au collège ! Encore maçonnique ! Et ce maudit *Argumentum* ! Tout est maçonnique ! Tout ! Et que sont ceux qui m'aident ? Des francs-maçons !

Sachant que cette colère était thérapeutique, Solomon, Barthélémy et Demers se retinrent d'intervenir. Ils ne pouvaient qu'imaginer à quel point le jeune homme avait besoin d'évacuer la tension, l'incertitude et la peur qui s'étaient accumulées en lui. Lorsqu'il fut calmé, le serveur se matérialisa comme par magie avec un torchon pour essuyer la table puis y déposer deux nouvelles tasses pleines avant de placer une nouvelle chaise à la place de Pierre. Il s'éloigna avec la plus parfaite discrétion, emportant les morceaux de la chaise détruite.

Haletant et suant, Pierre se rassit, un peu honteux et incapable de regarder ses compagnons.

— Je m'excuse, marmonna-t-il.

— Crois-moi, mon frère, je comprends à quel point tu te sens impuissant, dit Demers d'un ton amical. Il n'y a pas pire sentiment que celui d'être à la merci des événements. Maintenant que tu te sens mieux, reprenons.

Il saisit son calepin et y dressa une liste dont il énuméra les éléments à mesure qu'il les écrivait.

— Le meurtre d'Émile et de sa femme, l'enlèvement de ta fiancée et la perte de ton poste au collège ont tous un lien avec la franc-maçonnerie, c'est vrai. Nous le savons depuis le début. De toute évidence, le meurtre du jésuite aussi, contrairement à ce qu'on a d'abord cru.

Il fit une pause pour lisser sa grosse moustache sans quitter son calepin des yeux. Puis il se remit à sa liste.

— Quant à la disparition de ton père et de son frère, au fait qu'ils semblaient n'être qu'une façade pour quelqu'un d'autre, et à la façon dont ton cousin a manifestement pris peur, pour l'instant, nous en sommes réduits à spéculer.

Il leva des yeux sérieux et posa un regard intense sur Pierre.

— Cela dit, je suis policier depuis presque vingt ans. Montréal n'est pas New York, Paris ou Londres, où le crime est chose courante, mais j'en ai quand même vu ma part durant ma carrière et si l'expérience m'a appris une seule chose, c'est que, plus souvent qu'autrement, tout ce qui arrive à la même personne dans un court laps de temps est relié. Si toute la famille Moreau s'évanouit spontanément en fumée, je ne serais pas surpris qu'il y ait un lien avec cet *Argumentum* mentionné dans la note des ravisseurs de mademoiselle Fontaine, puisqu'il semble être la motivation derrière tout ce qui se passe. Après tout, quelle que soit la nature de la chose, celui qui la réclame a prouvé qu'il n'hésitait ni à kidnapper, ni à mutiler, ni à tuer pour l'obtenir. Tu as eu le temps d'y repenser depuis hier soir ?

Pierre signifia son ignorance d'un mouvement de la tête et des épaules.

— Je ne sais même pas ce que c'est, répondit-il, dépité. Je n'avais jamais entendu ce mot avant que Barthélémy ne raconte votre cérémonie du vingt-neuvième degré. Je peux y penser autant que je voudrai, je n'arriverai à rien de plus.

— Peut-être en saurons-nous davantage bientôt. Si les ravisseurs y tiennent à ce point et que tu ne peux pas le leur remettre, ils vont devoir t'aider.

— M'aider ? Comment cela ?

— En t'informant sur sa nature. En te guidant vers lui. Ils n'ont aucun avantage à tuer ta fiancée sans obtenir ce qu'ils veulent.

L'inspecteur consulta sa montre de gousset.

— Il est quatre heures vingt. Nous devons nous préparer.

— Qu'as-tu en tête ? s'enquit Perreault.

— J'ai ordonné que trois hommes en civil me rejoignent. À cette heure, ils doivent attendre en bas. Ce sera la messe de cinq heures et ils entreront séparément pour prendre place parmi les fidèles. S'ils repèrent quiconque à l'air suspect, ils le suivront. Barthélémy, Solomon, j'aurai besoin de votre aide.

— Bien sûr, répondit Wolofsky, encore penaud de sa bourde.

Perreault acquiesça à son tour en tapotant la paume de sa main avec le pommeau de sa canne, l'air mauvais.

— Barthélémy, j'aimerais que tu te tiennes à l'intérieur, près de la porte latérale qui donne dans la rue Saint-Sulpice, expliqua Demers. Si quelqu'un sort par là pendant la messe, même une petite vieille qui râle en claudiquant, tousse très fort trois fois et un de mes hommes se chargera de suivre cette personne. Tu ne tentes rien, tu n'essaies pas de lui barrer le chemin ou de la suivre. Tu te contentes d'avertir. Compris ?

— Je tousse trois fois et je ne me mêle de rien, grommela Perreault, un peu déçu, en reposant sa canne sur le plancher.

— Quant à toi, Solomon, je présume que tu préfères rester dehors ? continua l'inspecteur.

— Je suis juif, Maurice. Moi, tu sais, aller voir la statue d'un des miens, crucifié dans le chœur d'une église chrétienne avec plein de gens qui s'en réjouissent… confirma Wolofsky avec un de ses haussements d'épaules fatalistes.

— Tu te posteras à l'extérieur, derrière la basilique. Je resterai devant, coin Notre-Dame et Saint-François-Xavier. Si tu vois quoi que ce soit de suspect, tu n'as qu'à agiter les bras et je viendrai te rejoindre.

— Pourquoi toutes ces précautions ? demanda Pierre.

— Parce que nous ne savons pas si ton cousin agit de son propre chef ou s'il est utilisé comme appât pour t'attirer. Dans le dernier cas, ceux qui le manipulent seront certainement à proximité pour voir à leurs intérêts. Et avec un peu de chance, nous pourrons les repérer, les suivre discrètement et retrouver mademoiselle Fontaine.

— Tu crois vraiment que les ravisseurs de Julie sont derrière le rendez-vous ?

— Je ne sais pas, mais c'est la seule hypothèse dont je dispose.

— Et si tu te trompes ?

— Selon ce que ton cousin te racontera, les choses se clarifieront peut-être et nous aurons une meilleure idée de la marche à suivre.

— Et moi ? Que dois-je faire ?

— Simplement ce qu'on attend de toi : tu te rends au rendez-vous fixé et tu entends ce que ton cousin veut te dire. Tu devras agir seul, de crainte que quelqu'un ne t'observe. La présence d'un de mes hommes avec toi risquerait de l'alerter.

Demers consulta sa montre.

— Messieurs, annonça-t-il avec détermination, il est quatre heures et demie. Donnez-moi quinze minutes pour que mes hommes se déploient à l'intérieur, puis sortez un à la fois. On ne doit pas vous voir approcher ensemble. Prenez chacun place comme nous en avons convenu. Pierre, une fois dans la basilique, dirige-toi tout droit vers le confessionnal indiqué par ton cousin sans regarder autour. Tu ne dois pas avoir l'air de chercher quelqu'un. Compris ?

Pierre hocha la tête.

— Surtout, s'il se passe quoi que ce soit, laissez mes hommes agir, leur rappela Demers.

Tous se levèrent et, à la suite de l'inspecteur, qui marchait du pas décidé de celui qui est responsable et qui sait ce qu'il fait, quittèrent le bar, descendirent les longs escaliers jusqu'au rez-de-chaussée. Une fois là, Demers, Solomon puis Barthélémy sortirent tour à tour, laissant Pierre seul avec ses angoisses dans le hall. Il appuya le front contre le marbre du mur et laissa sa fraîcheur le calmer un peu. Puis il tira sa montre et attendit, regardant la grande aiguille qui avançait avec une désespérante lenteur.

Lorsqu'il fut cinq heures moins cinq, il passa les doigts dans ses cheveux blonds rendus humides d'une sueur âcre qui imbibait tous ses vêtements. Il sortit et, les jambes lourdes, traversa la place d'Armes en direction de la basilique.

Lorsqu'il leva les yeux vers l'imposant édifice, il eut l'impression de se diriger tout droit dans la gueule d'un de ces vieux démons qui hantaient les imaginations des chrétiens de jadis. Les deux tours lui rappelèrent de sinistres cornes et les portes avaient l'air d'attendre de s'ouvrir pour l'avaler. Il adressa une prière silencieuse aux statues de saint Joseph, de l'Immaculée Conception et de saint Jean-Baptiste, qui ornaient la façade et qui l'observaient avec indifférence depuis leurs niches.

36

Lorsque Pierre poussa les lourdes portes de bois, sa bouche était si sèche, tant il était nerveux, qu'il avait l'impression que sa langue ne décollerait plus jamais de son palais. Il se lécha les lèvres, déglutit avec peine et crut avaler du sable. Il sentait des sueurs froides descendre lentement de ses tempes pour se loger sous le col de sa chemise et lui irriter le cou. Sous ses aisselles et dans son dos, sa chemise détrempée collait à sa peau, et l'air frais de l'intérieur de la basilique lui donna des frissons. Son souffle était court comme s'il avait couru pour se rendre là et sa gorge était nouée.

Une fois entré, il donna quelques instants à ses yeux pour s'acclimater à la pénombre. Du narthex, où il se tenait, il pouvait apercevoir la nef, à l'autre extrémité de la basilique. L'immense retable s'y déployait en largeur et en hauteur, avec son maître-autel orné d'une Cène magnifiquement sculptée et de nombreuses statues, dans autant de niches, qui s'élevaient sur plusieurs niveaux jusqu'à la voûte percée de fenêtres où brillait la lumière du jour. Sur les arceaux et les colonnes, le bleu, l'azur, le rouge, le violet, l'argent et l'or se mêlaient dans un somptueux ballet de couleurs qui disputait l'attention aux bois luxueux des galeries et des décorations. La voûte elle-même était parsemée d'une multitude d'étoiles dorées sur fond de ciel. Sa hauteur, couplée à sa couleur, donnait l'impression qu'il suffisait de lever le visage pour entrevoir le paradis et que les prières formulées en ce lieu ne pouvaient faire autrement que de se rendre tout droit à Dieu, à la Vierge Marie ou à un des nombreux saints du ciel.

En d'autres circonstances, Pierre aurait été touché par la beauté du bâtiment, qui l'avait toujours beaucoup ému. Mais cette fois, la basilique lui paraissait froide et menaçante. Il essuya sa main moite sur son pantalon et, davantage par habitude que par conviction, plongea les doigts dans le bénitier et se signa.

Il consulta sa montre. Cinq heures moins une minute. Tout juste le temps de se rendre au rendez-vous. Dans l'allée centrale avançait le célébrant, un prêtre bien gras dont le gros ventre gonflait son aube, son étole et sa chasuble. Il marchait en procession parmi les banquettes et balançait son encensoir devant lui pour répandre l'odoriférante fumée tandis que les fidèles, debout, l'accompagnaient, en faussant beaucoup, d'un chant en latin. Déjà, il avait presque atteint la nef.

Conformément aux instructions d'Adrien, Pierre emprunta l'allée de droite, sous la galerie. Conscient qu'on l'observait peut-être, il ne fit aucun effort pour marcher calmement, ce qui eût été contre-nature dans les circonstances. Indifférent aux tableaux du chemin de croix suspendus au haut des murs, insensible même aux souffrances du Christ qu'on y avait représentées, il repéra le second confessionnal.

Une fois devant la porte derrière laquelle les brebis forcément coupables de quelque chose confessaient leurs petits et grands péchés à leur pasteur, il s'arrêta et ne put résister à la tentation de jeter un coup d'œil furtif aux alentours. L'attention des fidèles était rivée sur le célébrant. Personne ne semblait s'intéresser à lui. Il ne pouvait pas identifier les policiers de Maurice Demers et en conçut un peu de réconfort. Si lui-même en était incapable, il en irait pareillement pour les ravisseurs de Julie, en admettant qu'ils fussent sur place.

Dans la nef, un enfant de chœur s'était chargé de l'encensoir pour aller le déposer sur une table en retrait. Debout face aux fidèles, le prêtre avait tracé un grand signe de la croix vers eux avant de s'engager d'un pas solennel dans les marches. Tournant le dos à la foule, il prit place devant le maître-autel, écarta les bras et entonna le *Gloria* qui marquait le début de la célébration eucharistique.

— *Gloria in excelsis Deo, et in terra pax hominibus bonæ voluntatis*[1], s'écria-t-il d'une voix qui portait.

Pierre frappa délicatement à la porte du confessionnal. N'obtenant aucune réponse, il ouvrit et le trouva inoccupé. Le coussin du prie-Dieu avait été enfoncé par des milliers de genoux et son velours bourgogne avait vu ses meilleurs jours voilà très longtemps. Il entra, referma, s'agenouilla et se signa machinalement, comme on le faisait toujours à confesse. Appuyé sur l'accoudoir, il joignit les mains en regardant fixement devant lui, mimant un recueillement qu'il ne ressentait pas.

— *Ignosce mihi, pater, quia peccavi*[2], murmura-t-il.

La nervosité lui triturant les boyaux, il attendit que soit déplacée la cloison qui fermait la fenêtre grillagée par laquelle le confesseur et le confessé pouvaient déterminer le prix du pardon des péchés. Le raclement tant attendu lui signifia qu'on l'avait entendu.

— Dieu merci, te voilà, fit la voix tremblante de son cousin, de l'autre côté. J'avais peur que tu ne reçoives pas ma note.

Pierre se détendit un peu, laissa échapper un grand soupir de soulagement et tourna la tête. Dès qu'il vit son cousin, il se crispa de nouveau. À travers la grille de bois, la pénombre ne pouvait entièrement cacher à quel point Adrien était blême. Mais surtout, son visage était cruellement amoché. Un de ses yeux était fermé par l'enflure et il portait des coupures sur l'arcade du nez, sur les lèvres et au-dessus de son seul œil valide. Sa soutane était sale et déchirée à plusieurs endroits et son col romain avait disparu.

— Nous avons peu de temps, chuchota Adrien, en regardant sans cesse la porte du confessionnel avec un air d'animal traqué.

---

1. Gloire à Dieu au plus haut des cieux, et paix sur la terre aux hommes de bonne volonté.

2. Pardonnez-moi, mon père, car j'ai péché.

— Mais qu'est-ce qui se passe ? chuchota Pierre avec empressement. Que t'est-il arrivé ? Pourquoi m'as-tu donné ce rendez-vous secret ? De quoi as-tu peur ?

— On m'y a obligé. Hier soir… Je… Deux hommes… haleta le jeune sulpicien, ses lèvres bouffies le faisant chuinter. Ils se sont présentés au séminaire. Ils m'ont demandé au parloir. Quand je suis arrivé, ils… ils m'ont dit qu'ils étaient les avocats de mon père et m'ont annoncé qu'il… qu'il était au plus mal.

Pierre se renfrogna.

— Ton père ? Je serais étonné que quelqu'un sache comment il se porte. D'après ce que je sais, il a disparu depuis presque trois semaines. Comme le mien, d'ailleurs.

Aussi nerveux que son cousin, il lui résuma à la hâte l'état dans lequel il avait trouvé les maisons mitoyennes de leur enfance ainsi que la boutique familiale. Il partagea la conclusion qu'il avait tirée en associant tout ce qu'il savait : les frères Moreau avaient disparu voilà près de trois semaines, après qu'il eut mis son père au courant de l'absence de son acte de baptême. Si la chose était possible, Adrien blanchit encore.

— Mais il y a bien pire.

Pierre crut sincèrement avoir donné le coup de grâce au pauvre Adrien lorsqu'il lui révéla la façon dont monsieur et madame Fontaine avaient été tués et l'enlèvement de Julie, la veille, puis son congédiement le matin même. Il lui rappela l'assassinat récent du jésuite, près de chez lui, et les soupçons qu'il en avait conçus. Il lui fit part de la confirmation qu'il détenait maintenant que le double meurtre et l'enlèvement avaient un lien direct avec la franc-maçonnerie et les châtiments symboliques décrits dans les rituels du premier et du vingt-neuvième degré.

— Sainte Marie mère de Dieu, finit par murmurer le sulpicien complètement dépassé, lorsqu'il en fut capable, le visage luisant de sueur.

Il se signa à plusieurs reprises, terrorisé comme jamais Pierre ne l'avait vu.

— Mais dans quel merdier t'es-tu fourré ? reprit Adrien. Si seulement tu m'en avais parlé avant de te lancer à l'aveuglette dans cette maudite franc-maçonnerie.

— Je ne suis qu'un apprenti, protesta Pierre. Je ne connais absolument rien à la franc-maçonnerie. Je ne m'y intéresse même pas, tu le sais bien. Mais on dirait que mon arrivée a tout déclenché. En quelques jours, tous ceux qui m'entouraient sont morts ou ont disparu. Que je sois damné si je sais pourquoi… Je suppose que ta présence ici est liée à tout ça.

Adrien déglutit et se passa nerveusement la main sur le visage avant de poursuivre.

— Après ce que je viens d'entendre, je le crois, oui.

— Raconte.

— Dans mon énervement, j'ai suivi les deux hommes sans poser de questions. Ils étaient bien mis et avaient l'air sérieux. Je n'ai même pas pris le temps d'avertir le supérieur. Je me suis dit qu'il y avait urgence et qu'il comprendrait lorsqu'il le saurait. Ils m'ont fait monter dans une diligence sans fenêtres et nous avons roulé pendant une bonne demi-heure. Lorsque nous sommes descendus, nous n'étions pas chez mon père, rue Saint-Denis, mais devant un entrepôt désaffecté, sans doute près du port. Ils m'y ont fait entrer de force. J'aurais voulu me défendre, mais ils avaient des révolvers.

— Et ? insista Pierre.

— Comme tu peux le voir, ils m'ont battu. L'un des deux me tenait par derrière pendant que l'autre frappait, sans aucun respect pour ma soutane. Lorsqu'ils ont été satisfaits, ils m'ont ordonné de te donner rendez-vous ici, aujourd'hui, à cinq heures. Ils m'ont dit qu'ils vous tueraient, Julie et toi, si je n'obéissais pas. Puis ils m'ont jeté dans la voiture et m'ont reconduit au collège. J'ai eu un révolver sur la tempe pendant tout le trajet. Avant de me jeter dehors, ils m'ont remis une enveloppe et m'ont dit de la remettre au supérieur, sans faute.

Pierre leva le sourcil. Il comprenait, maintenant, comment la photographie incriminante s'était retrouvée entre les mains de

Mofette. Elle avait été livrée involontairement par son propre cousin. Mais qui étaient les hommes qui l'avaient possédée ? Et pourquoi s'acharnaient-ils ainsi sur lui et sur sa famille ?

— J'étais terrifié, continua Adrien, d'une voix chevrotante. J'ai filé chez toi en courant comme un fou dans les rues. Tu n'y étais pas. Je suis revenu au collège et j'ai glissé l'enveloppe sous la porte du supérieur. Puis je me suis rendu au dortoir pour réveiller Edmond Boutin. Le pauvre enfant était terrifié de me voir dans cet état. Je lui ai raconté que tu m'avais tapé un peu fort pendant notre entraînement. Je lui ai remis ma note pour toi en lui faisant promettre de te la donner dès que tu te présenterais en classe. Je ne savais que faire d'autre. Je me suis rendu chez Émile Fontaine en espérant t'y trouver, mais il n'y avait personne. Maintenant, je comprends pourquoi… J'avais si peur que je n'ai pas osé retourner au séminaire. J'ai marché toute la nuit. J'ai trouvé un peu d'eau pour me débarbouiller la figure. Depuis l'aube, je t'attends ici en priant pour que tu viennes.

— Bon, dit Pierre en essayant de dominer la panique qui montait en lui. Je suis là. Et alors ?

— Ils m'ont dit que tu devais te retourner et regarder à l'extérieur du confessionnal à cinq heures quinze précises, expliqua Adrien. Qu'ils allaient te montrer quelque chose qui te motiverait à leur donner l'Ar… Euh… L'Ar…

Le cœur de Pierre sauta un battement et il le sentit enfler dans sa poitrine au point de lui couper le souffle.

— L'*Argumentum* ? râla-t-il.

— C'est ça, oui ! Tu sais ce dont il s'agit ?

— Non, à part le fait qu'il est mentionné dans le vingt-neuvième degré de la franc-maçonnerie et qu'on prétend qu'il a quelque chose à voir avec les Templiers.

— Les Templiers ? Doux Jésus ! Dis-moi que je rêve. Ils ont disparu voilà presque six siècles !

D'une main tremblante, Pierre tira sa montre. Dans la pénombre du confessionnal, il dut l'incliner pour déterminer la position des aiguilles. Cinq heures quatorze. Il inspira profondément et fit appel à tout ce qui lui restait de courage. Lentement, il tourna la tête, pivota le torse et écarta le rideau qui couvrait la fenêtre grillagée de la porte. Certain qu'il allait apercevoir une chose terrible dont il ne se remettrait pas, il se fit violence pour ne pas fermer les yeux.

— Tu dois seulement regarder, le prévint Adrien. Ils m'ont bien dit que si tu intervenais, ils tueraient Julie.

Fébrile, il attendit, les secondes s'étirant comme autant de petites éternités. Pendant longtemps, il n'y eut que l'allée déserte et, plus loin, les fidèles assis sur les banquettes, attentifs à la messe. Puis, il entendit la porte du confessionnal voisin qui se refermait doucement. Des pas lents et mesurés résonnèrent sur le plancher de marbre. Un couple passa devant lui, l'air de rien, comme s'il venait de se confesser et qu'il allait prendre place dans l'assistance pour entendre la suite de la messe. L'homme était grand et large d'épaules. Il portait un costume sombre et était coiffé d'un chapeau mou à large rebord, ce qui était scandaleux dans une église. Son visage était partiellement caché par la femme qui se trouvait à sa droite, mais Pierre put entrevoir des cheveux poivre et sel sur sa nuque et une barbe épaisse sur ses joues.

— Grands dieux, chuchota Adrien avec urgence à travers le grillage. C'est celui qui me tenait.

L'homme et la femme sortirent de leur champ de vision. Toute la scène ne dura pas plus de trois ou quatre secondes, mais elle suffit pour secouer Pierre jusqu'au creux des entrailles. Il n'avait eu d'yeux que pour la femme. Ces cheveux d'un roux enflammé, à l'odeur enivrante, dans lesquels il aimait tant enfouir le nez. Ces yeux bleus comme le ciel qui étaient pour lui des fenêtres ouvertes sur un avenir commun. Cette robe, qui moulait les courbes pleines et sensuelles sur lesquelles il avait laissé glisser ses mains et qu'il avait possédées. Même le parfum de jasmin et de lavande, qui lui parvenait en effluves plus légers qu'un souffle.

Aucun doute n'était permis. La femme qui accompagnait l'inconnu et qui venait de passer à trois pieds de lui était Julie Fontaine. Sa démarche avait parue saccadée et incertaine. L'homme lui tenait le coude non pas par galanterie, mais pour la soutenir, peut-être pour la guider. Était-elle malade ? Droguée ?

La main crispée sur le rideau du confessionnal qu'il menaçait d'arracher sans s'en rendre compte, Pierre était tétanisé. À part Adrien, il était le seul, parmi tous ceux qui se trouvaient dans la basilique et qui étaient au fait de la situation, à pouvoir reconnaître Julie. Ni Maurice Demers, ni ses hommes, ni Solomon Wolofsky, ni Barthélémy Perreault, ni même Adrien n'avaient posé les yeux sur elle. Ils ne la connaissaient que de nom et elle était en train de leur passer sous le nez sans même qu'ils s'en doutent. C'était certainement sur cette ignorance que comptaient ses ravisseurs pour quitter la basilique sans être inquiétés.

On lui avait ordonné de ne pas bouger, mais dans ces circonstances, comment pouvait-il s'en empêcher ? En toute conscience, en avait-il même le droit ? Sa fiancée était là, tout près de lui. Il lui suffisait de tendre le bras pour la reprendre. S'il ne faisait rien, elle allait lui glisser entre les doigts. Si, au contraire, il s'élançait sans tarder, il pourrait certainement arriver à maîtriser cet homme et à sauver sa fiancée. Après tout, il n'était pas manchot. Il savait se battre. Au mieux, quelques pas, quelques coups bien appliqués par un boxeur amateur non dépourvu de puissance, et le cauchemar serait fini. Et puis, les gens autour s'interposeraient forcément. Il tiendrait de nouveau Julie dans ses bras. Il ne la laisserait plus jamais hors de sa vue. Au pire, il encaisserait un poignard dans le ventre ou une balle en plein front. Cela n'avait aucune importance. Seule comptait la femme de sa vie.

La décision fut facile à prendre. Il se leva d'un coup sec et saisit la poignée de la porte.

— Pierre ! Non ! le mit en garde Adrien. Ils ont dit de…

— Et moi, je leur dis d'aller au diable !

Il sortit en trombe, la porte se rabattant contre le confessionnal dans un fracas qui fit sursauter l'assistance scandalisée, et se rua sur sa droite. Déjà, Julie et son ravisseur avaient presque atteint le bout de l'allée.

— Arrêtez cet homme! hurla-t-il en se précipitant à leur poursuite.

Du coin de l'œil, Pierre vit trois individus dispersés parmi les fidèles se lever brusquement tandis que le curé, écarlate, s'étouffait presque d'indignation à l'idée que l'on eût le culot d'interrompre la sainte messe. Les policiers venaient à son aide. Tout irait bien.

Surpris, l'inconnu se retourna à moitié et Pierre put entrevoir un peu mieux, sous le rebord du chapeau, un profil dur et un menton barbu qu'il ne connaissait pas. L'homme accéléra le pas en entraînant Julie qui n'eut d'autre réaction que de le suivre docilement en titubant un peu. Quelques secondes avant que Pierre ne les rattrape, ils franchirent tous deux une porte dérobée sous une arche. Sans aucune hésitation, il la rouvrit avec un nouveau vacarme et s'y engagea, les pas de Demers et de ses hommes retentissant derrière lui, mêlés aux paroles hésitantes du prêtre et aux murmures outrés des bons chrétiens.

Les poings prêts à frapper, il franchit la porte et fut aveuglé par la lumière du soleil encore haut. La dernière chose qu'il vit fut Solomon Wolofsky gisant par terre sur le ventre, son chapeau près de lui, une flaque de sang sous la tête. Puis la nuit l'enveloppa.

37

Quand Pierre Moreau revint à lui, il ne vit d'abord que deux visages flous qui se fusionnèrent lentement en un seul, celui d'Adrien. Le jeune prêtre était encore plus blême qu'avant, ce qui faisait ressortir ses plaies et ses ecchymoses. Ses lèvres mal en point déformaient le sourire inquiet qu'il lui adressait. Pierre sentit que son cousin lui tenait délicatement la nuque d'une main et lui caressait les cheveux de l'autre.

— Tu m'as fait peur, dit Adrien lorsqu'il réalisa qu'il avait repris conscience.

Il fallut un instant à Pierre pour retrouver ses esprits. Puis la mémoire lui revint d'un seul coup, comme un direct de la droite que l'on n'a pas vu venir.

— Julie! geignit-il en faisait mine de s'asseoir. Elle était là! Avec cet homme! Dehors, derrière la basilique!

Dès qu'il fut sur son séant, un coup de tonnerre explosa dans sa tête et lui fit fermer les yeux en lui arrachant un gémissement de souffrance. Des coups sourds et puissants comme le bourdon d'un clocher résonnèrent dans sa cervelle. Grimaçant, se tenant la tête à deux mains, il sentit qu'on le repoussait doucement vers une position horizontale. Il ne résista pas. Il n'en avait pas la force.

— Julie… râla-t-il. Est-elle sauve?

Une main se posa sur son épaule droite.

— Elle nous a glissé entre les doigts, lui apprit la voix de Maurice Demers.

Avec un effort titanesque, Pierre rouvrit les yeux et avisa l'inspecteur près de lui.

— L'homme que tu poursuivais t'attendait derrière la porte, expliqua-t-il, visiblement furieux. Il t'a assommé. Nous t'avons retrouvé voila cinq minutes avec une vilaine bosse derrière le crâne. Lorsque nous sommes arrivés, ta fiancée et son ravisseur avaient disparu. Je suis désolé. J'ai été négligent. J'aurais dû te demander de me décrire mademoiselle Fontaine. Ainsi, nous aurions pu réagir au lieu de la regarder béatement passer sans savoir qu'il s'agissait d'elle. Je n'ai jamais pensé qu'elle serait là.

— Et Solomon ? s'informa anxieusement Pierre en se rappelant qu'il avait vu Wolofsky allongé par terre, baignant dans son sang.

— Il s'est fait taper dessus, lui aussi. Il a une belle coupure et il saignait comme un cochon. J'ai fait appeler Belval. Il est en chemin pour rafistoler tout le monde.

Des ronchonnements en hébreu montèrent non loin de là. Des mains saisirent Pierre sous les épaules et le relevèrent doucement pour l'asseoir. Cette fois, les pulsations dans sa tête s'atténuèrent assez vite et devinrent supportables. Il cligna des yeux à quelques reprises et examina les alentours, l'esprit encore un peu confus. Près de lui se trouvaient Adrien et Demers. Un peu plus loin, Solomon était assis sur une banquette et appuyait un linge taché de sang sur sa tête. Il grommelait des choses sans doute peu édifiantes que la barrière des langues rendait heureusement inintelligibles. Perreault se tenait avec lui, visiblement amusé de l'entendre malgré le sérieux de la situation.

— Quelqu'un est arrivé par derrière, expliqua le petit marchand, contrit. Je ne l'ai jamais vu venir.

Pierre s'aperçut qu'il était pareillement installé sur une des nombreuses banquettes alignées les unes devant les autres. À la vue du petit tabernacle, au fond de la pièce, il comprit qu'il se trouvait dans une sacristie. À la porte se tenaient trois hommes, les bras croisés sur la poitrine et la mine un peu patibulaire, dans lesquels il reconnut les policiers en civil de Demers, qui s'étaient levés lorsqu'il s'était lancé à la poursuite de Julie. Près d'eux, le gros curé, les mains dans le dos et le visage écarlate de colère, encore en vêtements sacerdotaux, avait l'air fort mécontent. Il allait ouvrir la bouche, sans doute pour protester de cet usage profane de sa sacristie, mais Demers leva un index autoritaire dans les airs, le sourcil relevé en guise d'avertissement. Le prêtre ronchonna et se tut, renfrogné.

Sur les entrefaites, Belval fit irruption dans la sacristie. L'air soucieux, il salua tout le monde d'un ton pressé et repéra Solomon avec son linge ensanglanté. Après avoir posé sa trousse près du blessé, il y trouva le fil à sutures et l'aiguille courbée qu'il cherchait, épongea la plaie avec de la gaze et se mit aussitôt au travail, au son d'imprécations renouvelées en hébreu, qui en appelaient sans doute à la malédiction de Yahvé et dont la douleur décuplait l'intensité.

— La petite démonstration était bien planifiée, expliqua Demers entre deux jurons de Wolofsky. La porte arrière de la basilique avait été identifiée dès le départ comme voie de sortie. Ce qui est certain, aussi, c'est qu'une voiture les attendait.

— « Les » ? Tu parles au pluriel ?

— Le fait qu'on ait assommé Solomon alors qu'il faisait le guet dehors prouve que celui qui accompagnait ta fiancée n'agissait pas seul. Nous savons maintenant que Julie Fontaine a été enlevée par un groupe bien organisé.

— Les francs-maçons ont-ils des ennemis qui pourraient être derrière tout cela ? l'interrogea Adrien, méfiant.

L'inspecteur laissa échapper un petit ricanement cynique avant de se lancer dans une énumération en comptant sur ses doigts.

— À part l'Église catholique et ses prêtres, dont vous faites partie, monsieur Moreau, ainsi que les politiciens conservateurs qui mangent dans la main des évêques, les beaux penseurs ultramontains, la plupart des journaux québécois, les membres de l'ordre d'Orange et sans doute aussi quelques vieilles filles effarouchées et la servante de ce curé, non, je ne nous en connais aucun, ironisa-t-il.

Dès que Belval eut terminé de refermer la plaie de Solomon, il se rendit auprès d'Adrien et se mit à examiner une à une les blessures sur son visage.

— On vous a bien tabassé, mon père, remarqua-t-il.

— Je boxe depuis dix ans, dit le sulpicien. J'ai l'habitude.

— Peut-être, mais cet adversaire-là était un poids lourd particulièrement motivé, on dirait, ajouta le médecin. Quelques plaies sont assez profondes pour exiger des sutures.

Il retourna à sa trousse, y prit le nécessaire et revint pour recoudre le sulpicien.

— Me faire soigner par un franc-maçon… grommela Adrien en lui décochant un regard soupçonneux.

— Le serment d'Hippocrate vaut pour tout le monde, rétorqua Belval en enfonçant son aiguille dans la peau de son sourcil avec un manque évident et probablement intentionnel de délicatesse.

— Aïe !

— Même les curés intolérants…

— Mon père, les interrompit Demers, il serait utile que vous m'expliquiez votre rôle dans toute cette affaire.

Adrien récapitula tout ce qu'il avait déjà raconté à son cousin, son récit entrecoupé des sursauts que lui causaient les soins un peu sauvages du médecin.

— Encore cet *Argumentum*, gronda l'inspecteur.

— Au moins, nous savons que mademoiselle Fontaine est toujours vivante et que ses ravisseurs ne lui feront pas de mal tant qu'ils n'auront pas obtenu ce qu'ils désirent, remarqua Perreault. S'ils l'ont montrée ainsi, c'est pour accroître la pression sur Pierre, pas pour annoncer son exécution.

— Nous savons aussi qu'ils exigent toujours ce maudit *Argumentum* dont je ne sais rien, se désola Pierre.

Adrien repoussa un peu brusquement Belval, lui laissant entendre du regard que ses services étaient en pause.

— À ce sujet, dit-il, ils m'ont confié un autre message pour toi, Pierre. Je devais t'en faire part une fois que tu aurais vu ce qu'ils voulaient te montrer, mais, compte tenu de la façon dont les choses se sont déroulées…

Tout le monde se tut, suspendu aux lèvres du sulpicien.

— Ils ont dit que tu possédais la clé de l'*Argumentum* quand tu étais petit et que c'est dans ta tendre enfance que tu la retrouveras.

— Hum… grogna Perreault, déconcerté. Et comme par hasard, ton acte de baptême n'existe pas. Curieuse coïncidence, non ?

Pierre appuya ses coudes sur ses cuisses, enfouit le visage dans ses mains et secoua la tête.

— Qui se souvient des premières années de sa vie, soupira-t-il ? Et même si je voulais fouiller, mon père était le seul qui aurait pu m'en parler.

— Tante Hermine pourrait te renseigner, suggéra simplement Adrien, un œil fermé, entre deux points de suture sur sa pommette droite.

Pierre releva la tête, interdit, et les non-dits qui passèrent entre les deux cousins causèrent un malaise parmi les autres.

— Au cas où tu l'aurais oublié, énonça-t-il d'un ton glacial, ta tante Hermine est enfermée dans un asile depuis que je suis petit garçon. Tous les médecins consultés s'entendent pour dire qu'elle est hystérique, neurasthénique et folle à lier. Une aliénée en bonne et due forme. Il n'y a rien à en tirer.

Demers s'interposa dans leur conversation.

— Un instant ! De qui parlez-vous, tous les deux ?

— De ma mère, admit Pierre, honteux. Elle a été internée quand j'avais trois ou quatre ans. Elle est à l'asile Saint-Jean-de-Dieu.

L'inspecteur vint se planter devant Pierre, les poings sur les hanches et le visage écarlate de colère.

— Ai-je bien entendu ? Ton père et ton oncle ont mystérieusement disparu et c'est seulement maintenant que tu juges bon de m'informer de l'existence de ta mère ? éclata-t-il, perdant sa contenance pour la première fois depuis que Pierre le connaissait. Bon Dieu ! Qui te dit qu'elle ne s'est pas déjà évaporée dans l'air, comme le reste de ta famille ? As-tu même pensé que nous aurions pu la surveiller discrètement et peut-être nous en servir comme appât ?

Il se tourna brusquement vers un de ses hommes, un colosse dont la moustache noire se transformait en gros favoris sur ses joues et au nez écrasé, une casquette molle recouvrant une épaisse chevelure de jais un peu trop longue.

— Damase, appela-t-il en lui faisant signe de venir.

L'agent s'approcha aussitôt d'un pas lourd et se planta devant Demers pour recevoir ses ordres.

— Je dois encore discuter avec le curé, l'informa l'inspecteur. Tu vas accompagner ce jeune homme à l'asile Saint-Jean-de-Dieu. Utilise la voiture dans laquelle vous êtes venus. Il faut s'assurer que sa mère est en vie et en sécurité. S'il ne lui est rien arrivé, laisse monsieur Moreau discuter avec elle aussi longtemps qu'il faudra. Ensuite, ramène-le au temple maçonnique. Tu es armé ?

Le policier tira un révolver de sous sa veste.

— Colt Peacemaker calibre 45, monsieur, répondit-il d'une voix rocailleuse avant de remettre l'arme dans sa ceinture. Celui qui s'approchera avec de mauvaises intentions se retrouvera avec un très grand trou entre les deux yeux.

— Très bien, approuva l'inspecteur.

Demers tourna la tête vers Pierre.

— Qu'est-ce que tu attends, toi ? Allez, debout et file chez ta mère ! Voici l'officier Damase Thériault. Il te collera au derrière comme une tache dans ton caleçon.

— Je n'ai pas eu le temps de l'examiner, protesta Belval.

— Il n'a qu'une bosse et un mal de tête, dit sèchement Demers. Il survivra.

— Je t'accompagne, annonça Perreault.

— Moi aussi, ajouta Solomon en faisant mine de se lever.

— C'est hors de question! s'opposa Belval, trop heureux de rétablir son autorité médicale sur au moins un de ses patients. Je viens de te recoudre une plaie de deux pouces de long sur le crâne et tu vas rester bien tranquille jusqu'à ce que j'en décide autrement.

Pierre regarda Perreault, embarrassé.

— J'apprécie ton offre, Barthélémy, s'excusa-t-il, mais c'est une situation… personnelle. Et pas très glorieuse, au surplus.

— N'en dis pas plus, mon frère, fit Barthélémy en lui mettant la main sur l'épaule. Je comprends. Certaines choses doivent rester privées. Je t'attendrai au temple avec Maurice et Solomon.

— Mais c'est une affaire de famille et je suis de la famille, déclara Adrien, en se levant pour venir le rejoindre.

Pierre apprécia profondément la délicatesse de son cousin, qui venait de lui faire un clin d'œil plein de sollicitude. Il lui sourit pour le remercier et hocha la tête pour signifier au policier qu'il était prêt.

38

La Rochelle, France, 9 mai 1641

LE PORT DÉBORDAIT de bateaux à deux et trois mats : des vaisseaux de guerre du roi et des navires marchands en partance pour les pays voisins, la Méditerranée ou les terres lointaines d'Asie, pour y faire commerce de toutes les denrées qui pouvaient être achetées et vendues. Déjà, dans l'aube naissante, des centaines de marins et d'ouvriers allaient et venaient en tous sens, donnant aux quais des apparences de fourmilière.

Les trois bâtiments appartenant à la Société Notre-Dame de Montréal pour la conversion des Sauvages de la Nouvelle-France y étaient ancrés eux aussi. De modeste tonnage, mais solides et appropriés au voyage qu'ils allaient entreprendre, ils appareilleraient dans quelques heures. Leur périple pourrait durer jusqu'à deux mois et comportait sa part de risque. Deux personnes, en retrait sur le quai, loin des oreilles trop curieuses, les observaient.

L'homme grand et mince, au début de la trentaine, des cheveux foncés prématurément clairsemés, était vêtu d'un costume noir qui lui conférait une allure austère. Sa posture rigide trahissait à la fois son passé militaire et la tension qui l'habitait. De sa main gauche, il retenait son chapeau à large rebord pour l'empêcher de s'envoler. Ses traits tirés et ses yeux bruns profondément cernés trahissaient le manque de sommeil qui l'affectait depuis plusieurs semaines, lui donnant un air un peu exalté. Près de lui se trouvait une femme plus âgée que lui d'une dizaine d'années. Les cheveux châtains, coupés court presque à la garçonne, menue, sa tête atteignant à peine l'épaule de son compagnon, elle dégageait, malgré la douceur de ses traits, une énergie et une assurance que tous remarquaient dès l'abord. Sa robe bleu pâle de coupe modeste, dépouillée des dentelles, boucles et autres artifices exigés par la mode, battait contre ses jambes. Elle serrait sur sa poitrine un épais châle de laine beige qui laissait passer le vent du large.

Larvés parmi les dévots comme des vers dans une pomme, ils attendaient l'heure du départ. La mission qu'on leur avait confiée était grave et l'échec n'était pas permis. L'ennemi était multiple et se terrait partout, mais la justesse de la cause avait préséance sur la peur, le risque et même la mort. Grâce à eux, un jour, les traîtres tomberaient, roulés dans la fange de leurs mensonges puis exposés au regard des autres pour ce qu'ils étaient vraiment. La réputation des innocents serait lavée dans la déchéance des tyrans. La Vengeance serait consommée.

Ils observaient les hommes qui achevaient d'embarquer les provisions nécessaires. L'eau potable emportée à pleins barils serait vite croupie et remplie de vers. Il en serait de même pour les biscuits, les légumes et les fruits. Il en allait toujours ainsi, les assurait-on, et ils devraient s'en contenter, comme les autres.

L'homme grimaça sous l'effet d'une des crampes qui, depuis plusieurs semaines, lui torturaient l'estomac et lui donnaient l'impression que des braises rouges couvaient dans ses entrailles. Pour ne pas alarmer inutilement sa compagne, il se retint de porter la main à son ventre, mais la crispation de son visage n'échappa pas à cette dernière, qui fronça les sourcils en pinçant les lèvres.

— Les tranchées te reprennent ? s'inquiéta-t-elle.

— Ce n'est rien, Jeanne, répondit-il, la mâchoire serrée.

— J'ai passé ma vie d'adulte à soigner. Ce n'est pas la première fois que je vois un estomac se ronger de l'intérieur, Paul. Tu finiras par vomir du sang. Prends-tu toujours les dragées de chou que t'a prescrites le médecin ?

— Chaque matin et chaque soir, au point de péter comme une vieille, répondit Paul, contrarié.

— Te calmer aiderait aussi…

— Chacun vit la nervosité comme il le peut. Retrouver Arcadie, puis rapporter l'*Argumentum* et le cacher selon les instructions, tout cela sans qu'une cinquantaine de personnes s'en aperçoivent… Ce n'est tout de même pas comme si nous nous rendions à l'autre bout du monde pour cueillir des mûres.

— Te promener avec une face de mi-carême ne fera qu'attirer l'attention. Mourir avant d'avoir accompli ta tâche n'aidera pas non plus. Essaie de manger un peu. Et bois du vin chaud bien épicé. Ça soulagera ton mal.

Sans prévenir, un bras encercla la gorge de Paul. Au même instant, il sentit quelque chose de pointu appuyer contre ses reins.

— Donne-moi le mot de passe ou meurs, chuchota une voix dans son oreille alors que la lame appuyait plus fort sur ses reins.

— *Nekam*, dit-il.

— *Kadosh*, répliqua l'autre.

L'arme disparut et Paul laissa échapper un soupir nerveux. Il se retourna pour trouver derrière lui un homme à l'allure anodine qui le dévisageait avec une bonne dose de morgue. Il portait les loques typiques du matelot, mais à son attitude et son maintien, il était clair que cet accoutrement n'était pas le sien et qu'il avait pour but d'éviter qu'on le remarquât. Paul ne demanda pas son nom au nouveau venu. C'était là une information qu'il valait toujours mieux ne pas connaître.

— Que se passe-t-il ? demanda-t-il.

— Deux des hommes dont le nom figurait sur la liste officielle d'embarquement ne se sont pas présentés, l'informa le nouveau venu à voix basse. Par le plus grand des hasards, il se trouve que deux autres sont aussitôt apparus pour prendre leur place.

— Jeanne, retourne sur le navire et attends-moi, ordonna-t-il.

Dès qu'elle eut obtempéré, Paul et l'inconnu s'éloignèrent du quai, empruntant une enfilade de ruelles étroites parsemées de cabarets bruyants et de bordels, chaque établissement grouillant de matelots fraîchement débarqués après des semaines en mer et avides de plaisirs éphémères. Après une dizaine de minutes, ils arrivèrent devant une taverne annoncée par une enseigne montrant deux chopes et y entrèrent.

À l'intérieur, la puanteur était presque pire que celle de la sainte-barbe d'un navire après un mois sur les mers. Des marins crasseux étaient entassés dans tous les espaces disponibles, tous se soûlant gaiement, ceux qui le pouvaient tripotant quelque putain à peine plus propre venue se frotter les fesses sur leur membre en manque, espérant en tirer quelques sous, d'autres vomissant le trop-plein de rhum ingurgité pour mieux recommencer à boire, d'autres encore enfoncés dans un sommeil profond induit par l'alcool et dont seul le temps les tirerait.

Leur guide fila sans s'attarder vers le comptoir, derrière lequel se tenait l'aubergiste, un petit homme dont les affaires étaient fort prospères si l'on en jugeait par un tour de taille qui frôlait l'indécence. Dès qu'il les vit approcher, il fit un pas de côté, saisit un anneau de fer et le tira, ouvrant une trappe dans le plancher.

— Tu ne nous as pas vus, précisa en passant le membre de l'*Opus* d'une voix où planait une menace.

— Tant qu'on me paie bien, je suis sourd, aveugle et muet, rétorqua le marchand en tapotant la poche de sa culotte, faisant tinter les pièces de monnaie qui avaient acheté sa discrétion.

Ils s'engagèrent dans un escalier raide qui menait à la cave. Lorsqu'ils furent tous en bas, la trappe se referma sur eux. Une forte odeur de moisi, de sueur et de pisse leur agressa les narines. Il fallut quelques instants pour que leurs yeux s'habituent à la pénombre. Puis, dans la lumière blafarde générée par les quelques bougeoirs posés çà et là, Paul repéra, sur une table, au centre de la petite pièce, un homme qui gisait sur le dos, nu comme au jour de sa naissance, les membres retenus par de solides sangles de cuir. On l'avait sévèrement battu et son visage était enflé au point de le rendre méconnaissable. Un peu partout sur son corps, des coupures saignaient et des marques de coups tournaient au bleu. Dans un coin, un autre prisonnier, indemne celui-là, était suspendu à un grand crochet de fer par un câble rêche qui lui entamait la chair des poignets.

Près de la table, un autre homme se tenait debout. À la vue du sang qui maculait sa chemise et sa culotte, ainsi que de la barre de fer avec laquelle il se tapotait la paume, l'air satisfait, il s'agissait sans nul doute du bourreau, et il prenait manifestement plaisir à sa besogne.

— *Nekam*, mon frère, dit-il en s'inclinant avec élégance, comme si c'était une banale rencontre en société.

— *Kadosh*, répondit encore Paul en hochant sèchement la tête.

Il s'approcha de la table, se pencha sur le supplicié et le détailla. En plus des coups qui avaient marqué son corps, ses doigts brisés se retroussaient vers le haut et frisaient dans tous les sens. Le supplicié lui adressa un regard brillant de souffrance, mais lucide et défiant.

— Qui es-tu ? demanda Paul.

— Un simple matelot que l'on a tourmenté sans raison, répondit péniblement l'autre avec ses lèvres gonflées.

Désolé, Paul haussa les épaules avec résignation, recula d'un pas et fit un signe de tête au tortionnaire, qui lui asséna aussitôt un violent coup sur le tibia avec une barre de fer, le brisant net. L'homme se mit à se tordre dans tous les sens en laissant échapper un hurlement de mort qui s'étiola jusqu'à devenir un gémissement plaintif.

— Fils de putain, sanglota-t-il entre ses dents, serrées par la souffrance. Va enculer ta mère !

— Qui es-tu ? redemanda Paul sans relever l'allusion vulgaire.

— Personne. Je ne suis personne.

— Es-tu du *Gladius Dei* ?

Pour réponse, l'homme cracha dans sa direction. La barre de fer s'abattit sur l'autre jambe, broyant l'os de la cuisse.

— Es-tu du *Gladius Dei*? répéta Paul avec davantage d'insistance.

— Non! s'écria l'homme à travers ses pleurs, avec tout ce qui lui restait de forces.

Paul et ses deux frères de l'*Opus* se consultèrent silencieusement du regard et échangèrent un avis partagé. La peur, combinée à la cupidité, faisait souvent ressortir les aspects les moins glorieux de la nature humaine et rares étaient les hommes qui aspiraient vraiment au martyre pour la cause qu'ils servaient. Le meilleur moyen d'aller au fond des choses était d'utiliser ces hommes l'un contre l'autre. Au pire, deux innocents mourraient. C'était un prix que la Vengeance exigeait souvent.

D'un signe de la tête, Paul donna son ordre. Le bourreau tira un poignard de sa ceinture, se pencha sur sa victime, lui ouvrit les paupières de force avec son pouce et son index, et enfonça l'arme dans l'œil jusqu'à la garde, labourant énergiquement la cervelle en faisant pivoter le manche. Après quelques brèves convulsions, l'homme s'immobilisa, une écume blanche sur les lèvres.

Le bourreau consulta Paul du regard. Lorsqu'il eut reçu son assentiment tacite, il retira le poignard et se mit à trancher la chair du cou. Parvenu à l'os, il introduisit la pointe de la lame entre deux vertèbres pour les séparer, comme on le lui avait enseigné le jour de ses seize ans. Dans un craquement écœurant, la tête tranchée roula sur le côté. Il la prit par la chevelure, la posa sur la table et taillada le signe dans la peau du front.

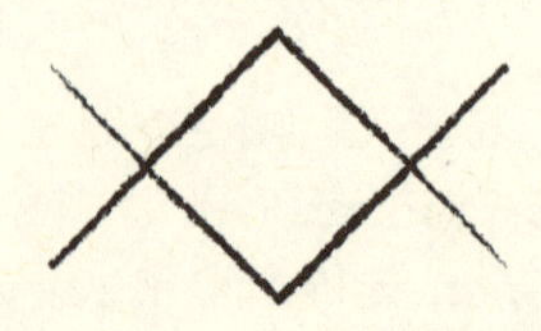

Satisfait de son œuvre, il fit pivoter la tête pour que le visage sans expression fasse face à l'autre prisonnier, dans le regard duquel passa un éclair de pure frayeur.

— Voilà de quoi tu auras l'air dans une minute, lui dit-il.

Les mains derrière le dos, Paul s'approcha d'un pas calculé, se planta devant l'homme, dont la respiration s'était notablement accélérée. Il leva le nez et le dévisagea avec arrogance sans rien dire, son silence laissant planer les pires menaces. Lorsqu'une minute se fut écoulée et qu'il eut l'impression d'avoir obtenu l'effet désiré, il parla.

— Comme tu vois, la loyauté ne te mènera à rien d'autre qu'à une mort aussi indigne que douloureuse.

Il fouilla dans sa bourse et en tira plusieurs louis d'or qu'il fit sauter dans le creux de sa main.

— Nous savons être reconnaissants envers ceux qui nous servent. En particulier ceux qui acceptent d'être nos yeux et nos oreilles au sein du *Gladius Dei*, ajouta-t-il avec un air entendu. Pour ceux-là, le risque est grand et récompensé en conséquence.

Le regard de l'homme passa des yeux à la main de Paul, puis de nouveau à ses yeux.

— Alors, je te le demande une seule fois : es-tu du *Gladius Dei* ?

L'homme s'humecta nerveusement les lèvres avec sa langue et son regard papillonna partout dans la pièce, s'attardant sur le cadavre mutilé de son complice et sur la flaque de sang qui grandissait sous la table, puis sur les pièces qu'il détailla avec cupidité. Il déglutit bruyamment puis laissa échapper un soupir résigné.

— Oui, avoua-t-il.

— Bon ! Tu vois ? Ce n'était pas si difficile. Maintenant, dis-moi quelle était votre mission.

L'autre se lécha nerveusement les lèvres avant de répondre. Une fois encore, la vue de son comparse décapité lui délia la langue.

— Nous devions te suivre jusqu'à Arcadie et te prendre l'*Argumentum* si tu le retrouvais, puis revenir en France par le premier navire et le remettre aux autorités du *Gladius* pour qu'il soit détruit.

Paul opina, ses craintes confirmées. L'ennemi était au courant du voyage et cela n'augurait rien de bon. Il fit sauter les pièces dans sa paume pour garder vive la convoitise de celui qu'il interrogeait.

— Ton associé et toi agissiez-vous seuls ou aviez-vous des complices ?

— Il n'y avait que nous deux.

— Sais-tu pourquoi l'*Opus Magnum* a toujours un pas d'avance sur vous ?

L'homme ne répondit pas, attendant la suite. D'un geste brusque, Paul rempocha les louis d'or avant de répondre lui-même à sa question.

— Parce que la Vengeance prime sur tout et que nous ne laissons jamais un de nos ennemis vivant.

Il fit demi-tour et avisa ses deux frères.

— Tuez-le et apposez-lui la marque, comme l'autre, ordonna-t-il sans plaisir. Assurez-vous de laisser les deux têtes bien en vue dans le port afin qu'elles tiennent lieu d'avertissement.

— Ce sera fait, répondit celui qui était venu l'avertir.

Le bourreau essuya sa main ensanglantée sur sa chemise et la tendit à Paul, qui l'accepta sans sourciller.

— Bon voyage, mon frère. Grâce à votre sacrifice, à toi et à demoiselle Jeanne, la Vengeance reste possible.

Paul le remercia de la tête, s'engagea dans l'escalier abrupt, ouvrit la trappe et sortit. Préoccupé, il quitta le cabaret et s'engagea dans les rues tortueuses du quartier portuaire. Au fond, le fait que le *Gladius Dei* ait eu vent de leur départ n'était guère surprenant. S'il était vrai que l'*Opus Magnum* parvenait toujours à conserver un pas d'avance sur ses adversaires, ce pas restait toujours bien trop petit pour assurer leur victoire.

Dans quelques mois, quelques années tout au plus, si aucun autre ennemi ne se trouvait parmi eux et que tout se déroulait comme prévu, il serait à Arcadie. Il foulerait le même sol que les héros que le prince Henry avait sacrifiés.

Le jour approchait où le *dies terribilis* serait enfin vengé et où la mitre et la couronne rouleraient sur le sol. Les crânes de Jacques de Molay et de Geoffroy de Charnay pourraient être inhumés et les martyrs trouveraient le repos éternel.

39

Montréal, 2 mai 1886

Le trio sortit par la porte que Pierre avait empruntée en poursuivant l'homme qui gardait Julie prisonnière. Julie qu'il avait été incapable de secourir. Il ressentit un pincement au cœur en pensant qu'elle était toujours aux mains de ses ravisseurs et que sa vie tenait à une chose dont il ignorait tout, mais qu'il devait pourtant posséder pour la récupérer. Sans l'*Argumentum*, elle mourrait. Il n'en doutait pas.

Par terre, il put apercevoir la tache sombre qu'avait laissée le sang de Solomon. Il songea qu'au bout du compte, le sang juif était de la même couleur que celui des catholiques. Et pourtant, en chaire, les prêtres ne se privaient pas d'accuser les Hébreux d'avoir tué le Christ et de les présenter comme les pires monstres. Pour cela, on les vouait à la géhenne, on les avait persécutés, brûlés, empoisonnés, chassés. On semblait pressé d'oublier que Jésus lui-même était l'un d'eux. N'était-ce pas son sang, tout juif qu'il fût, qui avait été versé pour le salut des hommes, qui avait été recueilli dans le Saint Graal de la légende. N'était-ce pas lui que le célébrant buvait symboliquement à chaque messe en plus de manger sa chair, juive elle aussi, dans l'hostie ?

Adrien avait suivi la direction de son regard et, comme cela leur arrivait souvent, il avait deviné ses pensées.

— Ton ami Solomon est sympathique, remarqua le sulpicien. Et très loyal, aussi, à ce qu'on dirait.

— Je le connais depuis quelques jours seulement, mais je t'assure que lui et Perreault m'ont été d'un réel secours. Demers aussi. Sans eux, je crois que je serais déjà devenu fou.

— Finalement, on dirait que même dans la franc-maçonnerie il y a des gens bien, ricana Adrien, un peu contrit.

— Il y a aussi des meurtriers sadiques et des ravisseurs, rumina Pierre.

Une voiture noire appartenant au Département de police était stationnée dans la rue Saint-Sulpice. Ils y montèrent pendant que le policier grimpait sur le siège extérieur pour prendre les rênes des deux puissants chevaux. Il les fit claquer et le véhicule s'ébranla pour faire demi-tour et remonter Notre-Dame. De là, ils rejoindraient Sherbrooke et se dirigeraient vers l'est.

L'asile se trouvait à Longue-Pointe, à six milles de Montréal. Ils avaient une bonne heure à tuer. Dans la cabine, les cousins tentèrent de discuter. Après avoir été au cœur d'un tourbillon depuis toutes ces heures, ils se trouvaient provisoirement dans une oasis de calme relatif et ressentaient un besoin impérieux d'analyser, de comprendre. Leurs cervelles, toutefois, étaient à bout de ressources et tournaient dans la mélasse. Leurs mots n'étaient que bafouillages. Leurs idées s'étiolaient au fil d'une phrase sans arriver à se compléter tout à fait. Adrien avait été vertement tabassé, menacé et projeté dans l'inconnu. Pierre avait subi plus d'émotions en une seule journée que la plupart des gens normaux dans toute une vie.

Après une dizaine de minutes de vaines tentatives, ils finirent par abdiquer devant l'épuisement et décidèrent de se reposer un peu. Face à face sur leur banquette respective, la tête appuyée contre la paroi dure qui vibrait au rythme des pavés sous les roues, ils dormirent et même le cauchemar de Pierre n'arriva pas à s'insinuer dans ses rêves.

Le ralentissement de la voiture les tira d'un profond sommeil qui leur avait paru ne durer qu'une minute. Lorsqu'elle se fut immobilisée, ils entendirent le policier descendre et la porte s'ouvrit.

— Nous sommes arrivés, annonça Damase Thériault en les invitant à descendre d'un geste de la tête.

Encore un peu désorientés et les paupières lourdes, ils s'exécutèrent. Une fois dehors, ils découvrirent le policier en compagnie de deux autres hommes. D'abord impressionné par le fait que les agents promis par Demers soient déjà arrivés, Pierre devint vite sceptique. Il eut beau regarder de tous les côtés, l'asile ne se trouvait nulle part. Autour, il n'y avait que des champs à perte de vue.

— Nous ne sommes pas à Longue-Pointe, dit-il avec méfiance. Pourquoi nous arrêtons-nous ici ?

Le colt 45 émergea de la veste de Thériault et se retrouva pointé au bout de son bras tendu, à quelques pieds du visage de Pierre. Les deux inconnus qui l'accompagnaient en firent autant, tenant en joue les cousins stupéfaits.

— Que… que signifie ? bredouilla Pierre.

Damase fit un geste sec de son arme et désigna le champ derrière Pierre et Adrien.

— Par là. Mains en l'air.

Médusés, les cousins tournèrent les talons à l'unisson pour suivre la direction indiquée. Derrière eux, les pas des trois hommes résonnaient à une distance respectueuse, leur arme sans doute pointée entre leurs omoplates. Ils marchèrent pendant quelques minutes, tâtonnant un peu dans le noir. Seule la lumière d'un quartier de lune éclairait leurs pas. Bientôt, la route fut loin.

— Retournez-vous.

Impuissants, ils obéirent. Le visage dur comme du roc, Thériault arma le chien de son révolver. Dès lors, Pierre sut qu'il allait mourir.

— Pourquoi voulez-vous nous tuer ? demanda-t-il.

— Pour que l'*Argumentum* reste là où il est, répondit le policier.

— Mais je ne sais rien de cet *Argumentum* ! rugit le jeune professeur en colère. Absolument rien !

— Et c'est parfait comme ça.

Pierre allait répliquer, mais il se tut. Une idée venait de le frapper avec la violence d'une ruade de cheval. Cet homme lui déclarait froidement qu'il ne voulait pas qu'il retrouve l'*Argumentum*. Or, on le lui réclamait en échange de la vie de Julie. Il n'y avait qu'une explication possible : deux factions s'opposaient, l'une souhaitant mettre la main sur l'*Argumentum*, l'autre cherchant à le détruire. Et pour des raisons qui lui échappaient complètement, il se retrouvait entre les deux.

Ce qui était évident, dans l'immédiat, c'était que s'il tombait sous les balles de cet homme, Julie était condamnée. Il regarda désespérément de tous les côtés, à la recherche d'une échappatoire, d'une arme, d'une diversion, mais ne vit que des champs qui se perdaient dans le noir.

— Mais pourquoi moi ? gémit soudain Adrien à ses côtés.

Pierre se retourna vers lui, interloqué. Dans la faible lumière de la lune, son cousin, d'ordinaire si courageux et déterminé, tendait des mains suppliantes vers le policier, le visage contorsionné par la peur comme le dernier des lâches.

— Parce que tu pourrais être lui, répondit Thériault, avec un air énigmatique, en désignant Pierre.

Adrien avança de quelques pas vers lui, toujours implorant.

— Mais je n'ai rien fait, pleurnicha-t-il. Je ne suis qu'un petit prêtre. Je ne sais rien de toute votre affaire. Je ne dirai rien, je le jure. Pour l'amour de Dieu, laissez-moi vivre.

— C'est justement pour l'amour de Dieu que tu dois mourir.

Adrien marcha encore un peu et s'arrêta devant Thériault, le canon du révolver à quelques pouces de son nez. Pierre vit ses épaules s'affaisser sous le poids de la fatalité.

— Très bien, dit Adrien d'une voix résignée. Puisqu'il en est ainsi.

Le jeune sulpicien soupira tristement, leva la main droite et traça un grand signe de croix pour bénir celui qui allait l'assassiner froidement.

— *Pater, dimitte illis, non enim sciunt quid faciunt*[1], dit-il.

Pierre connaissait bien cette lueur espiègle dans les yeux d'Adrien, celle qui brillait lorsque son cousin avait vu une ouverture dont il allait profiter. La violente gauche qui écrasa le menton de Damase fut si fulgurante que même Pierre la vit à peine sortir. En dépit de son gabarit impressionnant, le policier, sonné, vacilla et recula d'un pas. Ce faisant, il abaissa involontairement son arme pour conserver son équilibre. Aussitôt, un uppercut lui fit claquer la mâchoire et lui fendit la lèvre. Il fut suivi d'un direct du droit sous l'œil, qui lui brisa le nez.

Distraits par l'attaque imprévue, les deux autres quittèrent Pierre des yeux. Instinctivement, il saisit l'occasion et franchit en deux longues enjambées la distance qui les séparait. Avec toute la force dont il disposait, il enfonça son poing dans le ventre de l'un d'eux.

Le souffle coupé, l'homme se plia en deux et reçut un coup sur la tempe qui le fit s'écraser au sol comme un sac de patates bien rempli. Il y resta, face contre terre.

Sans prendre le temps de se réjouir de ce premier KO en dix ans de boxe, Pierre fondit sur l'autre, qui allait tirer sur Adrien. Il saisit son poignet à deux mains pour le repousser vers le ciel. Le coup partit une fraction de seconde plus tard, déchirant le silence tel le tonnerre un soir d'orage.

Livide, le sulpicien se retourna pour constater qu'il venait d'échapper à la mort par un cheveu. Il resta pétrifié. Devant lui, Thériault, à moitié assommé, la moustache et le menton couverts de sang, tanguait sur ses genoux comme un homme ivre. Il lui abattit son poing sur la joue et le colosse finit par tomber comme un grand arbre après l'ultime coup de hache.

Pierre luttait toujours avec le troisième homme, qui se révélait beaucoup plus fort que lui, et ne parvint à lui arracher le révolver que grâce à un coup de genou qui lui fit remonter la virilité jusque dans la gorge. Il se jeta sur son adversaire et la pluie de

1. Père, pardonne-leur, car ils ne savent ce qu'ils font. *Luc* 23,34.

droites qu'il fit s'abattre sur lui fut rapide et violente. Petit à petit, l'homme se rapprocha du sol, d'abord à genoux, puis entièrement allongé. Pour s'assurer qu'il resterait ainsi, Pierre lui administra un violent coup de pied derrière la tête.

Du coin de l'œil, Pierre ne vit qu'à la dernière seconde Thériault qui s'était relevé sur un genou et qui, bien qu'étourdi, levait son révolver pour le pointer vers lui. Il fit la seule chose qui lui vint en tête durant la fraction de seconde dont il disposait. Il leva l'arme qu'il venait d'arracher à son adversaire et appuya sur la gâchette. Le canon cracha le feu et la force du recul lui remonta jusque dans l'épaule. Le policier fut violemment projeté vers l'arrière et demeura au sol, les bras en croix.

Pendant un instant, Pierre resta les bras ballants, incrédule. Il avait peine à saisir qu'il venait d'échapper à une tentative d'assassinat. Il laissa tomber le révolver et examina sa main droite. Ses jointures, habituées à la protection de gant, étaient enflées et fendues à force d'avoir frappé. Des fines rigoles de sang lui descendaient le long des doigts. Il les essuya sur son pantalon et, de son mieux, secoua sa torpeur, rendue encore plus lourde par l'épuisement accumulé. Les deux inconnus étaient toujours inconscients et ne reviendraient pas à eux de sitôt. Il ramassa l'arme, rejoignit son cousin et la lui remit, encore fumante.

— Garde-le en joue. On ne sait jamais.

Le dégoût peint sur le visage, clairement ébranlé, lui aussi, Adrien accepta le révolver et le pointa des deux mains vers la forme inerte dont son cousin s'approchait.

Circonspect, Pierre s'agenouilla près de Damase Thériault. Les yeux du policier regardaient fixement le ciel, un grand trou béant et ensanglanté entre l'épaule et le cœur. Il inspirait difficilement, par petits coups secs. Sentant une présence près de lui, il râla faiblement et posa les yeux sur son meurtrier.

— Tu es… le diable, murmura-t-il dans le silence de la nuit. *Gladius… Dei.*

Il ricana et se mit à tousser. Des postillons gorgés de sang jaillirent de sa bouche.

— Votre maudite tablette… ne… veut rien dire… sans l'autre, haleta-t-il. L'abomination. On ne peut… détruire le bien… seulement pour la vérité.

Il expira une ultime fois, puis ne bougea plus. Ébranlé, Pierre ne put détacher son regard du visage maintenant détendu. Il venait de tuer un homme. Il avait soufflé une vie aussi facilement que le vent le faisait avec la flamme d'une chandelle. Il posa deux doigts sur la peau ensanglantée du cou, mais n'y trouva aucun pouls. Par acquit de conscience, il déchira la chemise pour dénuder le torse. N'appréciant guère l'idée d'être un meurtrier, même en cas de légitime défense, il allait poser l'oreille à la hauteur du cœur dans l'espoir d'y déceler un peu de vie lorsque ce qu'il aperçut dans la lumière de la lune le cloua sur place.

Il empoigna le corps pour le retourner un peu afin de mieux l'éclairer. Au-dessus du sein gauche était tatoué un symbole qui s'était incrusté dans sa mémoire : une épée tenant lieu de crucifix au Christ.

Il se leva d'un trait et, fébrile, se précipita vers les deux hommes inconscients. Il déchira tout à tour leur chemise et trouva le même tatouage sur leur poitrine.

Las au-delà de toute description, il se laissa tomber sur les fesses près de l'un d'eux. Il secoua la tête, incrédule. Adrien s'approcha, le révolver toujours brandi.

— Qu'est-ce qu'il y a ? s'énerva-t-il, ébranlé. Tu es blessé ?

— Ce tatouage, lui apprit Pierre en désignant de la tête la poitrine de l'homme le plus proche, c'est le symbole qui se trouvait sur la note laissée par les ravisseurs dans la chambre de Julie. Ils le portent tous les trois.

Déboussolé, il se releva.

— Pourtant celui-là voulait empêcher que je retrouve l'*Argumentum*, dit-il en désignant Damase. Tu l'as entendu, non ?

Désarçonné, Adrien hocha la tête.

— Mais comment puis-je le retrouver et sauver Julie si ceux qui le réclament essaient de m'assassiner ? hurla-t-il, rageur, en administrant un coup de pied dans le ventre d'un des hommes inconscients. Je n'y comprends plus rien ! Et pourquoi a-t-il dit que j'étais le diable ? Et *Gladius Dei* ? Qu'est-ce que c'est ?

— Le « Glaive de Dieu »… Jamais entendu parler de ça, répondit le sulpicien en haussant les épaules. Mais le terme me semble bien coller au dessin : Dieu le Fils sur une épée, ou un glaive.

N'ayant pas songé à faire ce rapprochement, Pierre le dévisagea, interloqué.

— Retournons auprès de l'inspecteur Demers, suggéra le sulpicien. Peut-être y verra-t-il clair.

— Ce Damase était un de ses hommes, déclara Pierre. Qui me dit qu'il ne fait pas partie de la même bande ?

— Si ton ami l'inspecteur avait voulu ta mort, il aurait eu nombre d'occasions d'y voir.

— Tout de même, dit Pierre en passant ses doigts dans ses cheveux blonds mouillés de sueur. Allons d'abord voir ma mère, comme convenu. Ensuite, dépendant du résultat, nous aviserons.

Il se releva, empoigna les bottes des hommes inconscients et se mit à défaire leurs lacets.

— Aide-moi, demanda-t-il quand il eut fini.

Ensemble, ils leur attachèrent solidement les poignets dans le dos, puis les chevilles. En temps et lieu, ils se réveilleraient allongés sur le sol, en plein champ, à l'écart de la route et incapables de s'enfuir pour alerter qui que ce soit.

— Quelqu'un finira bien par les trouver et, avec ce qu'ils entendaient faire, je doute qu'ils nous dénoncent pour expliquer la mort de Thériault, dit Pierre.

Lorsqu'il reporta son attention sur son cousin, il le trouva debout, blême.

— Je suis prêtre, déplora Adrien d'une voix blanche. Pourtant, j'ai battu un homme sans mauvaise conscience. J'en ai vu un autre mourir sans ressentir autre chose que du soulagement.

Pierre ramassa le révolver de Damase et le glissa dans sa ceinture. Il lança le troisième aussi loin qu'il le put dans le champ.

— Garde celui-là, dit-il à Adrien en désignant l'arme qu'il lui avait déjà confiée.

Résigné, le sulpicien releva sa soutane pour la mettre dans la poche du pantalon sombre qu'il portait dessous. Puis ils marchèrent jusqu'à la voiture, que les chevaux effrayés par les coups de feu avaient tirée un peu plus loin, et montèrent sur la banquette du cocher.

Les rênes claquèrent et la voiture partit en trombe vers Longue-Pointe, tous les espoirs de Pierre résidant dans les souvenirs confus d'une folle qu'il n'avait pas vue depuis des années. Une folle qui était sa mère.

40

— Cet *Argumentum*, dit Adrien d'une voix éteinte dès qu'ils eurent pris la route. Qu'en sais-tu ?

— Pas grand-chose, au-delà de ce qu'en raconte le vingt-neuvième degré de la franc-maçonnerie, que m'a décrit Perreault. Je crois que quelqu'un a voulu y cacher une piste. Mais que je sois tourné en cochon si je sais par quel bout la prendre.

Pierre résuma les quelques informations dont il disposait.

— Les légendes maçonniques le présentent comme un secret terrible qui fait trembler de peur les rois et les papes. Les chevaliers du Temple qui ont échappé à la grande purge de 1307 l'auraient préservé au prix de leur vie, pour éventuellement le mettre en sécurité dans un endroit nommé Arcadie. Deux siècles plus tard, ils l'auraient récupéré pour le cacher ailleurs. Toujours selon le récit, certains de leurs descendants auraient reçu des clés qui allaient permettre, en temps voulu, de le récupérer. Viendrait alors une terrible vengeance qui laverait dans le sang l'honneur de l'ordre. Mais ces clés ont été perdues et plus personne ne sait où se trouve l'*Argumentum*. Chaque nouvel initié du vingt-neuvième degré jure de le chercher et se voue à la Vengeance.

— On se croirait dans un roman de cape et d'épée, ricana amèrement Adrien. C'est ridicule.

— À ceci près que, légende ou pas, on me le réclame, ce maudit *Argumentum*.

Adrien ouvrit et ferma à plusieurs reprises ses mains endolories en réfléchissant.

— Dans ton degré maçonnique, on ne dit pas ce qu'est l'*Argumentum*, je suppose ?

— C'eût été trop facile, tu ne trouves pas ? railla Pierre avec amertume.

Les dernières paroles de Thériault lui revinrent en tête, obscures à souhait. « Votre maudite tablette ne veut rien dire sans l'autre. L'abomination. On ne peut détruire le bien seulement pour la vérité. » Perplexe, il les répéta à son cousin.

— En latin, *Argumentum* signifie « preuve », déclara le sulpicien après une brève réflexion. Notre homme laissait entendre qu'il prenait la forme d'une tablette. Deux, en fait, puisque la première ne vaudrait rien sans la seconde. Peut-être cette tablette porte-t-elle la preuve qui permettrait de rétablir la réputation des Templiers et de démasquer ceux qui ont voulu les détruire ? Ceux qui, si l'on en croit les derniers mots d'un mourant, considèrent qu'ils incarnent le bien aux dépens de la vérité. Voilà une belle question philosophique…

— Tu ne vas tout de même pas prêter foi à des fariboles de Templiers et de francs-maçons ? s'insurgea Pierre.

— Dieu m'en préserve, protesta Adrien. Mais ce rituel contient tout de même la seule mention de l'*Argumentum*. Ça ne peut pas être un hasard. Il est aussi établi que les meurtres du jésuite, puis du notaire Fontaine et de sa femme, ont été perpétrés selon des rites maçonniques.

Pierre fit claquer les rênes pour augmenter la vitesse.

— C'est ça ! Voilà que je suis un descendant des Templiers, dont je détiens le terrible secret, maintenant ! ragea Pierre, tout à fait exaspéré. Nom de Dieu !

— En tout cas, ce qui est indiscutable, c'est que ces gens paraissent en être suffisamment convaincus pour égorger, décapiter et kidnapper, rétorqua Adrien. Mon visage porte encore des marques passablement douloureuses de leur détermination.

— S'ils me croient si important, alors pourquoi essayer de me tuer ?

— Es-tu certain que le tatouage et le dessin sur la note étaient identiques ?

— Absolument.

— Alors ça, je ne peux pas l'expliquer, admit le sulpicien, dépité.

— Moi, si : ils sont complètement fous.

À bout de raisonnements, ils se turent. Il fallut une quinzaine de minutes pour arriver en vue de Saint-Jean-de-Dieu. Situés en retrait sur les terres d'une ancienne ferme, les bâtiments avaient encore quelques fenêtres illuminées. Le corps principal de l'asile, une impressionnante bâtisse au rez-de-chaussée en pierre de taille percé d'une vaste porte centrale, faisait cent soixante pieds de front. Une aile de quatre-vingt-dix pieds venait s'attacher à chaque extrémité, en plus des autres corps de logis, le tout s'élevant sur six étages en brique où s'alignaient de multiples fenêtres, un fou enfermé derrière la plupart d'entre elles. Une magnifique construction, souhaitée par un clergé bien intentionné et payée par un État bien-pensant pour masquer en beauté la déchéance humaine.

Un asile peuplé de quatre cents « personnes idiotes » retenues prisonnières était propre à marquer au fer rouge les souvenirs d'un enfant dont la mère vivait parmi les aliénés, et Pierre n'eut aucun mal à se remémorer l'endroit. Il se souvenait d'y être entré avec son père, jadis. Il pouvait encore entendre les murmures des religieuses et les cris des fous. Il en sentait l'odeur d'encaustique et de désinfectant mêlée à celle, rance et incrustée, de la crasse et des déjections humaines. Les frissons de peur qui lui avaient jadis parcouru l'échine le reprirent.

L'allée qui menait à l'édifice principal était large, pavée et bordée d'élégants lampadaires au gaz. L'ambiance un peu triste qui en résultait était à la hauteur de la vocation de l'endroit. Pierre y engagea la voiture, le bruit des sabots résonnant de manière un peu sinistre sur les pavés. Une fois arrivé, il immobilisa le véhicule et ils descendirent. Adrien attacha les rênes après un des lampadaires, l'air frais faisant monter une légère vapeur des chevaux essoufflés.

Ils gravirent les quelques marches de granite du balcon et Pierre frappa. Ils attendirent sans que rien se passe. Impatient, il insista, cette fois y allant à main ouverte et plus fortement. La porte finit par s'entrouvrir en grinçant, révélant le visage sévère d'une religieuse au visage aussi ridé qu'une vieille pomme et portant l'austère habit noir et la coiffe rigide des Sœurs de la Providence. Elle tenait la poignée d'une lampe à huile qu'elle brandit presque agressivement à la hauteur de leur visage.

— Bonsoir, ma sœur, dit Pierre avec la plus grande des politesses. Je sais qu'il est très tard, mais je dois absolument voir madame Hubert Moreau.

L'air pincé, la religieuse avisa le costume sale et le visage amoché de son interlocuteur. Elle ne dit rien, se contentant de l'interroger du regard.

— Je suis son fils, précisa Pierre pour la décider à agir.

— Il est passé neuf heures et les visites sont terminées depuis longtemps, affirma-t-elle brusquement. Revenez demain.

Elle fit mine de refermer, mais Adrien émergea derrière son cousin et retint la porte avec autorité.

— Nous ne serions pas ici à une heure pareille s'il n'y avait pas une réelle urgence, ma fille, dit-il calmement en regardant la religieuse dans les yeux. Notre-Seigneur n'a-t-il pas accueilli les gens dans le besoin ?

Pierre ne put s'empêcher de noter le ridicule de la situation, son cousin, à peine entré dans la vingtaine, appelant « ma fille » une femme qui aurait pu être sa grand-mère. La soutane sulpicienne, même souillée et déchirée, et le crucifix qu'il portait sur la poitrine eurent néanmoins l'effet escompté sur une femme conditionnée depuis son plus jeune âge à obéir au clergé masculin sans poser de questions.

— Très bien, grogna le cerbère. Entrez. Mais ne faites pas de bruit.

— Dieu vous bénisse, ma fille, dit Adrien.

La vieille ne fit aucun cas de la bénédiction et tourna sèchement les talons. Ils refermèrent avant de la suivre. De ce pas leste que conservent souvent les religieuses âgées, elle traversa le parloir dans lequel ils se trouvaient jusqu'à un comptoir, sur la gauche. Elle passa derrière, posa sa lampe, chaussa les demi-lunettes qui y traînaient et ouvrit un grand registre.

— Son nom, encore?

— Hermine Moreau, née Lafrance. Madame Hubert Moreau.

Elle acquiesça de la tête, une moue contrariée lui pinçant les lèvres, et se mit à feuilleter les pages. Pierre retint son souffle, soudain convaincu qu'elle allait lui annoncer que sa mère avait disparu, elle aussi.

— Voilà, marmonna la vieille religieuse en arrêtant son index déformé par l'arthrite sur une ligne. Hermine Moreau.

Elle releva la tête, retira ses lunettes et reprit sa lampe.

— Venez.

Comme des brebis à la suite du berger, ils la suivirent dans un dédale de parloirs, d'infirmeries, de réfectoires, de corridors et d'escaliers. Au fil des couloirs sombres, dont les nombreuses portes donnaient sur des chambres individuelles ou des dortoirs, Pierre se rappela à quel point il avait eu peur de cet endroit lorsqu'il y était venu avec son père quand il était encore petit. Évidemment, c'était avant que sa mère hurle de toute la force de ses poumons qu'elle ne voulait plus jamais le voir, qu'elle le haïssait, qu'il avait brisé sa vie. Avant, aussi, qu'il s'efforce de l'oublier autant qu'il en était capable.

De temps à autre, un cri perçant ou un gémissement franchissait une porte et faisait sursauter les deux cousins, alors que la religieuse, visiblement habituée, n'y portait aucune attention. Parfois, c'étaient des pleurs ou des babillements infantiles. C'était à croire que les insensés ne dormaient jamais.

Ils arrivèrent dans un corridor que Pierre reconnut aussitôt. Avec ses lourdes portes sans fenêtres et fermées de l'extérieur par un verrou, il était identique à tous les autres. Pourtant, celui-là s'était gravé à jamais dans sa mémoire. Sa lumière tamisée, son odeur, la disposition des portes, les marques sur les murs, tout y était. Pendant une seconde, il eut l'impression d'avoir encore six ou sept ans et de sentir la main de son père, chaude et rassurante, qui tenait la sienne.

Lorsque la religieuse s'arrêta devant une porte particulière, son cœur se serra.

— Attendez ici, ordonna-t-elle.

Elle tira le verrou, ouvrit la porte et disparut. Des chuchotements, puis une petite plainte, parvinrent aux oreilles de Pierre. La sœur ressortit et, d'un geste brusque de la tête, leur fit signe d'approcher.

— La pauvre est très fragile, prévint-elle à voix basse en brandissant un index menaçant. Ménagez-la. Au moindre signe d'énervement, sulpicien ou pas, je vous conduirai moi-même dehors par le collet.

Pierre la toisa et ne douta pas un instant qu'elle en était capable. Elle s'écarta en grommelant pour leur céder le passage. Nerveux à l'idée de revoir sa mère pour la première fois depuis cinq ans, Pierre ravala sa salive et entra, son cousin à sa suite.

Ce qu'il vit correspondait parfaitement à son souvenir de la chambrette. Dans une pièce aux murs capitonnés pour empêcher l'occupante de se faire du mal en s'y frappant, on avait fait un vaillant effort pour créer l'illusion de la normalité en y entassant tous les artifices de la vie courante. L'étroit lit de fer contre le mur gauche, drapé d'un couvre-lit délicatement brodé; la fenêtre du mur du fond, fermée par un grillage de fer que cachaient en partie des rideaux de dentelle; la petite table et la chaise disposées devant; la modeste armoire blanche appuyée sur le mur de droite; les murs nus; rien n'avait changé. Sauf Hermine Moreau, née Lafrance.

Lorsqu'il vit sa mère dans la lumière de la lampe, le choc fut tel qu'il lui coupa le souffle. Il s'arrêta si brusquement qu'Adrien lui percuta le dos. Elle était assise à la petite table, la jambe droite croisée par-dessus la gauche, la main droite flânant avec une lassitude étudiée sur le meuble, la gauche posée sur sa hanche. Vêtue d'un élégant peignoir en dentelle beige, elle se tenait bien droite et avait tout de la bourgeoise de qualité qu'elle avait été.

Le temps et la folie avaient été cruels avec celle qui avait été si belle. Elle n'avait pas encore quarante-sept ans, mais en paraissait aisément vingt de plus. Ses cheveux, remontés en un chignon sévère à l'arrière de sa tête, étaient blancs comme une neige fraîchement tombée. Son visage, jadis lisse et harmonieux, s'était creusé de rides aux réseaux complexes causées par des soucis qui n'existaient que dans son imagination déréglée. Elle fixait le mur comme si elle seule y voyait quelque chose de fascinant. Puis, lentement, avec une langueur de grande dame, elle tourna la tête vers ses visiteurs et leva le menton.

— Oui ? fit-elle de ce ton élégant, à mi-chemin entre l'ennui et le dédain, qui n'appartenait qu'à la bonne bourgeoisie.

— Mère... la salua Pierre d'une voix étranglée par l'émotion.

Hermine Moreau se raidit et inspira sèchement.

— Je ne vous connais pas, monsieur, dit-elle d'une voix froide et un peu haut perchée, les lèvres pincées.

— C'est moi, Pierre. Votre fils.

Elle fronça les sourcils et le dévisagea, visiblement confuse, puis le détailla sans gêne de la tête aux pieds.

— Vous faites erreur, déclara-t-elle d'un ton cassant. Je n'ai ni fils ni mari. Je n'en ai jamais eu.

Pierre sentit dans son dos la main d'Adrien qui le poussait doucement vers l'avant. Lorsque le sulpicien fut dans la chambre, Hermine lui adressa un sourire chaleureux et, passant du chaud au froid, redevint instantanément l'hôtesse parfaite.

— J'ai bien peur que vous vous soyez déplacé pour rien, mon père. Je me suis confessée ce matin à la messe de sept heures. Ma foi, je ne crois pas avoir péché depuis.

Elle laissa échapper un petit rire de grande dame, le bout de ses doigts couvrant ses lèvres.

— Mais je veux bien dire un *Pater* et quelques *Ave* avec vous, continua-t-elle. Si seulement je peux retrouver mon chapelet…

Elle se mit à regarder un peu partout, toute son attention instantanément concentrée sur la recherche de l'objet en question. Adrien força un sourire bienveillant et, acceptant le fait qu'elle ne reconnaissait pas davantage son neveu que son fils, leva la main pour l'en dispenser.

— Ce ne sera pas nécessaire, ma fille, dit-il en jouant le jeu.

Le cœur serré, Pierre s'approcha de sa mère et s'accroupit devant elle, espérant que cette posture évacuerait toute impression de menace.

— Mère, murmura-il avec une infinie douceur, essayez de vous rappeler. Nous vivions rue Saint-Denis, vous, papa et moi. Hubert ? Vous vous souvenez de lui ?

— Hubert ? s'exclama-t-elle avec une pointe d'hystérie en se crispant de nouveau. Hubert Moreau ?

— Oui, c'est ça. Votre mari. Mon père.

Elle le dévisagea longuement, comme si elle cherchait à déterminer s'il était sérieux ou s'il blaguait. Puis, de façon très peu élégante, elle pouffa d'un rire d'enfant et porta ses doigts à ses lèvres pour couvrir sa bouche.

— Mais, mon pauvre garçon, qu'allez-vous chercher là ?

Elle lui tapota affectueusement la main.

— Allons donc, Hubert n'a jamais été mon mari. Tout ça n'était qu'une comédie.

Son rire s'éteignit dans sa gorge aussi vite qu'il était né et son regard devint vague, comme si elle revoyait pour la première fois depuis longtemps des souvenirs qu'elle avait refoulés au plus profond d'elle-même.

— Une triste, une affreuse comédie, ajouta-t-elle d'une voix tout à coup hantée.

Elle se mit à se ronger les ongles.

— Tout ça pour ce maudit *Argumentum*, chuchota-t-elle en se mordillant fiévreusement le bout du majeur.

Pierre jeta prestement un coup d'œil vers Adrien, dont le visage s'était contracté. Il saisit les mains de sa mère et, dans son empressement, les serra un peu trop fort.

— Quoi ? rétorqua-t-il d'un ton plein d'urgence. Que savez-vous de l'*Argumentum* ?

Terrifiée, elle les lui arracha pour se recroqueviller aussi profondément qu'elle le pouvait dans sa chaise, tremblant comme une feuille.

— Vous êtes venus pour me tuer ? gémit-elle, livide, les yeux brillants de folie. Ce sont eux qui vous ont envoyés, c'est ça ?

Sans prévenir, elle se mit à pleurer. Pierre recula, déconfit, en constatant la réaction qu'il avait provoquée.

— J'ai fait tout ce qu'ils m'ont demandé, sanglota sa mère. J'ai fait semblant d'être son épouse. J'ai adopté l'enfant et j'en ai pris soin aussi longtemps que j'en ai été capable, même si je ne le voulais pas. Même s'il était maudit !

Pierre eut l'impression d'avoir été giflé. Quelques minutes plus tôt, Damase Thériault l'avait traité de diable et voilà que sa mère le disait maudit. Sans prévenir, Hermine se mua en furie et lui cracha au visage.

— Xavier et Simone ont fait la même chose. Deux petits blonds, parce que personne ne savait lequel était le bon. Tout ça pour le maudit *Argumentum* ! Il n'apporte que la mort ! On a tellement tué pour lui ! Je n'aurais jamais dû accepter !

Estomaqué, la tête qui tournait, Pierre ne put rien dire. Cette folie ne cesserait-elle jamais d'empirer ?

Hermine se tut subitement et le regarda, une lueur de lucidité dans les yeux. Passant du chaud au froid, elle posa la main sur sa joue et la caressa avec une tendresse toute maternelle, un sourire se mêlant à ses larmes.

— J'ai essayé de t'aimer, mon petit Bernard, soupira-t-elle doucement, les yeux mouillés. De toutes mes forces. Même si tu n'étais pas de moi. Mais je n'ai pas pu. J'aurais dû te laisser à l'hospice avec cette vieille sœur. De toute façon, le secret, tu ne l'as jamais eu. Mais ils espéraient que tôt ou tard, quelqu'un te le ferait retrouver. Ils étaient prêts à attendre. Tu n'étais qu'un pion dans leur jeu. Au moins, ça faisait deux orphelins de moins.

— Mère ! insista Pierre, au bord du désespoir. L'*Argumentum* ? De quoi s'agit-il ? Où se trouve-t-il ? Pour l'amour de Dieu, parlez ! Il en va de la vie de ma fiancée !

Elle regarda autour d'elle, l'air possédé, comme si elle craignait qu'on l'entende. Puis elle lui fit signe de s'approcher.

— C'est la preuve, lui chuchota-t-elle dans l'oreille sur un ton de conspiratrice, comme s'il s'agissait du plus grand des secrets. La preuve que tout est faux. Tout ! Que tout le monde a menti. Que les Justes ont été floués. Ils attendent depuis longtemps. Ils sont patients. Ils sont partout, ils manipulent tout.

Elle lui adressa un petit sourire triste. Dans son regard, toute trace de déraison avait disparu.

— L'*Opus Magnum*. Le *Gladius Dei*. Ils te courent après, c'est ça ?

Estomaqué qu'elle puisse seulement poser une telle question, la bouche aride et la langue collée au palais, il lui fallut un moment pour réagir. Les ultimes paroles de Damase lui revinrent en tête. Aucun doute : le *Gladius Dei* lui courait après. Sonné, il fit oui de la tête.

— Alors, ils savent qui tu es et plus rien ne peut les arrêter. Tu n'es qu'un appât, Bernard, comme Hubert et moi avons été des instruments. Ils veulent l'*Argumentum* et ils tueront pour l'avoir. Ils décapitent, ils égorgent… Ils sont atroces.

— Mère, je m'appelle Pierre, pas Bernard.

Hermine le regarda un instant et ses lèvres se mirent à trembler.

— Tu as gâché ma vie, dit-elle, d'une voix à peine plus forte qu'un souffle, mais dénuée d'amertume. Je ne t'en veux pas. Ce n'était pas ta faute. Tu n'avais rien demandé. Maintenant, va-t'en, je t'en supplie. Et ne reviens plus jamais.

Elle avisa soudain Adrien, près de la porte. À la vue du prêtre en soutane, son visage se contorsionna de terreur et elle eut l'air d'avoir cent ans. Ses yeux redevenus déments, elle empoigna ses cheveux à pleines mains et se mit à tirer dessus en hurlant comme la démente qu'elle était.

— *Gladius Dei! Gladius Deiiiiiii!* Ils vont tuer le petit!

La vieille nonne surgit, lampe au poing et l'air résolument belliqueux, en compagnie de deux consœurs plus jeunes au regard de bouledogue.

— Je vous avais dit qu'elle était fragile, la pauvrette! ragea-t-elle en faisant un effort pour ne pas élever la voix. Voyez dans quel état vous me l'avez mise! Sortez d'ici tout de suite! Ouste! Dehors!

Manu militari[1], ils furent escortés à travers l'enfilade de couloirs et d'escaliers jusqu'à la sortie. La porte fut ouverte et ils eurent à peine le temps de la franchir avant qu'elle ne soit claquée bruyamment dans leur dos, sans autre forme de courtoisie.

Sur le petit balcon, ils se regardèrent, aussi défaits l'un que l'autre.

— On dit que les fous ne peuvent pas mentir, déclara Pierre d'une voix brisée.

Adrien ne répondit pas. Que peuvent les mots lorsqu'on vient d'apprendre que l'on n'est personne? Que le nom que l'on porte ne nous appartient pas? Que nos racines ne sont plantées nulle part? Il se contenta de passer son bras autour des épaules de son cousin et de le serrer contre lui en l'entraînant vers la voiture.

---

1. Par la force.

41

Montréal, 19 octobre 1866

LE SILENCE RÉGNAIT dans l'orphelinat. Les enfants dormaient depuis déjà longtemps. Installée dans la pièce attenante au dortoir, où se tenaient les surveillantes, mère Marie-Marthe appréciait ces heures paisibles. Assise dans la chaise droite qui était devenue confortable avec le temps, comme si le bois avait fini par se mouler à son corps, elle avait tout loisir de méditer. Sur la table se trouvait sa vieille Bible écornée, offerte par son père le jour de sa profession solennelle, voilà déjà tant d'années. Elle la lirait plus tard. Pour l'instant, les billes de bois de son chapelet entrecroisées entre ses doigts noueux, la religieuse priait pour ses petits anges, qui en avaient tant besoin.

Depuis une vingtaine d'années, l'économie de Montréal s'était grandement détériorée. Des masses d'ouvriers venus des campagnes s'y étaient entassés, cherchant du travail dans des manufactures où ils étaient mal payés et encore moins bien traités. Pauvres comme la gale, ils entassaient leurs familles nombreuses dans des logements trop petits et insalubres. La plupart mangeaient rarement à leur faim et l'eau qu'ils buvaient les rendait souvent malades. Les tas d'ordures et d'immondices s'accumulaient dans les ruelles et empuantissaient la ville, déjà noircie par la suie et recouverte d'un nuage de fumée qui rendait tout gris. À sept ou huit ans, les enfants étaient mis à l'usine, à la merci de contremaîtres qui n'hésitaient pas à les battre à la moindre peccadille et à leur faire parfois des choses qu'elle n'osait même pas nommer. Et on aurait dit que cette misère insidieuse se transmettait d'une génération à l'autre. C'était à croire que Dieu avait abandonné les pauvres pour ne s'occuper que des riches.

Mère Marie-Marthe se reprocha aussitôt une telle pensée. Il ne lui revenait pas de mettre en question la volonté divine. Son rôle était de servir modestement son prochain et, en ces temps sombres, elle ne chômait pas. Le nombre des nouveau-nés abandonnés par des mères incapables de les nourrir ou des femmes de mauvaise vie augmentait sans cesse. Il ne se passait pas une semaine sans qu'on frappe à la porte de l'hospice de la place d'Youville pour y laisser un enfant.

Les religieuses accueillaient ces enfants sans juger, les nourrissaient, les logeaient et leur donnaient l'instruction qu'elles pouvaient. Elles espéraient ainsi faire de chaque orphelin un bon chrétien sain de corps et d'esprit qui, si Dieu le voulait, serait un jour adopté. En échange de leur hébergement, ceux qui étaient en âge de le faire accomplissaient de menus travaux.

De nature optimiste, elle ne se faisait toutefois pas d'illusions. Pour la centaine d'orphelins, les chances de trouver une famille aimante étaient presque nulles. Rares étaient ceux qui pouvaient se permettre de nourrir une bouche supplémentaire. Quant aux riches, ils avaient leurs propres enfants et se préoccupaient davantage de leur position en société que de charité. En conséquence, la plupart des enfants resteraient à l'hospice jusqu'à leurs dix-huit ans, puis seraient retournés dans le monde pour essayer d'y survivre. Ils finiraient presque tous dans une manufacture, où ils se gâcheraient la vie pour une maigre pitance ou, pire encore, se blesseraient et seraient contraints de mendier pour manger. Plusieurs de leurs enfants finiraient à leur tour à l'orphelinat. Ainsi se présentait, au regard de mère Marie-Marthe, le cycle de la vie à Montréal.

Elle secoua la tête avec impatience. Elle ne devait pas trop penser à tout cela. Son rôle n'était pas de réformer la société mais d'aimer les enfants. Car pour elle, parmi toutes les formes que la pauvreté prenait, le manque d'amour était de loin la plus cruelle.

Mère Marie-Marthe s'éveilla en sursaut. Quelqu'un avait crié. Elle chercha ses repères pendant quelques secondes et faillit faire tomber la Bible restée ouverte sur la table. Elle s'était endormie en la lisant, comme cela lui arrivait de plus en plus souvent lorsqu'elle était de garde. À soixante-neuf ans, elle commençait à se faire trop vieille pour ce genre de tâche, mais le jour de sa profession solennelle, en revêtant la robe grise, le domino à capuchon et le bonnet noirs de sa communauté, elle s'était donnée tout entière à Dieu. Elle avait promis de consacrer sa vie aux autres et ce vœu, elle le respecterait jusqu'au jour où le Tout-Puissant la rappellerait à lui. D'ici là, Il pouvait utiliser sa vieille carcasse comme bon lui semblait.

Un second hurlement monta. Chaque fois que cela le prenait, le pauvre petit faisait pitié à voir. Elle remit son chapelet à sa ceinture, attrapa la lampe à huile et se leva, ses hanches et ses genoux lui infligeant des protestations dont elle ne tint pas compte. Aussi vite que le lui permettaient ses vieilles jambes, elle se précipita dans le dortoir des orphelins, entre les rangées de lits qui longeaient les murs. L'enfant qui criait était dans la troisième salle.

Mère Marie-Marthe se rappelait très bien de l'arrivée du petit, il y avait environ un mois. Cette journée-là, en quelques heures, Dieu avait envoyé non pas un, mais deux enfants. Un peu avant l'heure du souper, elle avait été mandée une première fois au parloir. Elle y avait trouvé une domestique rougeaude et modestement vêtue qui lui avait mis dans les bras un garçon qui n'avait pas encore deux ans. Elle l'avait trouvé, le matin, en train de fouiller dans les ordures, aux abords du marché public de la place Jacques-Cartier. Incapable de découvrir à qui il appartenait, elle avait trop bon cœur pour l'abandonner. Elle avait donc fait la seule chose à laquelle elle avait pu penser et l'avait conduit chez les sœurs.

La vieille religieuse s'était chargée du petit, craintif et renfrogné. Renonçant à son repas, elle s'était affairée à le laver, puis à le vêtir et à le nourrir. Il était aussi crasseux qu'affamé. Elle avait eu beau lui demander son nom, il n'avait rien dit et, faute de mieux, elle l'avait surnommé Joseph, comme le père de Notre-Seigneur. Puis elle lui avait attribué un lit dans le dortoir et l'y avait couché. Autour, les autres dormaient déjà et le petit, visiblement épuisé, n'avait pas tardé à les imiter pendant que la religieuse caressait ses cheveux blonds comme les blés mûrs.

Mère Marie-Marthe avait à peine eu le temps d'avaler une soupe tiède, seule dans la cuisine, qu'on la manda de nouveau à l'entrée. Cette fois, un débardeur du port tenait par la main un gamin à peu près du même âge que l'autre. En chiffonnant sa casquette molle, le bon Samaritain avait raconté avoir trouvé l'enfant dans une ruelle. Cachant mal son embarras, il avait expliqué qu'il était un bon chrétien et qu'il aurait aimé faire plus, mais qu'il ne pouvait le garder, tirant déjà le diable par la queue pour nourrir les cinq que sa femme lui avait donnés avant de mourir de consomption. Elle l'avait assuré que toute la communauté se souviendrait de lui dans ses prières et il s'en était allé le cœur plus léger.

Le garçonnet n'avait qu'une chemise de nuit souillée sur le dos, malgré la fraîcheur des nuits de septembre. À son cou pendait un médaillon en étain sur un cordon de cuir. Il était affamé, certes, sans lui paraître faible ou maigre, ce qui portait à croire qu'il n'avait pas été abandonné depuis très longtemps. Lorsqu'elle lui avait demandé son nom, il avait répondu « Benna » d'une toute petite voix puis lui avait adressé un sourire angélique qui avait remué son vieux cœur. Il avait avalé avec appétit plusieurs portions de soupe aux pois et d'épaisses tranches de pain beurré, le tout arrosé de lait frais. Puis mère Marie-Marthe lui avait préparé un bain, l'avait dévêtu et lui avait retiré son médaillon. Elle l'avait astiqué énergiquement avec une pierre ponce et du savon pour décoller la crasse de sa peau et de ses beaux cheveux blonds qui portaient encore les boucles de l'enfance. Elle l'avait séché avec une serviette rêche et lui avait passé des vêtements usés mais propres, qu'une consœur avait apportés. Elle avait glissé le médaillon dans la poche de sa robe. Il lui serait rendu lorsqu'il quitterait l'orphelinat.

Bernard et Joseph. Deux beaux petits garçons blonds aux yeux bleus pour l'un et verts pour l'autre, qui se ressemblaient comme des frères. Ce jour-là, mère Marie-Marthe les avait implicitement adoptés. Son sentiment maternel réprimé avait fait le reste.

Une fois dans la troisième salle, elle se glissa entre deux lits, constatant que les autres enfants, habitués à ces crises nocturnes, dormaient toujours à poings fermés. Le petit Joseph, par contre, était éveillé dans le lit d'à côté et regardait Bernard avec inquiétude.

Depuis son arrivée, Bernard avait fait un cauchemar presque chaque nuit. Elle le trouva assis dans son lit, le dos raide et les joues luisantes de larmes, mais profondément endormi. Ses petites mains tremblantes agrippaient les couvertures de toutes leurs forces et ses yeux écarquillés regardaient droit devant dans le noir, seuls à voir ce qui le terrorisait tellement. Dans la lumière de la lampe, son visage avait une pâleur spectrale. Sa bouche était encore béante du dernier hurlement et un filet de salive lui coulait sur le menton.

L'enfant semblait mort au monde et n'eut aucune réaction lorsque mère Marie-Marthe passa près de lui pour poser la lampe sur la petite table de chevet. Elle s'assit doucement sur le bord du lit défait et mouillé de sueur, puis amorça le rituel qu'elle avait mis au point au fil des semaines pour l'extraire de sa terreur.

Penchée sur lui, elle lui chuchotait des mots doux en lui frottant le dos de la main, décrivant de petits mouvements circulaires tout en gardant ses distances.

— Shhhhhh, mon petit, murmura-t-elle dans son oreille. Shhhhhhh. Le gros vilain cauchemar est fini. Sœur Marie-Marthe est là. Shhhhh.

Graduellement, les cris et les pleurs se calmèrent pour céder la place à des hoquets qui finirent eux-mêmes par s'harmoniser au rythme des caresses de la religieuse. Mère Marie-Marthe sut alors qu'il émergeait de sa prison de sommeil.

— Voilà, susurra-t-elle. Le mauvais rêve est parti. Il n'y a plus de danger.

Le petit lui adressa un regard triste avant de blottir sa tête, comme un petit chiot, contre la poitrine creuse de sa bienfaitrice. D'un geste maternel, elle lui peigna les cheveux avec ses doigts. Graduellement, sa respiration devint plus régulière et elle sentit le petit corps en nage se détendre contre elle. Le bambin leva vers la religieuse des yeux embrumés par le sommeil. Ses paupières se faisaient lourdes. Puis il s'enfonça dans le sommeil avec cette facilité qu'a l'enfant d'oublier un cauchemar presque aussi vite qu'il est survenu.

Moins de six semaines après leur arrivée, chose fort inhabituelle, Bernard et Joseph avaient tous deux quitté l'orphelinat. Mère Marie-Marthe l'avait appris de la bouche de la supérieure, à la sortie des prières du soir, alors qu'ils étaient déjà partis. Elle avait eu l'impression que son cœur allait se fendre de douleur. Elle aurait voulu leur dire au revoir, les embrasser une dernière fois. Elle se retint de s'en ouvrir à la supérieure, mais cette dernière s'en aperçut et tenta de la rassurer. Les petits avaient été adoptés par deux couples à l'aise qui n'avaient pas eu la joie d'enfanter, l'assura-t-elle. Ils seraient confortables et heureux dans de bons foyers.

— C'est… c'est très bien, bredouilla mère Marie-Marthe, le cœur gros. Mais Bernard… Il avait un médaillon quand il est arrivé. J'aurais aimé le lui rendre avant qu'il s'en aille.

— Gardez-le en souvenir, ma sœur, répondit la supérieure, pleine de compréhension, en lui tapotant les mains.

La vieille religieuse soupira, oscillant entre la joie d'apprendre qu'un avenir s'ouvrait aux chers petits et la douleur inattendue qu'elle éprouvait à l'idée de les perdre.

Ce soir-là, seule et un peu triste dans sa cellule, elle retrouva le médaillon de Bernard, qu'elle avait rangé dans le tiroir de sa table et avait toujours oublié de confier à la sœur économe. Peut-être avait-elle inconsciemment fait exprès de l'oublier. Maintenant, d'une certaine façon, elle s'en réjouissait. Elle le fit tourner entre ses doigts. Un bien étrange médaillon, en vérité. D'un côté, une étoile et du latin, de l'autre, une image gravée, encore du latin et des formes.

La connaissance du latin de mère Marie-Marthe se résumait aux répons à la messe et sa curiosité ne dépassait pas le bien-être des enfants dont elle prenait soin, mais elle avait toujours aimé les belles images et, avec ses airs antiques, celle-ci lui plaisait beaucoup. Elle sourit tristement, passa le médaillon à son cou et le fit glisser sous sa chemise de nuit.

Elle se coucha et s'endormit en le serrant dans sa main.

42

Montréal, 2 mai 1886

PLANTÉ DEVANT le temple maçonnique, au coin de Notre-Dame et de la place d'Armes, Adrien avait l'air presque aussi horrifié que lorsqu'il était sorti de l'asile. Il prononça ses premiers mots depuis qu'ils s'étaient mis en route, épouvantés, après leur déconcertante rencontre avec Hermine Moreau – ou qui fût-elle vraiment.

— Moi, entrer dans cet endroit ? se scandalisa-t-il. As-tu perdu la tête ? Il n'en est pas question ! Un prêtre ne fraye pas avec les mécréants ! Aussi bien demander à monseigneur l'évêque d'assister à une messe chez les presbytériens !

À bout de patience, Pierre se surprit lui-même en lui empoignant les bras avec force et en le secouant comme un pommier.

— Hier, tu as été tabassé et tu viens de passer à un cheveu de te faire tuer ! éclata-t-il. Tu ne sais peut-être plus qui tu es, mais je t'assure que quelqu'un d'autre le sait très bien et qu'il ne te veut aucun bien ! En ce moment même, pendant que nous perdons notre temps, ils nous observent peut-être. Alors, tu vas me faire le plaisir de mettre de côté tes préjugés de curé stupide et d'entrer là-dedans, espèce d'abruti ! Sinon, tu peux retourner au collège et t'expliquer avec Mofette, ou alors m'attendre sur le trottoir et prier très fort pour que rien d'autre ne t'arrive ! C'est comme tu veux ! Moi, j'entre !

Le sulpicien hésita et conclut que, pour l'instant, il préférait vivre en état de péché mortel, quitte à se confesser pour obtenir le pardon de cette faute, plutôt que mourir, même en état de grâce, ou pire encore, affronter le supérieur du séminaire. Et puis, il devait reconnaître que désormais, cette histoire de fous le concernait aussi. À en croire sa tante, n'avait-il pas été adopté, tout comme Pierre, sous l'influence de ceux qui cherchaient l'*Argumentum* ? Il n'était plus Adrien Moreau, mais il était impliqué. Se détourner maintenant équivaudrait à vivre un mensonge jusqu'à la fin de sa vie en ignorant la vérité. Ce serait aussi condamner Pierre à subir seul la suite des événements – peut-être même à le laisser mourir. Car il y aurait une suite, cela était inévitable. Or, même privés d'identité, leur solidarité restait la même.

— Et puis zut ! Au point où j'en suis… se résigna-t-il.

Il lui emboîta le pas et le suivit à l'intérieur du lieu tant appréhendé, sans arriver à se débarrasser tout à fait du sentiment qu'il venait de mettre le pied dans l'antre du démon et que son âme n'en ressortirait pas sans quelques éraflures. D'instinct, il porta la main au crucifix sur sa poitrine et le serra.

Malgré l'heure tardive, Demers, Perreault et Wolofsky attendaient à une table du bar, une bouteille de scotch à moitié vide au milieu et un verre devant chacun d'eux. Dès que Pierre et Adrien entrèrent, ils se levèrent d'un trait et s'empressèrent vers eux, visiblement soulagés.

— Mais où étiez-vous passés ? demanda Demers.

En voyant leurs visages blêmes d'épuisement, de peur et de confusion, ainsi que leurs vêtements sales et déchirés, leur inquiétude grandit encore. Solomon se mit à tâter Pierre avec familiarité.

— Qu'est-ce qui t'est arrivé ? Où étais-tu ? Tu n'as rien de cassé ? le pressait-il avec sollicitude.

Son attention se porta sur Adrien.

— Et toi ? demanda-t-il en époussetant énergiquement et sans aucune gêne la soutane souillée du sulpicien. Tu n'as rien, monsieur le prêtre ? Hein ? Tout va bien ? J'aime bien les prêtres. C'est un peu comme des rabbins.

Adrien se débattit de son mieux pour échapper à l'emprise bien intentionnée, mais envahissante, du marchand.

— Jésus, Marie et Joseph, grommela-t-il. À la fois juif et franc-maçon... Il a vraiment toutes les qualités, celui-là.

— Y compris d'avoir moins de préjugés qu'un curé, rétorqua sèchement Perreault.

Si Solomon fut le moindrement offusqué par la remarque, il n'en montra rien, saisissant plutôt le bras de Pierre pour le conduire à la table comme un vieillard débile, pendant que Perreault et Demers se chargeaient d'Adrien. Les deux avaient une démarche d'automate qui trahissait le choc qu'ils avaient encaissé et qui n'échappa pas à l'attention des trois autres.

Dès qu'ils furent assis, on leur versa une solide rasade de scotch que Barthélémy, du haut de son autorité d'avocat, leur ordonna d'avaler d'un trait. Pierre obtempéra sans se faire prier, tenant son verre d'une main qui tremblait tant qu'il en renversa une partie sur la table. À la surprise générale, Adrien fit cul sec en trois grandes gorgées, puis reposa le verre en grimaçant, les yeux fermés et le gosier en feu. Il laissa enfin sortir une longue respiration.

— Merci, messieurs, dit-il en manquant de s'étouffer.

— C'est meilleur que du vin de messe, on dirait, blagua Solomon. Hein, monsieur le prêtre ?

Perreault versa à chacun une seconde rasade.

— Que s'est-il passé ? redemanda Demers.

— Rien de très remarquable hormis le fait que ton Thériault a essayé de nous tuer.

— Damase ? fit l'inspecteur.

Pierre déboutonna sa veste et sortit l'arme qu'il avait glissée dans sa ceinture. Il la posa rudement sur la table.

— Colt Peacemaker calibre 45. C'est comme ça qu'il l'a présenté, non ?

Abasourdi, Demers prit le pistolet et l'examina. Il le remit doucement sur la table.

— C'est bien son révolver, attesta-t-il, son visage s'obscurcissant. Où est-il ?

— Au paradis ou en enfer, intervint Adrien. Dieu en décidera.

— Il est ?…

— Raide mort, confirma Pierre. Il disait vrai : ces armes font de très grands trous. Par contre, tu trouveras les deux autres dans un champ, le long de la route qui mène à Longue-Pointe.

L'inspecteur se lissa furieusement la moustache, puis tira son calepin et son crayon de la poche intérieure de sa veste.

— Bon. Racontez-moi tout.

Pendant l'heure qui suivit, Pierre et Adrien se relayèrent pour relater ce qui constituait une véritable odyssée. Une fois encore, Demers, attentif, ne les interrompit que pour demander des éclaircissements, Perreault et Wolofsky se contentant d'exclamations diverses qui trahissaient tour à tour l'étonnement, la colère et l'incompréhension. Ils détaillèrent la façon dont Damase Thériault avait monté un guet-apens avec deux inconnus, la façon dont il s'était soldé et les dernières paroles sibyllines du mourant.

— Vous avez sans doute été suivis depuis la basilique, déduisit Demers.

Puis, malgré l'humiliation que Pierre ressentait de dévoiler un aspect douloureux de sa vie personnelle, il raconta sa rencontre avec Hermine Moreau – si tel était même son vrai nom. Lorsqu'il eut terminé, il cala son verre pour faire taire sa colère et sa frustration.

Songeur, ses sourcils se rejoignant au-dessus de son nez, Demers relut lentement ses notes, tournant les pages, une moue sur la lèvre inférieure.

— Ainsi donc, résuma-t-il, nous savons maintenant que mademoiselle Fontaine a été enlevée par des gens qui se font appeler *Gladius Dei* – le Glaive de Dieu. Il semble que Damase Thériault et les deux hommes qui l'accompagnaient appartenaient à ce groupe et qu'ils aient voulu vous tuer tous les deux. La chose est contradictoire, puisqu'ils te réclament l'*Argumentum*. De ce dernier, nous savons maintenant qu'il pourrait s'agir d'une tablette. De quel genre ? En argile ? En bois ? En or ? Une tablette pour les bibelots, tant qu'à y être ? Et qui dit quoi ? Dieu seul le sait et le diable s'en doute, mais j'imagine que nous finirons par y voir plus clair.

Adrien et Pierre approuvèrent de la tête. Demers appuya les coudes sur la table et continua en énumérant sur ses doigts.

— De ta visite à ta… mère, je retiens plusieurs éléments nouveaux : premièrement, il semble que tu aies été adopté par des gens qui ont été payés pour te servir de parents. Tu te nommerais Bernard. Ce qui apparaît compatible avec l'absence d'un acte de baptême portant ton nom. Deuxièmement : la situation est la même pour monsieur Adrien, qui aurait été adopté tout bêtement parce qu'il était lui aussi un petit blond et qu'on ne pouvait savoir lequel de vous deux était le bon. « Parce que tu pourrais être lui. » C'est bien ce qu'a dit Damase ?

Le sulpicien et le professeur acquiescèrent en même temps.

— Il appert que vous avez été adoptés dans un orphelinat. Vous y êtes probablement arrivés à peu près en même temps, ce qui explique la confusion que votre présence a créée. Troisièmement, il m'apparaît clair qu'un autre groupe était derrière l'adoption et qu'il est à la recherche de ce fameux *Argumentum*. Je parierais ma chemise que le même groupe se cachait derrière la compagnie anonyme qui possédait les deux maisons et la boutique. Quatrièmement, Hermine Moreau semble avoir vécu dans la crainte d'être assassinée par ce *Gladius Dei*. Ou qu'ils te tuent, toi, Pierre. Cela semble même lui avoir coûté la raison. Il s'ensuit donc que ce ne sont pas eux qui ont organisé l'adoption et qu'au moins deux groupes sont après l'*Argumentum*. Ta mère l'a d'ailleurs confirmé par le fait qu'elle savait déjà qu'ils te couraient après. Le *Gladius Dei* et…

Il fouilla ses notes.

— L'*Opus Magnum*.

Il se tourna vers Adrien.

— Mon latin est loin.

— Le Grand Œuvre, traduisit le sulpicien.

— Voilà. Et ils décapiteront et tueront sans hésitation pour avoir l'*Argumentum*, a-t-elle dit, ce qui correspond parfaitement à la façon dont ont été respectivement tués le père Noël Garnier, d'une part, et ce pauvre Émile et sa femme, de l'autre.

L'inspecteur s'enfonça dans sa chaise et but une gorgée de scotch.

— Plusieurs questions restent en suspens, reprit-il. Les plus importantes, évidemment, demeurent : « Qu'est-ce que l'*Argumentum* ? » et « Pourquoi est-il si important ? »

— Étrangement, dit Perreault, ce que je viens d'entendre confirme, en gros, les légendes transmises dans le vingt-neuvième degré. L'*Argumentum* y est présenté comme la preuve d'une tromperie et l'instrument d'une Vengeance qui fera tomber ses auteurs. Quels mots a employé ta mère, encore, Pierre ?

— « La preuve que tout est faux. Que tout le monde a menti. Que les Justes ont été floués », répéta-t-il mécaniquement.

— Et Thériault a dit qu'on ne peut détruire le bien seulement pour la vérité, poursuivit l'avocat. Ce qui confirme que le *Gladius Dei* a le sentiment de représenter le bien, mais pas la vérité. Par extension, l'*Argumentum* est vu comme la vérité, aussi bien par le *Gladius* que par le vingt-neuvième degré. Un document – une tablette, peut-être deux – qui constitue la preuve irréfutable d'un secret terrible.

— Et le Glaive de Dieu te frapperait pour protéger l'Église ? suggéra Solomon.

— Avant de tirer, Thériault a affirmé que c'était pour l'amour de Dieu que je devais mourir, précisa Adrien.

Demers referma son calepin.

— Et pourtant, toujours selon ta mère, tu n'as jamais possédé ce secret que tout le monde cherche. Si je saisis bien ton récit, ton adoption aurait été justifiée par l'espoir que quelqu'un se présente un jour pour t'aiguiller dans la bonne direction. Si nous arrivons à établir ton identité, je crois que plusieurs choses s'éclairciront. Nous devons découvrir le plus vite possible de quel hospice parlait ta mère. Dès demain matin, j'y verrai. En attendant, encourage-toi. Nous savons au moins que Julie Fontaine est vivante et que ses ravisseurs tiennent à ce qu'elle le reste. Morte, elle perdrait toute valeur d'échange et ils se retrouveraient le bec à l'eau. Ils vont menacer de la tuer, mais s'ils ont deux sous de jugeote, ils ne le feront pas.

Il finit son verre et frotta à deux mains son visage las et tiré.

— Nous avons tous grand besoin d'une bonne nuit de sommeil, particulièrement vous deux.

Il se tourna vers Adrien.

— Je présume que vous préférez ne pas retourner au collège dans l'immédiat, monsieur Adrien ?

— Je ne suis définitivement pas en état de fournir des explications crédibles au supérieur, répondit le sulpicien. Et puis, il ne me croirait pas de toute façon. Personne ne me croirait…

— Très bien. Pierre, il n'est pas question que tu retournes seul chez toi. Ces gens savent déjà où tu habites et je parierais ma main droite qu'ils surveillent l'endroit.

— Mais, mon chat…

— Espérons qu'il passera une souris.

— Nous allons vous louer une chambre à l'hôtel. Je posterai deux hommes à votre porte toute la nuit.

Pierre fit non de la tête. Il ramassa le révolver sur la table et le remit dans sa ceinture.

— J'ai déjà expérimenté de trop près la loyauté de tes hommes, dit-il. J'ai aussi vu les trous qu'on peut faire avec ceci. Si tu n'y vois pas d'objection, je préfère me protéger moi-même.

43

Montréal, 3 mai 1886

Il était passé minuit lorsqu'ils quittèrent le temple maçonnique. Le scotch rondement avalé, ajouté à la tension soutenue des dernières heures et à la fatigue accumulée, leur avait tous un peu allégé la tête et ramolli les jambes. Dehors, une fine pluie s'était mise à tomber.

Ils se rendirent à une voiture de police semblable à celle qu'ils avaient prise avec Thériault, qui attendait parmi les fiacres, le long de la place d'Armes. Sans doute échaudé par la façon dont son agent avait joué double jeu, Demers ordonna à celui qui tenait lieu de cocher de rentrer à pied. Interdit, l'homme lui retourna une expression qui disait qu'il était tard et qu'il n'appréciait guère la longue marche qui l'attendait sous la pluie, mais l'attitude ferme et impatiente de son supérieur l'empêcha de prononcer un seul mot. Il se contenta de remonter le col de son uniforme et de s'éloigner, gardant sans doute ses grommellements pour plus loin, à l'abri des oreilles indiscrètes.

Indifférent à l'intempérie, l'inspecteur vérifia son révolver pour s'assurer que le barillet contenait six balles, puis prit place sur la banquette du cocher tandis que Pierre, Adrien, Solomon et Barthélémy montaient dans la cabine. Le véhicule s'ébranla et les deux chevaux le tirèrent à bon rythme sur les rues pavées, pratiquement désertes à cette heure.

— Quelle histoire ! Pauvre Pierre, s'apitoya Perreault en lui tapotant l'avant-bras. Je n'ose même pas imaginer comment tu te sens.

— La volonté de Dieu est impénétrable, soupira Adrien, qui cherchait visiblement quelque réconfort dans les formules toutes faites propres aux prêtres.

— Ça dépend pour qui, commenta Solomon, l'air soudain sombre. Pour le peuple élu, elle est très claire, au contraire : depuis Abraham, il fait souffrir les Hébreux parce qu'ils ne l'honorent pas comme ils le devraient. Ils ont oublié qui il est vraiment. Ils adorent de faux dieux. Tant qu'on ne reconnaîtra pas le dieu d'Abraham comme le seul vrai dieu, il continuera à nous tourmenter.

— Votre dieu, peut-être, mais celui des chrétiens, le seul véritable, est amour infini et…

— Taisez-vous, tous les deux ! s'emporta Pierre. Votre dieu, quel qu'il soit, je l'ai de travers dans la gorge ! Vous discuterez théologie lorsque j'aurai retrouvé Julie !

Il s'enferma dans un silence accablé et boudeur que personne n'osa plus rompre pendant le reste du trajet. Ils remontèrent Notre-Dame vers l'est, les boutiques fermées, leurs vitrines couvertes par des volets de fer, défilant de chaque côté. Ils dépassèrent la place Jacques-Cartier, dénuée de ses habituels étals de marchands, puis passèrent devant la vieille demeure du gouverneur de Ramezay, que Pierre connaissait bien pour l'avoir fréquentée avec ses élèves. En face se trouvait l'hôtel de ville de Montréal, un amas encore tout neuf de colonnes et de pilastres s'étendant sur cinq étages en pierre. D'inspiration française et à toiture en cuivre à la Mansart, son campanile un peu prétentieux donnait l'impression que l'édifice était plus haut qu'il ne l'était réellement. Séparés par presque trois cents ans, les deux bâtiments, si différents l'un de l'autre, se faisaient face comme si le passé et le présent se dévisageaient, symbole parfait des transformations subies par la ville depuis le milieu du siècle.

Ils laissèrent le contraste derrière eux, dépassèrent la rue Saint-Claude, continuèrent à droite dans Bonsecours, puis revinrent vers l'ouest rue Saint-Paul. Demers arrêta la voiture devant un hôtel que Pierre avait déjà remarqué sans vraiment s'y intéresser. L'*Hôtel Fédéral* avait été construit voilà cinq ans à peine. Sa façade de pierre était encore épargnée par la suie des usines qui finissait par tout souiller, et il en allait de même de ses quatre étages, le dernier blotti sous une toiture mansardée dont le cuivre n'avait pas acquis toute sa patine verte. L'inspecteur descendit de sa banquette pour ouvrir la porte de l'habitacle. Tous remarquèrent qu'il avait ouvert sa veste et que sa main libre reposait sur la crosse du révolver qu'il portait dans un étui à la ceinture.

— Barthélémy, Solomon, je vous déposerai chez vous par la suite. Venez avec moi, ordonna-t-il. Je ne veux laisser personne seul.

— Je sais me défendre, protesta Perreault en tapotant le pommeau de sa canne dans sa main.

— Pas contre une balle, rétorqua froidement l'inspecteur.

Les autres le suivant, Demers se dirigea vers la porte de l'établissement et la trouva verrouillée. Impatienté, il y frappa de la paume avec autorité et attendit en laissant échapper un soupir de frustration qui tenait du grondement. Comme rien ne se produisait, il frappa de plus belle, sa grosse moustache couvrant entièrement la moue contrariée qui s'était formée sur ses lèvres. Cette fois, après quelques coups, la porte fut entrouverte et un homme joufflu et chauve comme un bébé naissant, les toisa avec de petits yeux bouffis de sommeil sans retirer la chaîne qui le protégeait des malfaiteurs.

— Inspecteur Maurice Demers, du Département de police de Montréal, dit sèchement le policier en tirant de sa poche une carte qu'il brandit dans l'entrebâillement. J'ai des clients pour vous.

Dès qu'il fut conscient de l'identité de son interlocuteur, l'hôtelier se mit presque au garde-à-vous. Il referma aussitôt la porte et le cliquetis de la chaîne se fit entendre avant qu'elle ne se rouvre entièrement. Puis, obséquieux, il s'écarta pour laisser passer ses clients impromptus.

Quand tous furent entrés, Demers étira le cou et regarda de tous les côtés, à la recherche d'éventuels espions dans le noir, avant de les suivre et de refermer derrière lui.

— Ces deux messieurs ont besoin d'une chambre pour la nuit, déclara-t-il en désignant Pierre et Adrien. Une chambre à deux lits simples fera l'affaire.

D'un œil méfiant, l'aubergiste détailla les vêtements sales et déchirés de l'un, et la soutane dans le même état de l'autre.

— Je ne veux pas avoir de problèmes, répondit-il.

Demers sortit un porte-monnaie de sa veste, en tira des billets et les compta avant de les lui tendre. Réalisant qu'il entendait payer pour lui, Pierre allait protester lorsqu'une main autoritaire coinça les mots dans sa gorge.

— Vous n'aurez pas de problèmes si vous collaborez et si vous savez être discret. Voici le prix de deux chambres, pour votre dérangement.

L'hôtelier n'hésita que le temps que sa cupidité prenne le dessus sur sa prudence. Il tendit une main avide vers l'argent, mais l'inspecteur le retira brusquement, de sorte qu'il passa dans le vide.

— Monsieur?... s'enquit évasivement Demers, les sourcils arqués.

— Antoine Décary, répondit l'autre.

— Bien. Je suis certain qu'une recherche détaillée dans les fichiers du Département de police ne révélerait rien à votre sujet qui justifierait une attention particulière.

L'inspecteur lui retendit les billets et, cette fois, laissa le petit grassouillet s'en emparer avec une avidité mal déguisée.

— J'ai ce qu'il vous faut juste là, leur offrit Décary en désignant une porte visible du lobby.

— À l'étage, pas au rez-de-chaussée.

— Ah. Euh, j'en ai une au troisième, alors. La 34.

— Ça fera l'affaire.

L'hôtelier passa derrière le comptoir qui longeait le mur sur la droite, ouvrit un registre et saisit une plume.

— J'ai besoin du nom de ces messieurs.

— Non. Vous n'en avez pas besoin, déclara Demers.

— Ah…

Il reposa la plume, ferma le registre, prit une clé parmi les dizaines qui étaient suspendues à des crochets sur le mur du fond, et fit mine de revenir vers eux pour la leur confier, mais Demers l'arrêta.

— Combien de clés de cette chambre avez-vous ?

— Deux, évidemment. Une pour le client et l'autre pour la maison.

— Pas de passe-partout ?

— Non. Seulement des clés.

— Donnez-les-moi.

— Ce n'est pas dans les habitudes de la maison, monsieur, protesta l'hôtelier avec un relent de dignité.

— Ça l'est maintenant, trancha l'inspecteur en tendant la main ouverte.

Décary soupira, contrarié, retira les deux clés du crochet numéroté et vint les remettre à Demers.

— C'est par ici, si vous voulez bien me suivre.

— Nous trouverons nous-mêmes. Retournez dormir. Vous avez l'air fatigué.

L'hôtelier se renfrogna, mais obéit, disparaissant par une porte derrière le comptoir et abandonnant les visiteurs dans le lobby.

— Attendez-moi ici. Ne bougez pas jusqu'à ce que je revienne, ordonna Demers à Wolofsky et Perreault.

Pierre, Adrien et lui s'engagèrent dans l'escalier, montèrent jusqu'au troisième étage et repérèrent la chambre numéro 34. Demers tira son révolver, arma le chien, leur fit signe de rester là, la déverrouilla et entra, son arme brandie, prêt à faire feu. Une minute plus tard, il en ressortit. Dans la chambre, une lumière brillait.

— J'ai allumé pour vous. Vous pouvez y aller.

Il ferma le poing et frappa doucement sur la porte ouverte – un coup, trois coups, puis deux autres.

— Un, trois et deux. Vous n'ouvrez à personne qui ne frappe pas de cette façon, dit-il. Vous avez bien compris ? Vous n'ouvrez pas la fenêtre non plus. Et gardez vos armes à portée de main.

Les deux acquiescèrent. L'inspecteur leur remit les deux clés, puis consulta sa montre.

— Il est minuit quarante-deux. Je reviendrai vous chercher à dix heures. Ça vous donnera le temps de dormir un peu et à mes hommes de faire le tour des asiles. Si tu me donnes la clé de ton logis, Pierre, je passerai prendre des vêtements propres pour vous deux. Vous me semblez à peu près de la même taille.

Le professeur fouilla dans sa poche et la lui tendit.

— Tu dois dormir, toi aussi.

— Quand je saurai ce qui se passe et que les meurtriers seront au frais, je dormirai. Verrouillez bien la porte.

Il les salua, s'assura d'entendre une clé tourner dans la serrure et testa la poignée de la porte avant d'aller rejoindre Wolofsky et Perreault dans le lobby.

Seuls dans la chambre, Pierre et Adrien se dévisagèrent. Ils avaient beau ne plus être les cousins qu'ils avaient toujours cru être, ils ne se connaissaient pas moins comme deux frères et, entre eux, les mots étaient souvent superflus. Ils ne pouvaient rien faire de plus cette nuit. Ils devaient faire confiance à Maurice Demers qui, du haut de son expérience, affirmait que Julie ne serait pas tuée. Pour le reste, tous les mystères, pour cruels qu'ils fussent, pouvaient attendre quelques heures. De toute façon, ils n'y voyaient plus clair et l'insomnie ne les mènerait nulle part.

— Demain, dit simplement Pierre, toute l'immensité de son épuisement s'exprimant dans ce simple mot.

Ils se déshabillèrent en silence, laissèrent leurs vêtements souillés sur le plancher et utilisèrent le pichet et le bassin pour se débarbouiller un peu les mains et le visage. Puis ils s'effondrèrent dans les lits étroits disposés côte à côte de chaque côté de la fenêtre, une unique table de chevet les séparant. Dès que leur tête toucha l'oreiller, ils sombrèrent dans un sommeil sans rêve que même l'inconfort du matelas ne put entamer.

Il faisait grand jour lorsque Pierre ouvrit les yeux. Habitué de se réveiller dès l'aube pour se rendre à pied au collège, il s'en trouva désorienté. Au début, il ne reconnut pas l'environnement et eut un mouvement de panique. Il s'assit brusquement dans le lit en rabattant les draps comme il l'avait si souvent fait au sortir de ses cauchemars. Le grincement des ressorts usés du matelas sous son poids lui était étranger.

La vue d'Adrien dans le lit voisin le calma. Elle ramena aussi à la surface l'imbroglio dans lequel il était empêtré. Aussitôt, l'angoisse lui serra le ventre telle une main froide et sa gorge se contracta. Il avait dormi, mais qu'en était-il de sa Julie ? Quels sévices lui avait-on infligés pendant ces quelques heures ? Il se reprocha son repos. Il n'y avait pas droit. Comme lui, elle était victime d'une situation dont elle ne connaissait rien. Mais alors qu'il jouissait d'un support solide, elle était seule et sans doute terrifiée. Tant qu'elle n'était pas libre, il devait lutter. Il n'avait plus qu'elle.

Pendant que le sulpicien commençait à remuer en ronchonnant dans l'autre lit, il s'assit au bord du sien, maintenant alerte, et ramassa sa veste abandonnée par terre pour y prendre sa montre. Malgré lui, il écarquilla les yeux en réalisant qu'il était neuf heures quarante-deux. Demers serait là bientôt. Pierre ne se rappelait pas la dernière fois qu'il s'était levé aussi tard. Pour Adrien, habitué au rythme de la vie religieuse, c'était sans doute encore plus déroutant. Il laissa tomber le vêtement sale et fripé, ramassa son pantalon et le passa. Il en changerait lorsque l'inspecteur en apporterait des propres.

C'est alors qu'il aperçut l'enveloppe de papier brun épais, de ce format qu'utilisaient les notaires et les avocats pour leurs actes officiels. Même à une dizaine de pieds de distance et à l'envers, ce qu'il vit le pétrifia de terreur : on y avait dessiné un Christ en croix sur un glaive. *Gladius Dei*.

Il se leva et, sur des jambes aussi raides que celles d'un automate, il franchit les quelques pas qui l'en séparaient. Il se pencha et examina l'enveloppe sans la toucher, comme si l'objet était souillé ou qu'il allait lui exploser au visage. Un de ses coins se trouvait encore sous la porte par laquelle on l'avait glissée. Quand il se décida enfin à la ramasser, sa main tremblait.

— Qu'est-ce que c'est ? fit la voix d'Adrien, derrière lui.

Pierre se releva et s'assit lourdement sur son lit. Sans rien dire, il lui montra le dessin et le visage d'Adrien blêmit à son tour. Le sulpicien, maintenant tout à fait éveillé, se tira des draps et vint prendre place à ses côtés.

— Ouvre-la, suggéra-t-il.

— Je… je ne peux pas, chevrota Pierre en la lui tendant. Fais-le, toi.

Le sulpicien accepta l'enveloppe et ferma les yeux avant de marmonner une brève prière. Puis il la retourna. Elle n'était pas cachetée. Le rabat avait simplement été glissé à l'intérieur pour retenir son contenu. Il le libéra et écarta les parois de papier épais pour regarder à l'intérieur, craignant ce qu'il allait y trouver. Il y plongea la main et en sortit une photographie qu'il retourna, sachant déjà que rien de bon n'en sortirait. Si la chose était possible, il devint encore plus pâle.

— Dieu tout-puissant… laissa-t-il échapper, les lèvres tremblantes et les yeux humides.

Incapable de dire quoi que ce soit, il la tendit à Pierre. Dès qu'il en prit connaissance, ce dernier sentit un sanglot gros comme une pierre essayer de se frayer un chemin dans sa gorge, pour se transformer en gémissement.

Julie était assise sur une chaise. Elle portait la robe que Pierre lui avait enlevée avec tant de délice, voilà moins d'une semaine, lorsque la vie était encore simple et que l'avenir existait. Ses poignets étaient attachés aux bras du fauteuil et son torse, au dossier. Ses joues étaient mouillées de larmes et ses yeux étaient écarquillés par la peur et la douleur. On avait fourré un tissu dans sa bouche, mais il pouvait entendre ses cris dans sa chair. Car ce qui retenait l'attention était la tache sombre sur la main gauche de Julie. Le sang, brunâtre au milieu des tons sépia, avait coulé le long du fauteuil, maculant le bois et le tissu. On lui avait tranché l'annulaire gauche.

Luttant contre les battements qui martelaient ses tempes et contre le noir qui tentait de l'aspirer dans l'inconscience, Pierre retourna la photographie et y retrouva le message de la note laissée dans la chambre, griffonné en diagonale par la même main.

*L'*Argumentum *contre la vie de Julie Fontaine.*

Pierre entendit le froissement du papier, à sa gauche, comme s'il provenait d'un autre monde. Il en fut de même pour le murmure étranglé d'Adrien.

— Seigneur Jésus, ayez pitié de nous…

Il se fit violence pour arracher son regard de l'abominable photographie et se retourna vers Adrien. Entre le bout de son pouce et de son index, le jeune sulpicien, dégoûté au-delà des mots, tenait un boudin de tissu ensanglanté. Sachant déjà ce qu'il y découvrirait, mais incapable de ne pas le vérifier, Pierre le prit et le développa. Au creux d'un mouchoir, comme un oisillon dans le nid, gisait l'annulaire de sa fiancée. Pour ajouter à l'horreur, on y avait laissé la trop modeste bague qu'il lui avait offerte.

Leur cœur manqua d'éclater lorsque des coups retentirent sur la porte.

Assis sur le lit près de Pierre, qui avait revêtu des vêtements propres mais semblait dans un état second, Maurice Demers faisait tourner le doigt sectionné dans ses mains, impassible et sans dégoût apparent. Avec une moue pensive, il le tâta du bout du doigt et le sentit, même.

— La chair est encore fraîche et le sang n'est pas entièrement coagulé, déclara-t-il. Il a été coupé voilà quelques heures seulement, bien après la petite démonstration de la basilique.

— Et je devrais m'en réjouir ? rétorqua Pierre, amer.

— Aussi choquante que cette idée puisse te paraître, mon frère, le fait qu'on ait mutilé mademoiselle Fontaine est une bonne nouvelle, dans la mesure où cela confirme que ses ravisseurs, s'ils accroissent nettement la pression qu'ils exercent sur toi, ne souhaitent pas la tuer. Pas tout de suite, en tout cas. À preuve : ils n'ont pas indiqué d'échéance sur leur note. Soit tu te rapproches de leur *Argumentum*, soit ils n'ont pas perdu espoir que tu le fasses.

Près d'eux, Adrien achevait de revêtir des vêtements appartenant à Pierre, et ses difficultés trahissaient le fait qu'il en avait perdu l'habitude. Son désespoir n'aidant en rien son manque de dextérité, il abdiqua finalement devant la cravate et se contenta d'attacher le col de la chemise.

— Le fait qu'on ait glissé cette enveloppe sous la porte démontre que notre présence ici était connue. Qui est au courant ? demanda-t-il.

— Wolofsky, Perreault et moi-même, répondit l'inspecteur. Mais on a pu nous suivre, évidemment.

— Et l'hôtelier ? insista Pierre d'une voix encore frémissante d'émotion. Il ne sait pas notre nom, mais ce n'est pas tous les jours qu'on voit arriver en pleine nuit un prêtre en soutane et un laïc en mauvais état. Il aura suffi que quelqu'un nous décrive et lui graisse un peu la patte.

— Sans doute, convint l'inspecteur.

Pierre se mit à marcher de long en large dans la chambre, ce qui ne lui permettait que quelques pas dans chaque direction.

— Qu'allons-nous faire ? Nous n'allons quand même pas attendre qu'on coupe Julie en morceaux ! ragea-t-il.

— À défaut de découvrir les ravisseurs, nous devons trouver la clé de l'*Argumentum*, résolut Demers avec une froide détermination. Une fois que nous l'aurons, nous négocierons d'abord le retour de ta fiancée. Et ensuite, ajouta-t-il, les dents serrées, par Dieu, je mettrai la main au collet de ces mécréants.

— Et comment penses-tu accomplir ceci ? demanda Pierre, désabusé.

— En découvrant ton identité. Je venais justement vous avertir qu'un des hommes que j'ai chargé de faire le tour des asiles a peut-être découvert une piste. J'ai une voiture qui attend en bas. Je vous expliquerai en chemin.

— Tu as vu mon chat ?

— J'ai demandé à ta logeuse de s'en occuper.

— Merci.

Pierre et Adrien ramassèrent leur arme et la passèrent dans leur ceinture pendant que Demers glissait la photographie et le doigt dans la poche intérieure de sa veste. Lorsqu'il se retourna pour quitter la chambre, ils étaient déjà dans l'escalier. Ils n'avaient même pas songé à emporter leurs vêtements sales.

44

Paris, 27 novembre 1645

La veille, alors qu'il séjournait sous un nom d'emprunt dans une auberge de la capitale, essayant de récupérer du long voyage, Paul avait reçu la sommation à laquelle il s'était attendu depuis son arrivée en France. Il n'avait pas été surpris outre mesure : l'*Opus Magnum* avait des yeux partout et savait toujours où il se trouvait.

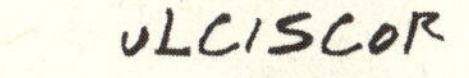

Seul un membre de l'ordre pouvait décoder le message : le mot « Vengeance » en latin surmontant les deux initiales habituelles d'*Arcadia Ego* et le moment exact de sa comparution dans un jour, à minuit. L'endroit n'avait pas à être précisé. Il ne l'était jamais. Chaque membre de l'*Opus* savait où se rendre.

Ce n'était pas la première fois que Paul allait dans cet endroit. Après son initiation à Troyes, il y était venu plusieurs fois, pour préparer sa mission en compagnie des stratèges de l'ordre, puis quelques semaines avant son départ pour recevoir ses dernières instructions. Malgré cette familiarité, la pièce l'intimidait toujours.

Les murs étaient drapés de lourdes tentures noires et l'ambiance était sombre. N'eût été des quelques chandeliers sur pied qui éclairaient de dos ceux qui prenaient place à une table en hémicycle, il y aurait fait nuit noire. Ils portaient tous la cape blanche à croix pattée et la cagoule d'usage. Debout devant eux, Paul en compta douze, comme toujours, dont quelques femmes, à en juger par le gabarit de certaines des silhouettes. Faute de mieux, il leur avait attribué le nom de Supérieurs inconnus. Leur identité était gardée rigoureusement secrète et ils ne la dévoilaient eux-mêmes que lorsqu'ils le jugeaient nécessaire.

Les douze le dévisageaient depuis plusieurs minutes déjà, sans rien dire, les mains croisées sur la table. Debout devant eux, Paul attendait que l'on daigne lui adresser la parole, alors qu'ils semblaient prendre un plaisir pervers à le laisser moisir. Sans doute l'étudiaient-ils. Au moindre doute, il savait fort bien qu'il ne ressortirait pas vivant de cet endroit.

Cela expliquait sans doute la sueur qui lui coulait depuis les tempes et sillonnait ses joues pour se perdre dans le col de sa chemise en lin. Il en avait été ainsi chaque fois qu'il avait rencontré les dirigeants de l'*Opus Magnum*, qui ne pardonnaient pas l'erreur.

— *Nekam*, dit enfin l'homme qui prenait place au centre de la table.

— *Kadosh*, répondit Paul.

— Sois le bienvenu parmi les tiens.

Paul reconnut la voix grave et rauque. Elle appartenait à celui qui lui avait fait prêter le terrible serment, le jour de ses seize ans. Ce souvenir, gravé à jamais dans sa mémoire et dans la chair de ses mains, lui fit instinctivement porter le regard sur les deux crânes maculés de sang séché qui trônaient devant l'homme qui venait de l'interpeller et que la pénombre rendait encore plus macabres.

— Accepte d'abord nos plus sincères condoléances. Ton père, notre cher frère Louis, était un homme loyal qui a consacré une vie entière à notre cause. Il nous a été d'une grande utilité.

— Mon père a eu une existence bien remplie et son repos est entièrement mérité. J'espère ne pas lui faire honte en lui succédant à la tête des domaines familiaux.

Quelques inconnus cagoulés hochèrent la tête en guise d'approbation.

— En mourant aussi providentiellement, il nous a rendu un dernier service, reprit son interlocuteur. Son décès était le prétexte idéal pour que tu puisses revenir en France sans éveiller les soupçons.

Paul ne dit rien. Il n'entretenait aucune illusion à l'égard de l'*Opus Magnus*. Il savait fort bien qu'il n'était pas inconcevable que ces Supérieurs inconnus aient hâté la mort de son père pour lui fournir ce prétexte si leurs besoins l'avaient exigé.

— N'oublie jamais le sens du titre qu'il te lègue, mon frère, compléta l'homme, un soupçon de menace dans la voix. La Maison Neuve dont tu as établi les fondations doit être solide et durer aussi longtemps que l'exigera la Vengeance.

— Je ne l'oublierai pas.

Un autre membre du conseil se pencha vers l'avant et il sentit que ses yeux le fouillaient.

— Nous nous attendions à recevoir de toi au moins un rapport, lui reprocha ouvertement une voix de femme rendue rocailleuse par l'âge.

Nous y étions. Paul comprit qu'il avait été convoqué pour se justifier, et non pas seulement pour faire rapport. Sa vie était en jeu et, maintenant que l'*Argumentum* était en sécurité, elle n'avait plus de valeur particulière aux yeux de l'ordre. Le secret pouvait parfaitement survivre sans lui et il le savait. La Vengeance avait plus d'un serviteur.

— Dans les circonstances, il eût été imprudent, voire téméraire, de produire quelque rapport que ce soit, ma sœur, répondit-il avec l'assurance de celui qui est habitué à commander. Nous avons rencontré des obstacles imprévus.

— Alors, maintenant que te voilà devant nous, tu voudras bien avoir la bonté de nous les expliquer, intervint un autre homme, à l'extrême droite de la table.

Un lourd silence enveloppa le temple et les Supérieurs le toisèrent intensément. Sans qu'ils aient à faire le moindre geste, la menace qui émanait d'eux était palpable. Paul se retint pour ne pas jeter un coup d'œil vers la porte par laquelle il était entré. Il savait fort bien que derrière se tenaient des hommes prêts à entrer à l'appel de leurs maîtres pour l'exécuter séance tenante. Il inspira profondément et prit quelques secondes pour organiser ses pensées.

— Vous n'ignorez pas que quelques heures avant notre départ de La Rochelle, voilà quatre ans, nous avons surpris deux agents du *Gladius Dei* qui tentaient d'infiltrer nos navires, commença-t-il. Grâce à nos agents, ils ont été pris à temps et ont porté notre habituel message.

— On nous l'a rapporté, oui, dit la vieille. C'est d'ailleurs la dernière nouvelle que nous ayons eue de toute l'affaire.

Paul la regarda et inclina la tête pour bien montrer qu'il avait compris l'allusion et qu'il entendait y répondre.

— La traversée a été plus difficile que prévu, expliqua-t-il. Il a fallu deux mois entiers aux autres pour toucher terre. Quant à mon navire, il a été écarté par une tempête et je suis arrivé avec quelques semaines de retard. Une fois en rade, il était trop tard pour aller prendre possession des terres achetées par la Société. Nous avons dû passer l'hiver à Québec, entassés sur les navires. Le mieux que nous avons pu faire était de fabriquer des barques. Au printemps, nous avons enfin amorcé la construction des maisons. Nous étions à peine installés lorsque des inondations ont frappé la colonie. Depuis le premier jour, les peuplades de l'endroit nous harcèlent sans cesse. Nous vivons dans un état de siège permanent. Tout cela a considérablement compliqué la mission. Ce n'est que l'an dernier qu'Étienne, Antoine, Jacques et moi avons pu profiter d'une accalmie pour partir à la recherche d'Arcadie.

— Et ? insista anxieusement l'homme au centre.

— Les indications de 1398 n'étaient pas très précises. C'est presque par hasard que nous sommes tombés sur l'endroit, après quelques semaines d'errance. De loin, Étienne a aperçu la tour de pierre entre deux arbres. Un peu plus et nous passions tout droit. Elle était encore en très bon état. Il ne lui manquait que les planchers et le toit. Du village, il ne restait pas grand-chose.

— Et l'*Argumentum*? le questionna la femme, anxieuse.

— Il se trouvait dans la tour, avec les documents du prince Henry. Il a suffi d'attendre le jour propice et de suivre l'ombre produite par le soleil à sa méridienne, puis de détacher la pierre que l'ombre indiquait. Il se trouvait dans une pochette de cuir qui n'avait même pas souffert tant elle était bien scellée dans la paroi.

Un soulagement perceptible parcourut les douze Supérieurs et Paul eut l'impression qu'une lourde chape de menace venait d'être enlevée de ses épaules. Il poursuivit son récit avec moins de méfiance.

— Nous avons pris le chemin du retour et, malgré notre prudence, nous y avons presque laissé la vie. Nous avons découvert à nos dépens que l'homme capturé à La Rochelle m'avait menti. Les colons comptaient trois autres membres du *Gladius*, qui nous avaient suivis dans les bois sans que nous nous en rendions compte. Ils nous ont attaqués lorsqu'ils ont été certains que nous avions retrouvé l'*Argumentum*.

Il sentit les Supérieurs se tendre et fit volontairement une pause pour leur causer un peu d'inquiétude.

— Heureusement, Antoine, Jacques et Étienne sont de redoutables bretteurs, et je ne donne pas ma place, moi non plus. Une fois la surprise passée, nous sommes venus à bout d'eux. En constatant qu'ils ne revenaient pas, les colons ont cru qu'ils étaient tombés aux mains des Iroquois. Il nous a fallu ramener Étienne, qui avait été atteint au ventre, mais Jeanne l'a soigné et il s'en est sorti.

— As-tu suivi tes instructions? demanda une jeune femme à la voix sévère sur la gauche.

Paul opina gravement pour indiquer l'importance que revêtaient les directives reçues jadis.

— L'*Argumentum* a été déposé à l'endroit convenu. Antoine et Jacques sont les seuls à détenir la clé qui en ouvre la porte. Ils la transmettront verbalement à leurs premiers-nés, qui en feront autant jusqu'à ce que le moment de la Vengeance arrive et que l'*Argumentum* soit retrouvé.

Un silence s'ensuivit, agrémenté par quelques mouvements de tête approbateurs.

— Comment se déroulent les choses, là-bas? s'informa un homme qui n'avait pas encore prononcé un mot.

— Ville-Marie a tous les attributs d'une colonie et rien pour attirer l'attention, répondit Paul. Louis d'Ailleboust de Coulonges a supervisé la construction d'un fort et d'une palissade qui s'avèrent aussi efficaces qu'il est possible en ce pays. La Communauté des habitants a construit cette année un magasin où elle entrepose les fourrures rapportées par ses coureurs de bois. L'hôpital de Jeanne est debout, lui aussi. Il se trouve hors des murs, avec une petite chapelle et une étable. Elle y soigne de trop nombreux blessés qui se sont fait décoller la chevelure ou qui ont reçu une flèche. Je crains fort que les Sauvages augmentent la pression. Ils n'aiment pas voir une colonie en plein milieu de leurs routes de commerce. Je ne crois pas me tromper non plus, en affirmant que les Anglais des colonies voisines les excitent à la guerre.

— Survivrez-vous? insista un autre.

— Nous sommes une centaine en tout – en comptant les chiens. Mais si d'autres recrues nous sont envoyées, nous y arriverons.

— Monsieur Olier vient de fonder sa Compagnie des prêtres de Saint-Sulpice, lui apprit le Supérieur au centre de la table. On raconte déjà qu'ils ambitionnent de traverser l'océan pour aller s'installer chez vous.

— Qu'ils le fassent. Les colons sont des gens simples et la présence de quelques prêtres leur fera du bien.

— Ta tâche est maintenant achevée, mon frère, dit l'homme au centre. Retourne vivre dans le monde, mais sache que tu demeures à l'entière disposition de l'*Opus*. Ta vie entière appartient à la Vengeance.

— J'en suis conscient, dit calmement Paul.

— D'ici là, travaille à pourrir l'ennemi de l'intérieur, comme nous le ferons nous-mêmes un jour.

Les chaises crissèrent sur le plancher de marbre et les Supérieurs se levèrent à l'unisson. Comprenant qu'il était renvoyé sans autre formalité, Paul s'inclina et sortit de la pièce à reculons. Dès qu'il fut à l'extérieur, un garde referma la lourde porte sans même lui adresser un regard.

Lorsqu'il fut dans la rue, Paul inspira profondément. Pour la première fois depuis très longtemps, il se sentait léger. Sa mission était terminée. Pour l'instant, en tout cas. Avec un peu de chance, le reste de sa vie serait ordinaire.

Il s'engagea dans une rue étroite et sombre, la main sur son épée. À cette heure, Paris n'était pas sûr. Il avait encore beaucoup à faire, entre autres choses aller prendre possession du titre de Maisonneuve, mais aussi rencontrer les membres de la Société de Notre-Dame de Montréal pour la conversion des Sauvages de la Nouvelle-France. Le dévot qu'il était aux yeux d'autrui devait plaider pour obtenir des fonds, des colons et un clergé pour la nouvelle colonie.

45

Montréal, 3 mai 1886

L'hospice Saint-Joseph, où les Sœurs Grises accueillaient des orphelins et des vieillards depuis une quarantaine d'années, était situé rue de la Cathédrale. Depuis l'*Hôtel Fédéral*, en empruntant Saint-Jacques vers l'ouest, ils y seraient en une vingtaine de minutes. Le policier qui avait visité l'établissement à l'aube conduisait maintenant la voiture et Maurice Demers prenait place dans l'habitacle. Il utilisa le voyage pour informer Pierre et Adrien de ce qu'il savait.

— Hier soir, leur expliqua-t-il, après vous avoir quittés, je suis passé par le Département pour rédiger une description de ce que nous cherchions à retracer : deux garçons d'origine inconnue, arrivés dans un orphelinat voilà une vingtaine d'années, blonds et adoptés à peu près en même temps par des frères. C'était quand même passablement précis. J'ai choisi trois hommes et je leur en ai remis une copie, sans leur préciser pourquoi je tenais à savoir cela. Je les ai mis au travail dès l'aube.

— Et ? s'enquit anxieusement Adrien.

— Ils ont frappé un mur à l'orphelinat Saint-Patrice, à l'orphelinat catholique et à l'orphelinat Saint-Alexis. Par contre, l'un d'eux est revenu de l'hospice Saint-Joseph avec une piste qui pourrait se révéler intéressante. L'économe lui a dit qu'elle pensait savoir quelque chose au sujet de deux petits garçons qui répondraient à la description. Avec un peu de chance, une visite là-bas nous donnera une idée de qui vous êtes vraiment.

Ils sentirent la voiture tourner à droite pour s'arrêter quelques pieds plus loin. Ils en descendirent devant un édifice de trois étages à la façade de pierre grise percée par deux porches en bois, par de nombreuses fenêtres, et ornementée de pierres d'angle plus pâles. Des lucarnes avaient été aménagées dans la toiture de cuivre et la propriété était encerclée par un mur en pierre de taille qui leur arrivait à la poitrine.

Peu familier du quartier, Pierre chercha ses repères. La rue de la Cathédrale était une de ces petites artères sans cachet particulier qui, partout dans Montréal, se camouflaient parmi les plus importantes et que l'on ne connaissait vraiment que lorsqu'on avait une raison de la fréquenter. Il nota, voisine de l'orphelinat, la petite église au clocher plus que modeste, mais ne s'orienta vraiment que lorsqu'il aperçut, un coin de rue plus haut au nord, le carré Dominion. Ce parc était coupé en deux par la rue Dorchester et se prolongeait jusqu'à la rue Sainte-Catherine, où il se terminait près du grand hôtel *Windsor*. De l'autre côté de Saint-Jacques, il aperçut la gare et les entrepôts du Grand Trunk Railway, dont les bâtiments fonctionnels et peu gracieux juraient au milieu de la ville qui avait grandi autour d'eux.

— Voilà, fit Demers en indiquant l'orphelinat. Ça vous rappelle quelque chose ?

Pierre et Adrien examinèrent le bâtiment, la rue et les alentours. Ils se consultèrent du regard et haussèrent les épaules en hochant la tête.

— Non. Absolument pas, reconnut le sulpicien.

— Bon. Ça ne veut rien dire. Si vous y avez vécu, vous n'aviez pas deux ans. À cet âge, on ne se souvient pas de grand-chose, remarqua le policier.

Il se tourna vers l'agent qui servait de cocher.

— Range la voiture sur le côté de la rue et attends notre retour, ordonna-t-il.

L'homme obtempéra.

— Et vous deux, boutonnez votre veste. On voit la crosse de votre arme.

Ils traversèrent la rue et marchèrent jusqu'à l'un des deux porches dont la porte arborait le numéro 60. L'inspecteur frappa. La portière, une religieuse édentée et voûtée qui semblait être née aux premiers temps de la colonie et avoir été oubliée sur cette terre par Dieu, leur ouvrit si vite qu'ils se demandèrent si elle n'avait pas attendu leur arrivée de l'autre côté. Demers lui expliqua le but de leur visite avant qu'elle ne les laisse entrer.

En claudiquant, la nonne les mena à un parloir et leur demanda d'y attendre quelques instants pendant qu'elle faisait prévenir la sœur économe.

— Excusez-moi, ma mère, dit l'inspecteur avant qu'elle ne reparte. La porte par laquelle nous sommes entrés est-elle celle par laquelle on vous amène les orphelins ?

— Bien sûr que non, caqueta l'ancêtre comme si la réponse allait de soi. Ça se fait toujours par derrière. Les pauvres gens qui doivent laisser des enfants n'aiment pas être vus, vous comprenez. Ils ont honte. La pauvreté et la misère font ça.

— Bien entendu. Merci.

Puis elle s'éclipsa, le bruit inégal de ses pas se dissipant peu à peu. L'inspecteur attendit qu'elle soit loin avant de parler.

— Bon, nous savons que vous n'avez donc pas été amenés par la porte que nous venons de franchir, déclara-t-il. À part cela, toujours aucun souvenir ? Même pas une odeur familière, une lumière, un son, une ambiance ?

— Rien, admit Pierre, désolé. Si j'ai vraiment mis les pieds dans cet endroit, il ne m'en est rien resté.

— C'est pareil pour moi, ajouta Adrien.

Une voix derrière eux les fit sursauter.

— Vous désirez me voir, messieurs ?

Ils se retournèrent et trouvèrent, dans l'entrée du parloir, une religieuse dont Pierre se demanda si elle avait plané au-dessus du bois méticuleusement ciré pour arriver aussi près d'eux dans un pareil silence. Toute menue, elle ne semblait pas encore avoir atteint ses quarante ans, bien qu'il fût toujours difficile de cerner l'âge de ces créatures de Dieu. Hormis les petites pattes d'oie au coin de ses yeux rieurs, elle avait gardé le visage souriant et lisse d'une jeune fille. Les mains dans les manches de sa robe, la tête cerclée de son voile, elle les observait avec un air de parfaite sérénité.

Demers s'avança vers elle, la main tendue.

— Bonjour, ma sœur. Je suis l'inspecteur Maurice Demers, du Département de police de Montréal, se présenta-t-il. Et voici monsieur Pierre Moreau et son cousin, Adrien Moreau, prêtre de Saint-Sulpice.

La religieuse accepta la main tendue avec la réserve monastique d'une vierge consacrée à Dieu.

— Je suis mère Saint-Célestin, économe de l'hospice. L'homme que j'ai rencontré ce matin m'a prévenue que vous risquiez de vouloir me rencontrer.

Elle leva un sourcil intrigué vers les deux autres.

— Je… Je ne porte pas ma soutane, expliqua Adrien. C'est une longue histoire.

Elle se contenta de sourire pour lui faire comprendre qu'il ne lui revenait pas, à elle, de juger de cette entorse à la règle ecclésiastique. D'un petit geste délicat, elle leur désigna des chaises droites disposées en cercle.

— Je vous en prie, prenez place, messieurs, dit-elle.

Ils s'installèrent tous et elle posa ses mains à plat sur ses cuisses dans l'attitude la plus modeste qui soit.

— Alors, que puis-je faire pour vous, inspecteur ? s'enquit-elle.

La politesse de la religieuse était impeccable et sa volonté d'être utile, manifeste. Sans entrer dans les détails de la situation, Demers lui présenta l'objet de leur visite.

— Deux garçons blonds, arrivés et partis à peu près en même temps, voilà une vingtaine d'années, répéta la religieuse, songeuse. Hum… C'est aussi ce que m'a dit votre agent.

Elle dévisagea un peu Pierre et Adrien, son regard s'attardant à leur chevelure pâle.

— Suis-je naïve en présumant qu'il s'agit de vous, messieurs? les questionna-t-elle avec perspicacité, sans se départir de son sourire bienfaisant.

Les deux jeunes hommes se regardèrent l'un l'autre, incertains de la réponse qu'ils devaient donner. Demers vint à leur secours.

— Votre présomption est correcte, confirma-t-il. Vous comprendrez toutefois qu'il s'agit d'une affaire confidentielle dont je ne suis pas libre de vous donner les détails.

— Bien entendu, inspecteur. Pardonnez ma curiosité. C'est un défaut dont j'ai du mal à me défaire.

— Ce n'est rien, répondit-il avec courtoisie. J'ai cru comprendre que vous pensez savoir quelque chose qui pourrait faire avancer l'enquête?

— Peut-être, oui.

La religieuse prit quelques secondes pour regrouper ses souvenirs.

— Après ma discussion avec votre homme, je me suis rappelé un événement qui semble correspondre à ce que vous cherchez, expliqua-t-elle. Bien entendu, c'était voilà longtemps. Je n'étais qu'une novice d'une quinzaine d'années. À cet âge, on est encore une enfant impressionnable et romantique. Il est facile d'imaginer des choses et de finir par y croire. J'ai donc pris sur moi de fouiller les dossiers de cette époque. Comme je suis l'économe, j'y ai libre accès. J'ai eu beaucoup moins de mal que je ne le prévoyais à retracer les deux garçons dont je me souvenais vaguement. Après tout, il est déjà rare qu'un de nos pauvres enfants soit adopté, alors vous imaginez bien que deux en même temps, ce n'est pas chose courante.

Elle fouilla dans la poche de sa robe et en sortit une feuille minutieusement pliée en deux. Elle l'ouvrit et la consulta.

— D'après ce que j'ai découvert, les deux garçons sont restés à l'orphelinat un peu plus d'un mois, ce qui est très peu. Ils ont été adoptés le même jour par messieurs Hubert et Xavier Moreau. Deux frères, précise le registre. De toute évidence, l'esprit charitable courait dans la famille. La stérilité aussi, peut-être.

Pierre et Adrien se regardèrent, blêmes et catastrophés. En quelques mots empreints de bienveillance, cette petite nonne venait de confirmer que toute leur vie avait reposé sur une imposture. Ils n'étaient pas ce qu'ils croyaient être. Ils n'avaient pas d'identité et n'en avaient jamais eue. Ils n'étaient personne. Adrien et Pierre Moreau n'avaient jamais existé. Ils étaient un mensonge. Et quelque part dans ce passé inconnu se trouvait l'origine du tourbillon démentiel qui les avait happés au cours des derniers jours.

De toute évidence, Demers avait développé le même raisonnement.

— Qui étaient les garçons ? demanda-t-il.

En répondant à cette question, mère Saint-Célestin, sans le savoir ni le vouloir, leur asséna le coup de grâce.

— Ça, j'ai bien peur de ne pas être en mesure de vous le dire. Vous savez, il n'est pas rare que nos petits demeurent inconnus. On n'a qu'à songer aux enfants illégitimes abandonnés à la porte en pleine nuit. Nous n'avons jamais su le nom d'un des garçons. Il a été enregistré sous celui de Joseph, en l'honneur du père de Notre-Seigneur. Quant à l'autre, selon le registre, il portait le prénom de Bernard. Aucun nom de famille, ni pour l'un, ni pour l'autre.

Cette fois, il n'y avait plus de doute possible. Bernard était le nom qu'avait utilisé Hermine Moreau, la veille. « J'ai essayé de t'aimer, mon petit Bernard. De toutes mes forces. Même si tu n'étais pas de moi. Mais je n'ai pas pu. J'aurais dû te laisser à l'hospice avec cette vieille sœur. » Même le visage de Maurice Demers, habituellement si stoïque, se crispa imperceptiblement en entendant cette information, qui lui confirmait la validité de la piste qui s'ouvrait devant lui.

— Hubert Moreau et sa femme ont adopté Bernard. Xavier et la sienne, Joseph, conclut la religieuse.

— Joseph, prononça Pierre en dévisageant Adrien comme s'il le voyait vraiment pour la première fois.

— Bernard, balbutia le sulpicien, dans le même état.

Mère Saint-Célestin replia sa feuille et la tendit à Demers, qui l'accepta avec reconnaissance.

— Vous trouverez tous ces renseignements là-dessus, inspecteur. J'ai pensé que cela vous serait utile.

— Que savez-vous des deux petits, ma sœur ?

— Rien de plus que ce que je viens de dire. J'en suis désolée.

— Ma mère m'a parlé d'une vieille religieuse, suggéra Pierre, encore abasourdi, en se remémorant les paroles proférées par Hermine Moreau lors de leur rencontre.

— Une vieille religieuse ? marmonna la sœur, l'air soudain un peu rêveur. Elle faisait sans doute référence à mère Marie-Marthe.

D'un même mouvement, Pierre, Adrien et Demers, anxieux, s'avancèrent imperceptiblement sur leur chaise, soudain suspendus aux lèvres de leur interlocutrice. Mère Saint-Célestin étouffa aussitôt leurs espoirs.

— Elle est morte depuis longtemps, expliqua-t-elle. J'ai pris la liberté de consulter nos sœurs les plus âgées avant votre arrivée. Il appert qu'elle a pris soin des deux garçons pendant leur séjour et qu'elle s'était particulièrement attachée à eux. Surtout au petit Bernard qui, me dit-on, faisait de terribles cauchemars qu'elle seule arrivait à calmer.

Pierre déglutit avec difficulté. Des cauchemars… Si une ultime preuve de sa véritable identité était nécessaire, il venait de l'obtenir. Il était ce Bernard sans nom de famille. Il avait vécu dans cet endroit avec Adrien.

— On m'a raconté que mère Marie-Marthe n'a appris l'adoption des garçons qu'après leur départ et qu'elle a beaucoup regretté de ne pas avoir pu leur faire ses adieux, continua sœur Saint-Célestin. Elle en avait le cœur brisé. Pour le reste de sa vie, elle a porté le médaillon avec lequel le petit Bernard était arrivé. Cela était contraire à notre règle, évidemment, mais la supérieure de l'époque était compréhensive et a choisi de fermer les yeux.

Pierre se raidit et le regard que lui adressa Adrien lui confirma qu'il venait de penser à la même chose que lui. « Tu possédais la clé de l'*Argumentum* quand tu étais petit et que c'est dans ta tendre enfance que tu la retrouveras. » C'était le message que les ravisseurs lui avaient transmis par le biais du sulpicien, après l'épisode de la basilique. S'il était vraiment Bernard, ce dont il n'y avait plus aucune raison de douter, le médaillon avec lequel il était arrivé à l'hospice Saint-Joseph constituait son seul lien tangible avec son passé.

— Un médaillon ? demanda-t-il d'une voix étranglée. Où est-il ?

Mère Saint-Célestin fit une grimace embarrassée et un petit soupir qui l'était tout autant.

— Là où personne ne peut le récupérer, je le crains, leur confia-t-elle avec un regret sincère Mère Marie-Marthe nous a quittés en 1874, huit ans après le départ des enfants, à un âge très avancé. Elle avait demandé d'être inhumée avec le médaillon, il est dans la crypte.

— Et cette crypte est dans la cave de l'hospice ? insista Demers.

— Bien sûr que non. Je parle de la crypte de la maison mère de la communauté, rue Guy. Marie-Marthe Théberge a été une des premières à y être enterrée après la construction de l'édifice en 1869.

Trois paires d'épaules s'affaissèrent en même temps sous le poids de la déception, une plus encore que les deux autres.

— Très bien. Je vous remercie de votre temps, ma mère, dit Demers. Avant de partir, puis-je vous demander une dernière faveur ?

— S'il est en mon pouvoir de vous l'accorder, considérez-la comme acceptée, inspecteur.

— J'aimerais visiter l'orphelinat.

— Ça ne pose aucun problème. Attendez-moi une minute.

Mère Saint-Célestin se leva, quitta le parloir d'un pas feutré et y reparut presque aussitôt en compagnie de la vieille portière.

— Mère Sainte-Ursule vous accompagnera et répondra à toutes vos questions, annonça-t-elle. Elle est ici depuis très longtemps et il n'y a pas grand-chose qu'elle ignore.

La vieille religieuse leur adressa un sourire édenté. L'économe les rejoignit et tendit une main menue, mais à la poigne étonnamment ferme.

— J'ai été heureuse de vous connaître, inspecteur Demers, dit-elle. S'il y a quoi que ce soit de plus que je puisse faire, n'hésitez pas. Je suis à votre entière disposition.

Demers inclina la tête avec galanterie pour la remercier. Elle porta son attention sur Adrien et Pierre.

— Quant à vous, chers messieurs, j'ignore ce que vous cherchez, mais je vous souhaite de le trouver.

Mère Saint-Célestin leur adressa un sourire cordial et bienveillant, opina amicalement et, sans rien ajouter, tourna les talons pour quitter le parloir.

La vieillarde semblait avoir reçu instruction de ne rien négliger car elle leur fit visiter l'édifice de fond en comble, le même sourire un peu béat lui chiffonnant le visage tout entier comme un sac en papier vide. Ils débutèrent par l'église qu'ils avaient vue en arrivant, aussi quelconque de l'intérieur que de l'extérieur. Puis ils entreprirent une exploration méthodique qui les mena aux cuisines, dans tous les parloirs, au réfectoire, et même aux douches. Ponctuellement, Demers adressait un regard interrogatif à Pierre et Adrien, espérant qu'ils se rappellent quelque chose, mais sans succès.

— Et voici les dortoirs, chuinta la religieuse en se mâchonnant énergiquement les gencives.

Pierre s'immobilisa dans l'embrasure, un désagréable picotement lui remontant soudain le long de l'échine. La pièce était longue et étroite. De chaque côté, des lits de fer drapés de couvre-pieds verts étaient alignés contre les murs et séparés par de petites tables de chevet blanches. Au fond, une ouverture percée dans le mur donnait sur une seconde pièce identique à la première. Cette vue lui était vaguement familière, comme une odeur depuis longtemps dissipée. Un regard vers Adrien, les yeux écarquillés d'émoi, lui confirma qu'il partageait son impression. Lui aussi connaissait cet endroit.

Le souffle court, il avança, sous le regard perplexe de la vieillarde, qui ne pouvait comprendre pourquoi un simple dortoir qu'elle avait vu des milliers de fois dans sa vie faisait une si forte impression à ces deux messieurs. Adrien le rejoignit. Tous les deux ou trois pas, ils s'arrêtaient et laissaient leurs yeux errer sur les lieux, s'imprégnant des perspectives, de la lumière, de l'odeur, des craquements du plancher. Derrière eux, Demers ne disait rien, soucieux de ne pas troubler ce qui ressemblait fort à une réminiscence, mais les observait comme un oiseau de proie.

Ils traversèrent la première salle à un rythme d'escargot et répétèrent le même manège dans la seconde, s'interrompant pour laisser courir une main sur un pied de lit en laiton ou sur un couvre-lit élimé, pour appuyer sur une latte du plancher et écouter son craquement.

Dans la dernière salle, Pierre inspira sèchement, saisi par un frisson d'appréhension, et se dirigea d'un pas rapide vers le fond de la pièce. Il s'arrêta devant l'avant-dernier lit et, dans un état second, le contourna. Livide, il s'y assit, le regard fixe, les lèvres serrées. Des scènes lui revenaient en rafale, se mêlant, leurs images se confondant en une étourdissante tourmente sur laquelle il n'avait plus aucune emprise. Des cris, des rires et des pleurs d'enfants. Une odeur d'urine et de désinfectant. Un immense sentiment de peur et de solitude. Des religieuses qui vaquaient, certaines souriantes, d'autres impatientes. La senteur de la soupe chaude et celle du savon. La mélopée un peu discordante de prières prononcées par plusieurs voix.

Les images se stabilisèrent petit à petit en une succession de scènes qui lui étaient à la fois étrangères et intimement familières. Il faisait noir et il était transi de peur. Une ruelle déserte. La solitude et la peur. Un homme portant une casquette, qui souriait. Puis de nouveau le noir et la peur. Des caresses dans ses cheveux. La sensation d'enfouir son visage dans un tissu rêche qui sent le camphre et la transpiration. Un murmure dans son oreille. Une voix chevrotante mais chaude. « Shhhhhh, mon petit. Shhhhhhh. Le gros vilain cauchemar est fini. Il n'y a plus de danger. »

Lorsqu'il revint à lui, Pierre vit Adrien qui désignait le lit voisin.

— Tu dormais là, lui dit-il d'une voix tremblante. Lorsque je faisais des cauchemars, tu essayais de me calmer jusqu'à l'arrivée de la vieille sœur. J'ai souvent rêvé d'un visage d'enfant blond. Je croyais que c'était un ange. C'était toi.

Adrien se contenta de hocher lentement la tête. Il se souvenait, lui aussi. L'intervention de Demers rompit le charme.

— Je vous remercie pour la visite, ma sœur, dit-il à la vieille religieuse intriguée. Nous allons vous laisser tranquille.

Une fois à la sortie, atteinte en silence, Demers remercia encore la religieuse. Aussitôt la porte refermée, il empoigna le bras des deux jeunes hommes et les entraîna presque à la course vers la voiture qui les attendait. Le temps était compté. Policier ou non, il avait un crime outrageant à planifier et peu de temps pour le faire.

46

ILS TRAVERSÈRENT LA RUE d'un pas pressé en direction de la voiture garée un peu plus loin, sur le côté de la petite rue étroite, pour ne pas gêner la circulation.

— Nous allons retourner au temple, décida Demers. Nous pourrons attendre tranquillement.

— Attendre quoi ? protesta Pierre. Julie est en danger. Nous devons agir au plus vite. Tu es policier. Tu peux certainement demander un permis d'exhumation pour cette vieille nonne. Nous pourrons récupérer le médaillon et s'il s'agit bien de cette clé…

— Il faudrait des jours, peut-être des semaines pour obtenir l'autorisation, l'interrompit l'inspecteur. Et encore, on nous l'accorderait seulement si nous dévoilons toute l'affaire aux autorités. Or, je ne crois pas que mademoiselle Fontaine ait des semaines devant elle. Et puis, je vais être franc : je n'ai aucune envie de contribuer à salir la réputation de l'ordre et d'attirer sur lui une attention malveillante si je peux l'éviter.

— Mais je m'en fiche, moi, des francs-maçons !

— Alors, pense au bien-être de ta fiancée.

— Que prévoyez-vous faire ? les coupa Adrien.

— La tombe doit être ouverte, c'est évident, mais nous ne pouvons pas procéder par les canaux normaux, expliqua l'inspecteur d'un ton sinistre en regardant droit devant, comme un condamné déterminé à affronter le sort. Alors, nous allons devoir le faire nous-mêmes.

— La profaner comme de vulgaires pilleurs de morts ? s'insurgea le sulpicien.

Demers braqua son regard dans le sien.

— Oui, dit-il calmement. Dès cette nuit.

Il consulta sa montre.

— Il est passé midi. Nous avons une douzaine d'heures pour nous préparer.

Scandalisés, Pierre allait lui demander s'il avait perdu la tête et Adrien, lui rappeler qu'il était prêtre et qu'il ne pouvait en aucun cas permettre un tel sacrilège, lorsque Demers fronça les sourcils et pinça les lèvres, manifestement contrarié.

— Tiens. Qu'est-ce qu'il fait là, celui-là ? marmonna-t-il.

Pierre suivit son regard et repéra, non loin de la voiture, en retrait près de l'église, un petit prêtre court et rondelet dont la chevelure clairsemée surmontait un visage rougeaud. Il se tenait immobile, les mains croisées sur sa petite bedaine qui relevait le devant de sa soutane, et semblait les observer avec intérêt. Pierre eut l'impression qu'il le regardait, lui, et qu'une lumière malfaisante brillait dans ses yeux. L'espace d'un instant, il eut l'impression d'avoir déjà vu cet homme dont le visage lui était vaguement familier. L'impression, fugitive comme un souffle, se dissipa avant qu'il ne puisse la saisir.

— Qui est-ce ? demanda-t-il, méfiant.

— L'abbé Paul-Aimé Simard, un petit fonctionnaire de l'évêché, lui apprit Adrien, les lèvres pincées par une moue de répulsion. Il est plus catholique que le pape en personne. On raconte que cet exalté se flagelle tous les soirs avant de se coucher pour expier ses propres péchés et ceux du monde. En privé, la plupart des prêtres l'appellent « saint Paul ». Lorsqu'il surgit quelque part, il ne peut en résulter que des remontrances, des menaces et des emmerdements. Il doit avoir affaire aux religieuses de l'hospice. Je les plains, ces pauvres femmes. Ce genre de fanatique me fait peur.

Ils arrivèrent à la voiture. Assis sur la banquette se trouvait un homme différent de celui qui les avait conduits.

— Jean-Marie? fit Demers, un peu surpris. Que fais-tu là? Où est Charles?

— Son *shift* s'est terminé voilà presque deux heures, m'sieur, expliqua l'autre. J'ai pris la relève.

— Ah, bon. Au temple maçonnique, alors.

— Bien, m'sieur.

Demers ouvrit la portière du véhicule et fit signe à Pierre et Adrien de monter. Ils s'exécutèrent et se laissèrent choir lourdement sur les banquettes, leur récente collision avec leur passé les ayant laissés sonnés et amorphes. Adrien appuya sa nuque contre le cuir frais du dossier et émit un long soupir de lassitude. Quant à Pierre, pris d'un terrible mélange de fatigue et de découragement, il se contenta de se glisser au bout de l'autre banquette pour laisser une place à l'inspecteur, puis de fermer les yeux en essayant de se réconcilier avec la personne qu'il était depuis peu. Il se prénommait Bernard. Il était arrivé à l'hospice avec un médaillon qui était maintenant enterré avec une religieuse. Il avait été adopté par ceux qu'il avait toujours considérés comme ses parents et qui, finalement, étaient de purs étrangers. Tout être humain normalement constitué avait besoin d'une identité, quelle qu'elle fût, et on venait d'effacer la sienne comme une ardoise. Et voilà que Demers voulait violer une tombe. Après les assassinats, l'enlèvement, les meurtres, les mystères et les révélations, il en était maintenant à la profanation de sépulture. Où tout cela s'arrêterait-il donc?

Un coup de feu les fit sursauter. Il fut aussitôt suivi par un grognement de douleur émis par Demers. Une forme passa brièvement devant la portière laissée ouverte pour s'écrouler sur le sol. Le marchepied de la voiture grinça et des pas se rapprochèrent. L'homme qui avait remplacé leur cocher se planta dans l'ouverture, le visage fermé et tenant à deux mains un révolver qu'il pointait vers Pierre.

Adrien et Pierre se figèrent. Chacun d'eux avait une arme cachée sous sa veste, mais dans les circonstances, elle était aussi inaccessible que si elle s'était trouvée de l'autre côté de la ville. Le moindre mouvement leur vaudrait aussitôt un grand trou dans la poitrine. Par ailleurs, l'absence de mouvement aboutirait au même résultat.

Le meurtrier arma le chien de son arme et Pierre eut l'impression que le temps s'arrêtait. Dans l'instant qui suivrait, la balle émergerait de la bouche sombre du canon, percuterait sa poitrine et lui percerait le cœur. Peut-être aurait-il mal, peut-être pas, mais tout serait fini. Et il aurait échoué.

Au moment même où le coup partait, Pierre remonta son pied sur l'avant-bras du tueur et le fit dévier de sa cible. La balle percuta le plancher du véhicule entre les deux passagers et les chevaux énervés par le bruit se mirent à s'agiter, faisant tanguer la voiture. Une odeur de soufre et une fumée bleutée remplit l'habitacle et leur fit monter les larmes aux yeux.

Sachant qu'il n'aurait que cette chance de vivre, Pierre se pencha sur la banquette, empoigna la main de son agresseur et le tira brusquement vers l'intérieur en faisant de son mieux pour garder le canon du révolver pointé vers le ciel. Deux autres coups partirent et défoncèrent le plafond de la cabine, faisant pleuvoir des éclisses de bois. De toutes ses forces, Adrien le frappa à la tempe gauche. L'homme grogna et secoua la tête, sonné mais loin d'être hors d'état de nuire. Lorsque le sulpicien s'apprêta à le cogner de nouveau, il lui saisit le poignet d'un geste vif et, tout en continuant de lutter contre Pierre avec sa main droite pour rabaisser son arme, ramena violemment l'avant-bras d'Adrien contre le cadre de la portière. Le sulpicien cria, un douloureux élancement lui remontant du coude jusque dans l'épaule et lui paralysant le bras. Le policier abattit aussitôt trois violents coups de poing au visage de Pierre, qui finit par lâcher prise et se retrouva à demi couché sur la banquette, la cervelle empâtée.

S'accrochant à la conscience, il vit l'image embrouillée du tueur, à genoux sur le plancher, un filet de sang lui coulant de l'oreille gauche, qui pointait son arme vers sa tête. Incapable de réagir, il se contenta de se crisper dans l'attente de la mort imminente. Cette fois, c'était bien fini. Sa dernière pensée alla à Julie Fontaine, l'amour de sa vie, la femme avec laquelle il avait tant voulu se construire un avenir. Au bout du compte, il n'aurait pas pu la sauver et elle mourrait sans doute dans les plus atroces souffrances.

Les paupières scellées, il attendit. Dans l'espace restreint de l'habitacle, le coup de feu fut pareil au tonnerre d'un ciel en colère. Il ne ressentit ni choc ni douleur. Interdit, il rouvrit les yeux et réalisa, stupéfait, qu'il était toujours vivant.

La scène se déroula au ralenti et il put en observer les moindres détails macabres, qui se gravèrent à jamais dans sa mémoire. Le visage du tueur explosa littéralement en mille morceaux et son corps fut projeté vers l'avant. Une fine bruine de sang éclaboussa les murs et Pierre sentit des gouttelettes lui maculer la peau. Les éclats d'os et de dents volèrent dans toutes les directions, pareils à ceux d'une potiche frappée par une pierre, et s'arrêtèrent contre les parois dans un affreux cliquetis. Les yeux sortis des orbites restèrent suspendus au bout de leurs nerfs, donnant à leur propriétaire l'air d'une de ces affreuses poupées qui surgissent d'une boîte à surprise. Le meurtrier vacilla un moment, en équilibre, puis s'écroula lourdement sur le plancher de la voiture, ce qui restait de sa face gisant parmi ses propres déchets. Son corps inerte glissa mollement par la portière dans une épaisse traînée de sang visqueux à l'odeur cuivrée. Il s'arrêta alors qu'il n'avait plus que les bras, la tête et les épaules à l'intérieur.

Un peu en retrait, à l'extérieur, se tenait Maurice Demers, son révolver brandi dans son poing droit. Il était blanc comme un linge, l'épaule gauche ensanglantée et le bras pendant mollement. Son arme tomba et il ne parut pas s'en rendre compte. Secouant leur torpeur, Adrien et Pierre se précipitèrent, enjambèrent le mort et attrapèrent l'inspecteur de police chancelant juste comme il allait s'écrouler.

Pierre laissa Adrien le soutenir et, dégoûté, saisit le cadavre par le col trempé de sang de sa chemise pour le tirer vers l'arrière et le laisser tomber près d'une des roues. Le chemin ainsi dégagé, il aida Adrien à hisser le blessé dans la voiture et à l'allonger sur une banquette. À toute vitesse, il retira la veste de Demers, malgré les protestations douloureuses de celui-ci, la roula en boule et la donna au sulpicien. Puis il déchira la chemise ensanglantée et vit aussitôt le trou sombre qu'il avait au sommet de l'épaule, sous la clavicule.

— Applique de la pression sur la blessure, ordonna-t-il, fébrile.

— Il lui faut un médecin, dit Adrien d'une toute petite voix.

— Belval, râla Demers, les dents serrées et le visage couvert de sueur. Personne d'autre que Belval.

— Fais-vite, implora Adrien, les yeux pleins d'inquiétude.

Pierre hocha la tête, tira de sa ceinture le révolver de Thériault et passa prudemment la tête en dehors de la voiture. Il ne vit personne, mais les curieux, attirés par les coups de feu, ne tarderaient certainement pas à apparaître. Peut-être avait-on même déjà fait prévenir la police. Or, il était évident qu'Adrien et lui ne pouvaient faire confiance au Département de police de Montréal. Deux fois, déjà, ses agents avaient tenté de les assassiner. Ils n'hésitaient même pas à s'entretuer.

Il descendit, avisa le mort et ne put résister au besoin de savoir. Il le saisit et le retourna sur le dos avant de déchirer la chemise trempée de sang pourpre. Il ne fut pas surpris par ce qu'il vit. Un Christ en croix sur un glaive, tatoué sur l'épaule gauche.

Pour la seconde fois en quelques heures, le *Gladius Dei* agissait de façon contradictoire. En un si court laps de temps, ces fous de Dieu, qu'il ne connaissait ni d'Ève ni d'Adam, venaient de le presser de retrouver l'*Argumentum* en lui laissant comme message le doigt de sa bien-aimée, pour ensuite essayer de l'abattre en plein jour.

Il abandonna le mort et, refusant de consacrer plus d'énergie à essayer de résoudre cette invraisemblable énigme, grimpa sur la banquette du cocher, empoigna les rênes et les fit claquer. Les deux puissants chevaux, rendus nerveux par les détonations, s'ébrouèrent et se mirent en marche en faisant grincer les roues de la voiture.

En se retournant, il put apercevoir, sur les deux porches de l'hospice, quelques religieuses qui étaient sorties pour voir ce qui causait tout ce bruit et qui, déjà, portaient à leur bouche des mains horrifiées en apercevant le mort couché dans une flaque de sang au bord de la rue. Parmi elles, il reconnut mère Saint-Célestin et la vieille portière. Elles croiraient sans doute qu'il était l'assassin. Toutes les apparences étaient contre lui. Il avait même une arme à la main.

Il passa à toute vitesse devant l'église qui jouxtait l'orphelinat et manqua presque la silhouette sombre qui se tenait dans l'embrasure de la porte, sur le parvis. Le petit prêtre dodu qu'ils avaient aperçu en arrivant le regardait fixement, une expression mêlée de haine et de regret sur le visage.

Pendant un instant, Pierre eut l'impression d'avoir vu le diable en personne.

47

CONDUISANT LE VÉHICULE, Pierre fila comme le vent dans les rues de Montréal, écopant de sa large part de poings brandis et d'imprécations ponctuées de jurons bien sentis proférés par des piétons et des cochers, sans compter quelques chiens et chats presque écrasés. Sur les pavés, les roues de la voiture et les sabots des chevaux produisaient un vacarme d'enfer. Lorsqu'il arriva en vue du temple maçonnique, il contourna la place d'Armes en dérapant un peu, sous les regards intrigués des fidèles qui allaient et venaient sur le parvis de la basilique, et des promeneurs qui se baladaient dans le parc. Devant l'édifice, il tira si rudement sur les rênes que les chevaux, habitués à être mieux conduits et traités, se cabrèrent. La voiture patina dangereusement d'un côté et de l'autre avant de se stabiliser.

Indifférent à la réprobation générale, il se précipita en bas de la banquette de cocher et ouvrit brusquement la portière. À l'intérieur, Adrien, le désarroi peint sur son visage, appliquait toujours de la pression sur l'épaule de Demers. La veste roulée en boule était imbibée de sang, mais l'inspecteur avait repris quelques couleurs et son regard était un peu plus ferme, même si la sueur perlait toujours à son front et que ses lèvres restaient crispées par la douleur.

Pierre grimpa dans l'habitacle et saisit le bras sain de Demers, tandis qu'Adrien continuait à s'occuper de l'autre.

— Peux-tu marcher ? demanda-t-il avec douceur.

— Ça ira, répondit l'inspecteur avec une assurance feinte qui ne trompa personne. Je ne crois pas que la blessure soit trop sérieuse.

Ils l'aidèrent à se lever et le conduisirent jusqu'à la portière. Pierre sortit le premier et, la main sur la crosse de l'arme sous sa veste, scruta prudemment les environs, aux aguets du moindre mouvement suspect ou de quiconque faisant mine de les observer, même à la dérobée. Lorsqu'il fut rassuré, il tendit la main à Demers et, avec Adrien, l'aida à descendre.

En le soutenant respectivement par la taille et par son bras sain, ils pénétrèrent dans le hall où, voilà moins de deux semaines, Pierre avait eu la surprise de constater qu'Émile Fontaine l'avait emmené chez les francs-maçons. Dès lors, tout s'était écroulé autour de lui et quelques jours à peine avaient suffi à bouleverser sa vie. Mais il serait toujours temps de regretter. En attendant, il devait récupérer ce maudit *Argumentum*, cette tablette à laquelle il semblait avoir été lié dans sa tendre enfance, et sauver Julie. S'il le retrouvait, il le donnerait sans aucun regret. Après tout, il n'en avait jamais rien su et se fichait de son importance.

Sur le babillard de liège, l'équerre et le compas entrecroisés qui l'avaient tant angoissé étaient toujours là. Ils s'immobilisèrent au pied des escaliers. Il était hors de question de faire monter plusieurs étages à Demers, qui avait perdu beaucoup de sang, mais hormis l'antichambre du cinquième étage et le bar, Pierre ne connaissait pas l'immeuble.

— Au premier, grogna l'inspecteur. Belval sera là.

Ils s'engagèrent dans les marches, les gravissant une à une, prenant des pauses fréquentes pour s'assurer que Demers ne s'évanouissait pas en cours de route. À l'étage, ils se dirigèrent vers une porte devant laquelle se tenait un homme en costume sombre. Les mains croisées à la hauteur de la ceinture, il ne bougea pas d'un poil lorsqu'il les aperçut, se contentant de les observer froidement.

Le visage toujours pâle et suant, Demers se dégagea de leur appui, se redressa dignement et se rendit auprès de l'homme en titubant un peu. Il posa son pouce droit sous son oreille gauche et le fit lentement glisser sur sa gorge jusque de l'autre côté. Pierre reconnut le signe du vingt-neuvième degré, que Barthélémy Perreault avait décrit en racontant la cérémonie.

— *Nekam*, râla l'inspecteur.

— *Kadosh*, répondit l'autre en se détendant un peu, sans pour autant négliger de respecter les formalités maçonniques. Où souhaites-tu entrer ?

— À Hérédom. Comme tu vois, j'ai besoin d'un refuge.

Le tuileur, car il était évident que sa fonction était de garder l'entrée de la loge du vingt-neuvième degré, fixa Pierre et Adrien avec suspicion avant de reporter un regard interrogatif sur Demers.

— Ils sont avec moi et ne franchiront pas la porte de l'antichambre, expliqua ce dernier. Le maître de la loge les connaît et les accueillera. Grouille-toi avant que je ne tourne de l'œil.

— Attends que je fasse rapport.

L'homme entrouvrit la porte et le bruit d'une discussion parvint brièvement jusqu'à eux. Il entra et referma puis le silence retomba. Pierre et Adrien s'empressèrent de soutenir l'inspecteur, qui s'était déjà tenu seul trop longtemps et approchait dangereusement de la limite de ses forces. Heureusement, leur attente fut brève. La porte s'ouvrit et le gardien s'écarta pour leur céder le passage.

— Vous êtes admis, déclara-t-il.

Adrien grommela quelque chose que Pierre ne comprit pas, mais qui avait sans doute à voir avec l'admission d'un prêtre sulpicien parmi les francs-maçons. Ils pénétrèrent dans une antichambre semblable à celle du cinquième étage. Une longue table ornée d'une vingtaine de fauteuils au haut dossier ouvragé occupait le centre de la pièce. Autour, d'autres fauteuils, en cuir ceux-là, étaient disposés et accompagnés de cendriers sur pied. De chaque côté du mur du fond, une porte donnait sans doute sur le temple de ce degré.

Assis à la table se trouvaient tous ceux qui accompagnaient Pierre depuis le début de ses malheurs. Ceux, aussi, qui avaient atteint le vingt-neuvième degré : le juge Badgley, les traits tellement tirés qu'il semblait avoir vieilli de dix ans ; Gédéon Ouimet, dont l'éternel sourire bon enfant paraissait crispé ; Honoré Beaugrand, les sourcils froncés, qui tapotait nerveusement la table du bout des doigts ; Barthélémy Perreault, qui semblait avoir profité de la nuit pour redevenir le dandy qu'il était, mais qui était manifestement tendu comme une corde de violon ; et Solomon Wolofsky, qui se mordillait les lèvres, l'air soucieux. Les deux derniers bondirent sur leurs pieds dès qu'ils le virent, clairement soulagés de le savoir de retour.

— Pierre ! s'enquit Solomon avec une inquiétude sincère, en lui tâtant familièrement les bras, comme une mère soulagée qu'on lui rende un petit qui a échappé à un grave danger. Tu n'as rien ?

— Non, mais Maurice, lui… répondit Pierre.

— Ahhhh ! s'écria le marchand juif, énervé comme une vieille femme, en agitant les mains dans les airs. Quelle idée, aussi, de vous laisser seul, dans un hôtel ! J'aurais dû vous ramener chez moi !

— Ou chez moi, coupa Perreault, pareillement désolé. Nous aurions pu monter la garde à tour de rôle.

Georges Belval, lui, était déjà sur pied, prêt à prodiguer ses soins. Sa fine moustache frémissant sous la tension, il prit charge de Demers pour le conduire à un fauteuil inoccupé, à l'écart au fond de la salle. Il se mit aussitôt au travail, lui enlevant sa chemise trempée de sang pour examiner la blessure.

Pendant que le médecin procédait, penché sur son patient, le juge Badgley frappa faiblement la table à quelques reprises avec le plat de la main. Un calme relatif revint dans la pièce.

— Mes frères, dit-il à Perreault et Wolofsky, si vous voulez bien, procédons dans l'ordre. Laissons Pierre et notre ami sulpicien nous raconter ce qui leur est arrivé.

Adrien se renfrogna un peu en s'entendant qualifié ainsi par un franc-maçon notoire. Pierre, lui, s'arrêta soudain, perplexe.

Certes, il était heureux de retrouver ces hommes dont la présence le rassurait. Mais que faisaient-ils tous là en cet instant précis? Ils n'avaient quand même pas pu savoir qu'il viendrait au temple et, au cours des dernières semaines, s'il avait appris une seule chose, c'était que le hasard n'existait pas. Son expression dut trahir ses questionnements, car Ouimet lui adressa un sourire compréhensif.

— Tu es bien tombé, Pierre, expliqua-t-il. Nous avions convoqué une réunion pour planifier les prochains travaux du vingt-neuvième pour midi et nous venions de terminer. Quelques minutes plus tard et il n'y aurait plus eu personne. Comme Maurice aurait dû y participer, il savait où nous trouver.

D'un geste, Beaugrand l'invita à prendre place.

— Raconte, mon frère, dit-il. Comment Maurice s'est-il retrouvé dans cet état?

Pierre prit Adrien par le coude pour l'entraîner avec lui et vint prendre place avec Perreault et Wolofsky. Ils s'assirent. Ouimet se leva pour aller verser deux solides rasades de scotch et revenir poser les verres devant eux. Pierre remercia de la tête et avala deux grandes gorgées qui lui firent un peu oublier que, pour la deuxième fois en une journée, il venait d'assister à la mort d'un homme.

Il inspira profondément et, de son mieux, récapitula les événements des dernières heures: la note et la macabre découverte qu'ils avaient faite dans l'enveloppe mystérieusement glissée sous la porte de leur chambre d'hôtel; les informations obtenues de mère Saint-Célestin à l'hospice Saint-Joseph, qui confirmaient leur identité, à Adrien et à lui; la vieille religieuse, enterrée dans la crypte des Sœurs Grises avec le médaillon du petit Bernard, qui représentait peut-être la clé de toute cette histoire; l'agression inattendue dont ils avaient été victimes à la sortie de l'orphelinat, cause de la blessure de Demers; et finalement, la présence de l'abbé Paul-Aimé Simard, qui ne semblait pourtant pas s'être trouvé là par hasard.

Il achevait son récit, après une quinzaine de minutes, lorsque Demers et Belval vinrent les rejoindre et prirent place à la table. Pendant les soins, l'inspecteur n'avait pas perdu un mot de ce qui s'était dit. Par-dessus un épais pansement, il portait une chemise propre que le médecin lui avait fournie et son bras gauche était en écharpe. Il affichait une attitude brave, mais son regard vitreux trahissait sa douleur.

— La blessure est superficielle, annonça Belval à l'assemblée. La balle a traversé l'épaule de part en part sous la clavicule sans rien briser à part du muscle. Elle se refermera bien. Notre ami Maurice a eu de la chance. Pour quelques jours, par contre, ça fera un mal de chien. S'il avait accepté d'avaler un peu de laudanum, il souffrirait moins.

— Je veux garder les idées claires, compléta Demers, à qui l'on venait de servir un scotch qu'il enfila à grandes goulées.

Les autres le regardèrent, interdits.

— Quoi ? C'est un analgésique comme un autre, se justifia-t-il, perplexe, après avoir fait cul sec.

Il posa sèchement son verre sur la table.

— Comme me voilà diminué, cette nuit, je vais avoir besoin de plus d'aide que je l'aurais voulu.

— Pour quoi faire ? l'interrogea Wolofsky.

— Maurice s'est mis en tête d'entrer chez les Sœurs Grises et de déterrer mère Marie-Marthe Théberge, expliqua Pierre, qui comprenait ce qui intriguait les autres. Et de toute évidence, sa blessure ne l'a pas fait changer d'idée.

La déclaration fut accueillie par un silence de tombe, on ne peut plus de circonstance.

Une fois le choc passé, une discussion animée suivit. Tous finirent par accepter le fait que procéder dans l'illégalité représentait la seule façon de récupérer rapidement le médaillon et de sauver Julie Fontaine. Pierre n'était pas dupe. Il savait que la possibilité de protéger par le fait même la réputation de l'ordre pesait sans doute dans la balance aux yeux de ces hommes, dont plusieurs en étaient de hauts dignitaires.

Malgré son désir intense de retrouver Julie avant qu'on ne la prive d'autres morceaux, ou pire encore, Pierre était ambivalent. Il n'était qu'un petit professeur d'histoire – du moins l'avait-il été jusqu'à récemment – pas un pilleur de tombes. Il avait vu la mort trop souvent et de beaucoup trop près ces derniers jours. Il ne tenait pas du tout à en fréquenter aussi la putréfaction. Mais, sans égard pour la répulsion qu'il ressentait, il savait que Maurice Demers avait raison. Il n'avait pas le choix.

Une fois la décision prise, une nouvelle discussion, longue et acerbe, visa à déterminer qui prendrait part à la sinistre expédition. Le juge Badgley et Ouimet furent exclus d'emblée en raison de leur âge, sans compter qu'un juge et un ancien premier ministre de la province ne devaient surtout pas être surpris en train de violer une sépulture. Comme la chose était aussi exclue pour le maire de Montréal, Beaugrand dût se désister. De surcroît, il ne pouvait pas davantage risquer de placer son journal dans une position délicate, avec déjà tant d'ennemis à l'affût parmi le gouvernement et le clergé qui n'espéraient que cela. Belval insista beaucoup pour en être, alléguant son statut de médecin, et faisant valoir que certaines des religieuses étaient sans doute mortes de maladies contagieuses comme la fièvre typhoïde et la petite vérole, mais on lui fit comprendre que l'on n'avait aucun besoin d'une autopsie et que mère Marie-Marthe, elle, avait été fauchée par l'âge.

Perreault, lui, tenait mordicus à être de l'expédition même si, pour un avocat, se placer dans une position potentiellement aussi compromettante que celle-là relevait de la plus pure imprudence. Il fut donc inclus. Solomon étant juif, sa religion lui interdisait de manipuler un cadavre, à plus forte raison celui d'un gentil, mais il tenait à aider. Il fut convenu qu'il servirait de cocher et qu'il attendrait que les autres ressortent de chez les Sœurs Grises. Il ferait le guet et les alerterait si le besoin s'en faisait sentir. Adrien étant prêtre, on tenta de le dissuader d'accompagner Pierre, mais il insista lourdement sur le fait que cette histoire le concernait personnellement et qu'il pourrait au moins reconsacrer la sépulture une fois le sacrilège commis, ce qui serait un moindre mal. On finit donc par céder. Quant à Demers, même blessé, et à Pierre, pour qui toute l'affaire consistait à récupérer ce qui lui appartenait en propre, il allait de soi qu'ils en soient.

Tout ce qui apparaissait nécessaire pour violer une tombe, pour autant que puissent le déterminer des hommes qui n'avaient jamais commis ce crime, avait été regroupé dans un sac de toile : un drap ; des chandelles et des allumettes pour s'éclairer ; des mouchoirs pour se couvrir le nez et la bouche ; un marteau et un ciseau à froid pour forcer la plaque mortuaire ; un pied-de-biche pour ouvrir le cercueil ; des gants de travail en cuir épais et une petite fiole d'eau du robinet qu'Adrien avait bénie, faute de mieux.

— Pour un peu, et je croirais que tu es cambrioleur, pas policier, remarqua Perreault lorsqu'ils eurent tout regroupé.

— À force de les fréquenter, on apprend, nota Demers, mi-figue, mi-raisin.

À vingt heures, tout était convenu et il était clair que Demers n'en pouvait plus. Ses traits tirés et sa pâleur trahissait son épuisement. Pierre et Adrien, ébranlés par la succession de tant d'événements troublants en si peu de temps, n'en menaient pas beaucoup plus large. On les laissa donc somnoler un peu dans les grands fauteuils de cuir, les autres se retirant dans une autre pièce.

Un peu plus de trois heures plus tard, Solomon secouait doucement l'épaule de Pierre, qui ouvrit les yeux, un peu perdu.

— Il est temps, dit le petit marchand, son air sérieux tranchant sur sa bonhommie habituelle.

— Bon Dieu, grommela Pierre en se frottant le visage. Je ne peux pas croire que nous allons faire ça.

— Alors, c'est entendu, insista Badgley. Dès que vous avez terminé, vous venez nous rejoindre. Peu importe l'heure, nous vous attendrons. Et surtout, assurez-vous de ne pas être vus.

Quelques minutes encore et tous étaient réunis dans l'antichambre. Adrien, en proie à une terreur superstitieuse, était aussi blanc que Demers, qui grimaçait au moindre mouvement. Perreault et Wolofsky, eux, avaient l'air déterminé, mais pas du tout rassuré. Tous avaient des allures de condamnés en route vers l'échafaud.

48

Montréal, 4 mai 1886

Il était passé minuit. Dans la cabine, Pierre, Adrien et Demers étaient affalés, chacun de son côté, enfermés en eux-mêmes dans un mélange d'horreur et d'incrédulité. Après tout, ce n'était pas tous les jours qu'un policier, dont la fonction en société était de faire respecter la loi, un prêtre catholique, qui devait officier aux enterrements et prier pour le salut des morts, et un professeur d'histoire, qui aurait plutôt dû s'intéresser à l'histoire des rites funéraires, se liguaient pour entrer par effraction dans la maison mère d'une communauté religieuse tout à fait honorable et y exhumer une de ses membres.

Comme convenu avant le départ, ils roulèrent à vitesse modérée, une voiture dévalant à toute allure en pleine nuit dans les rues presque désertes risquant d'attirer l'attention. Ils remontèrent Dorchester jusqu'à Mackay et continuèrent jusqu'au coin de Guy. Solomon immobilisa la voiture et enclencha le frein à main. De là, il pourrait avoir vue sur la propriété des Sœurs Grises.

Ils descendirent puis restèrent plantés, indécis. Ils se dévisagèrent l'un l'autre, aucun d'eux ne souhaitant faire le premier pas vers un sacrilège. Pierre soupira avec impatience, secoua la tête et passa sur son épaule le sac qui contenait leur attirail. Il en allait de la vie de Julie et cette pensée lui donna du courage. S'il devait commettre un blasphème, il le ferait. Il irait jusqu'en enfer pour elle.

— Bon, allons-y, dit-il avec une détermination beaucoup plus grande que celle qu'il éprouvait vraiment.

— Soyez prudents, dit Solomon du haut de sa banquette, manifestement embarrassé de ne pas se joindre à eux.

— Rappelle-moi le signal, ordonna Demers.

— Si j'entends l'un de vous siffler deux fois, je fonce et je vous prends sur Guy.

— Bien. Et ne t'endors pas.

— Ne crains rien. J'ai bien trop peur pour fermer l'œil.

Ils ne marchèrent qu'une minute environ, mais Demers souffla comme un taureau pendant tout le trajet. Mine de rien, comme un banal groupe de promeneurs, ils tournèrent à droite dans Guy et se retrouvèrent sur le côté de la propriété des religieuses et non pas devant, rue Dorchester. En maintenant un pas égal, ils traversèrent la rue et s'engouffrèrent entre les bâtiments. Puis ils longèrent l'aile et se tapirent dans le coin qu'elle formait avec le bâtiment principal, entre deux fenêtres de la cave. Au milieu de l'ensemble architectural se trouvait leur objectif: la chapelle.

Appuyé contre la pierre de taille du mur, Demers déglutit et ferma les yeux, haletant. Le ciel était un peu couvert, mais la lune qui perçait de temps à autre illuminait un visage luisant et blême à l'excès.

— Tu as l'air d'un agonisant, remarqua Perreault.

— Ça ira, le rassura faiblement l'inspecteur lorsqu'il s'aperçut que les trois autres aussi l'observaient avec inquiétude.

— Tu en es sûr?

— Pas le choix. Pierre, donne-moi le drap.

Pierre déposa délicatement le sac par terre pour ne pas faire de bruit et y fouilla pour en tirer le drap de coton rêche que Ouimet était allé prendre dans le temple, et qui devait servir à un quelconque rituel maçonnique. Suivant les instructions de l'inspecteur, Perreault le plia en quatre, le posa contre un carreau de la fenêtre la plus proche et donna un petit coup de coude sec. Le tintement du verre brisé leur parut aussi fort que le carillon de la basilique. Ils se pétrifièrent sur place, certains qu'on allait surgir pour les surprendre. Si une telle situation survenait, il était entendu que l'inspecteur Maurice Demers se draperait dans son autorité, brandirait sa carte et assurerait les bonnes religieuses qu'il était venu investiguer après avoir entendu du bruit. La chose risquait fort de laisser perplexe, mais permettrait au moins de s'en tirer sans trop de dommages. Une fois à l'intérieur, par contre, ils seraient irrémédiablement compromis.

Après plusieurs minutes, il fut évident que le bruit n'avait pas attiré l'attention. Perreault inséra le bras dans le carreau cassé et l'étira pour atteindre la clenche qui gardait la fenêtre verrouillée. Il la fit tourner sur elle-même, s'arc-bouta contre le cadre du châssis et le poussa vers le haut.

— Après vous, messieurs, déclara-t-il en parodiant la galanterie.

Pierre ramassa le drap et le fourra dans le sac, puis donna le tout à Adrien. Après une ultime hésitation, il s'agenouilla à reculons, passa les pieds dans l'ouverture et tendit les bras à Perreault. Ce dernier lui saisit les poignets et le fit descendre lentement à l'intérieur. Lorsqu'il fut à bout de bras, il sentit le plancher sous ses orteils.

— J'y suis, murmura-t-il. Tu peux me lâcher.

Dès qu'il fut stable, Perreault lui passa le sac. Adrien entra de pareille façon, puis vint le tour de Demers. Sa blessure ne permettant pas de le soutenir par les bras ou les aisselles, il se glissa par la fenêtre les pieds en premier, jusqu'à se retrouver assis sur le cadre, puis il sauta. De leur mieux, Pierre et Adrien l'attrapèrent au vol en le saisissant par le torse et le déposèrent sans trop de mal.

Pierre fit enfin la courte échelle à Perreault. Pendant ce temps, Adrien fouilla dans le sac et en sortit des chandelles et la boîte d'allumettes. Tous en prirent une, l'allumèrent et examinèrent la pièce où ils avaient abouti. Sur le plafond courait un réseau de canalisations et de tuyaux qui transportaient l'eau courante et les eaux usées de tout l'édifice. Le plancher était fait de planches posées à même le ciment et déjà marquées par les pas fréquents des sœurs. Les fondations de pierre qui formaient les murs étaient blanchies à la chaux. Un peu partout, des ballots de linge étaient empilés et, dans un coin se trouvaient plusieurs grands éviers de métal. De toute évidence, ils étaient tombés dans la buanderie du couvent.

Ils se dirigèrent vers la porte, l'entrouvrirent et tendirent l'oreille. À cette heure, les nonnes dormaient depuis longtemps, mais la prudence restait de mise. Il suffisait d'une insomniaque et ils se retrouveraient tous en prison. N'entendant rien, ils sortirent.

Une fois dans le couloir, Adrien se retourna pour regarder la fenêtre par laquelle ils étaient entrés, puis laissa son regard courir sur les murs pour s'orienter.

— La chapelle doit être par là, chuchota-t-il en indiquant la gauche. La crypte est forcément en dessous, sur ce plancher.

À pas de loup, ils remontèrent le corridor jusqu'à ce qu'une porte massive leur barre le chemin.

— Nous y voilà, je crois, décréta le sulpicien.

Hésitant, Pierre saisit la poignée de fer forgé et abaissa le poussoir. La porte s'ouvrit en émettant un grincement qui, dans les circonstances, était particulièrement sinistre et malvenu. Il passa la tête dans la pièce entièrement noire et brandit la chandelle.

— Merde ! cracha-t-il à mi-voix.

— Quoi ? Ce n'est pas la crypte ? s'énerva Adrien.

— Non, rétorqua-t-il avec dépit. C'est le cimetière.

Il entra. Les autres le suivirent et comprirent immédiatement l'origine de son découragement. Ce que mère Saint-Célestin avait désigné comme la crypte était en réalité un véritable cimetière aménagé dans la cave de la maison mère. Quelques croix blanches en bois étaient soigneusement alignées dans la terre nue. Devant chacune était disposée, à même le sol, une petite plaque de bois en forme de cercueil qui portait le nom de celle qui était inhumée, ainsi que ses dates de naissance, de profession religieuse et de décès. Alors qu'ils avaient cru devoir dégager une dépouille scellée dans le mur d'une crypte, ils se retrouvaient plutôt devant la tâche de déterrer la morte, pour laquelle ils n'étaient nullement équipés.

Démoralisé, Pierre déambula parmi les croix en se penchant pour lire les inscriptions de chaque plaque à la lumière de la flamme. Les tombes étaient peu nombreuses et il repéra vite celle qu'il cherchait.

MARIE-MARTHE THÉBERGE
(1797 – 1813 – 1874)

Il se pencha et posa ses mains sur ses cuisses, laissant sa tête lourde pendre dans le vide.

— Nom de Dieu… Dites-moi que quelqu'un a pensé à apporter une pelle, se lamenta-t-il, découragé.

— Peut-être qu'il y en a une dans la voiture, suggéra Adrien. Vous savez, pour ramasser les pommes de route ?

— Nous n'allons pas courir le risque de ressortir d'ici et d'y entrer de nouveau, déclara Demers sur un ton qui n'admettait aucune réplique.

De sa main valide, il tira du sac le pied-de-biche et le ciseau à froid.

— Messieurs, nous allons devoir faire contre mauvaise fortune bon cœur, déclara-t-il en leur tendant les outils de fortune. Je vous conseille de vous couvrir le visage. On ne sait jamais ce qu'on peut attraper dans la terre d'une sépulture.

Il sortit les mouchoirs et les gants. Tous s'en munirent, se rappelant de ce que Belval avait dit au sujet des maladies contagieuses. Les voies respiratoires minimalement protégées et la mort dans l'âme, Pierre empoigna le pied-de-biche et Perreault, le ciseau à froid. Ils firent couler un peu de cire sur les pierres tombales environnantes et y collèrent quelques chandelles. Puis ils déplacèrent la plaque de bois et, à quatre pattes, se mirent à creuser avec leurs instruments de fortune.

Au bord de l'évanouissement, blanc comme un linceul, Demers avait l'air affreusement mal en point et prêt à s'écrouler à la moindre poussée. La main sur la crosse de son arme, qui reposait dans un étui à sa ceinture, il prit place près de la porte pour faire le guet, le mur le soutenant. Adrien, lui, s'approcha du macabre chantier, joignit les mains et se mit à prier.

— Tu pourrais nous aider au lieu de marmonner, lui reprocha Perreault en grattant la terre ramollie avec son ciseau.

— Je suis prêtre, se rebiffa le sulpicien. Les morts, je les enterre selon les rites de la sainte Église catholique en sachant que je les dirige vers la vie éternelle. Je ne les déterre pas comme un voleur.

— Et pourtant tu es là, avec nous. Qui ne dit mot consent, lui lança l'avocat. Si ça te déplaisait à ce point, tu n'avais qu'à te terrer dans un presbytère pour attendre les résultats en disant ton chapelet pendant que nous nous salissions les mains.

— Taisez-vous, tous les deux, trancha sèchement Pierre, mécontent. Plus vite nous aurons creusé et déterré la sœur, plus vite nous sortirons d'ici. Au cas où vous l'auriez oublié, la raison pour laquelle nous sommes en train de violer une tombe comme de vulgaires pilleurs est que nous essayons de sauver la vie de ma fiancée.

D'un geste rageur, il enfonça son pied-de-biche dans la terre et la remua furieusement pour la ramollir avant de l'empoigner à pleines mains pour la déposer sur le côté. Rabroué, Perreault l'imita et ils se mirent à la tâche. Peu à peu, des monticules se formèrent de part et d'autre de la tombe.

Ils peinèrent pendant deux bonnes heures, de plus en plus sales, suants et assoiffés. Le trou vidé à la main avait atteint environ quatre pieds de profondeur lorsque le pied-de-biche cogna enfin contre quelque chose de dur qui sonnait creux. Pierre recula brusquement en lâchant un petit cri d'effroi, comme si la morte, indûment dérangée dans son repos éternel, allait surgir de sa boîte pour leur ordonner de la laisser en paix. En deux décennies de cauchemars récurrents, et bien qu'il sût que les morts ne reviennent pas à la vie, jamais il n'avait éprouvé une terreur superstitieuse aussi profonde.

— Vous y êtes, chuchota Demers, essoufflé, derrière eux.

— *Miserere nobis, Domine*[1], implora Adrien en se signant frénétiquement.

— Tu feras dire des messes pour le salut de notre âme quand nous aurons fini, maugréa Perreault. Mais en attendant, tu m'obligerais beaucoup si tu voulais bien fermer ta gueule !

Du revers de leurs mains, Barthélémy et Pierre balayèrent ce qui restait de terre pour dégager le couvercle, révélant un modeste cercueil en bois que douze années sous terre avaient passablement entamé. Perreault tapa dessus avec la jointure de son majeur.

— Il n'a pas l'air trop solide, déclara-t-il, soudain beaucoup moins déterminé. On l'ouvre ?

— Au point où nous en sommes, il est un peu tard pour changer d'idée, soupira Pierre avec résignation.

— À toi l'honneur.

— Pourquoi savais-je que je serais l'heureux élu…

Faisant appel à toute sa détermination, il inspira et retint son souffle avant de descendre dans la fosse. Après avoir calé fermement ses pieds de chaque côté du cercueil, il inséra le pied-de-biche sous le couvercle et poussa vers le bas. Les clous qui le scellaient grincèrent en cédant un peu. Il recommença jusqu'à ce qu'une ouverture large d'un pouce apparaisse sur le côté gauche. Il y glissa les doigts et, à deux mains, tira de toutes ses forces.

Après une ultime résistance, le vieux couvercle céda et se brisa en plusieurs morceaux. Pierre perdit l'équilibre et ses bras décrivirent de grands moulinets dans les airs pendant qu'il partait vers l'arrière. N'eût été de l'intervention d'Adrien, qui le saisit sous

1. Aie pitié de nous, Seigneur.

les aisselles pour le retenir, il se fût retrouvé assis sur les jambes de la morte.

L'étoffe de leurs masques de fortune ne pouvait plus bloquer la puanteur fétide qui monta en bloc de la fosse et emplit rapidement toute la crypte. Un haut-le-cœur leur remonta dans la gorge. Demers quitta sa porte pour les rejoindre. Simultanément, puisque qu'ils étaient venus pour cela, ils se contraignirent à regarder ce qui se trouvait au fond.

La vieille religieuse gisait sur le dos, les mains croisées sur le ventre. Sur et autour d'elle, des insectes effrayés par la lumière soudaine s'enfuyaient dans toutes les directions, abandonnant leur festin à une horde d'asticots blanchâtres. Le petit coussin de soie qui avait soutenu la tête desséchée de la morte s'était désagrégé, de sorte que sa nuque s'était tordue dans une attitude qui donnait l'impression qu'elle examinait le haut de son cercueil. Son visage n'était plus qu'une ruine de cuir raide et brunâtre dépourvue de paupières, d'yeux et de nez. Sa bouche était béante et ses lèvres desséchées se rétractaient en un repoussant sourire sur des dents que le recul des gencives rendait exagérément longues. Son bonnet en lambeaux découvrait les quelques touffes de cheveux blancs qui s'accrochaient encore au crâne. Sa robe grise, elle, avait un peu mieux survécu et couvrait encore le plus gros du corps putréfié.

Ils s'étirèrent le cou dans tous les sens, contournèrent la fosse pour modifier leurs points de vue, se penchèrent, s'agenouillèrent et se contorsionnèrent, mais ils durent finir par se rendre à l'évidence : le médaillon n'était nulle part.

Au bord de la panique et du découragement, Pierre dévisagea Demers, dont l'air catastrophé trahissait le fait qu'il en était arrivé à la même conclusion.

— Vous ne croyez pas que… fit Adrien.

Le sulpicien n'eut pas le cœur de terminer sa question, ni même de suivre son idée jusqu'à son aboutissement. Aucun des quatre hommes n'osait envisager même la possibilité que d'autres soient passés avant eux et aient emporté le médaillon, ou que mère Saint-Célestin leur ait transmis de bonne foi des renseignements erronés. Ou, pire encore, qu'elle leur ait sciemment menti. Pas après les risques déments qu'ils venaient de courir; pas après avoir exhumé une morte; pas alors que la vie de Julie Fontaine dépendait de leur succès. Le médaillon devait être là.

— Il faudrait regarder sous son habit, suggéra Perreault en donnant l'impression de s'excuser.

— Je suppose que oui, admit Pierre.

— Seigneur, ne respectez-vous pas même la plus élémentaire décence? geignit Adrien.

Laissant libre cours à des jours de rage refoulée, Pierre empoigna la robe de la religieuse et l'arracha d'un coup. Le tissu sec n'offrit aucune résistance et lui resta dans les mains. Il le jeta par terre, déterminé à en finir.

Sous la robe, il restait fort peu de choses. À la vue de la cage thoracique décharnée, qui s'était effondrée sur elle-même, son estomac lui remonta dans la bouche et il dut ravaler les vomissures qui lui brûlaient la gorge. Puis son cœur sauta quelques battements. Au milieu des sucs corporels qui achevaient de sécher, des vers qui grouillaient, de la pourriture et des ossements, gisait un médaillon gros comme une pièce de cinquante cents. Il était noirci par la corrosion et les immondices, et le cordon de cuir auquel il avait été suspendu jadis était en partie disparu, mais il ne pouvait s'agir que de l'objet qu'ils étaient venus chercher.

Fermant les yeux pour ne pas voir ce qu'il faisait, une grimace de répulsion lui déformant le visage sous son masque improvisé, Pierre enfouit ses doigts gantés dans la fange. Après quelques tâtonnements accompagnés de bruits visqueux et d'une nausée de plus en plus difficile à réprimer, il trouva le médaillon. Il ferma la main dessus, essayant de ne pas penser à ce qu'il ramassait en plus de l'objet, et l'arracha dans un écœurant clapotis.

Comme si elle était remplie d'acide brûlant, il s'extirpa frénétiquement de la fosse, ses vêtements souillés de terre et de restes putréfiés. Anxieux de voir enfin le médaillon que l'on estimait assez important pour assassiner et kidnapper afin de se l'approprier, il en balaya le mucus et les asticots grouillants de l'autre main, au rythme de haut-le-cœur persistants. Il vit que l'avers était orné d'une scène sculptée, mais la pénombre l'empêchait d'en saisir les détails. Il lui faudrait de l'eau pour bien nettoyer et une lumière décente.

L'important était qu'il avait réussi. Julie avait encore une chance. Il suffisait de comprendre comment le médaillon menait à l'*Argumentum*, puis de le remettre aux ravisseurs. Il était temps de partir. Il ne restait qu'à remplir la fosse.

— Donne-le-moi, fit une voix.

49

CONSCIENT qu'une intrusion dans leur macabre entreprise ne présageait rien de bon, Pierre tourna la tête en direction de la voix avec l'attitude de celui qui sait qu'il va se retrouver face à face avec le diable en personne.

Près de la porte, Maurice Demers gisait face contre terre, inerte, sa posture rappelant celle d'un pantin disloqué. De toute évidence, on l'avait assommé subrepticement pendant que les autres étaient distraits par leur sale besogne. Dans l'embrasure se dessinaient deux silhouettes. Sur sa gauche, Perreault voulut s'avancer vers les inconnus, mais le déclic caractéristique du chien d'un pistolet qu'on armait le retint. La voix monta de nouveau, fluette, haut perchée, et pourtant lourde d'assurance et de menace.

— Restez où vous êtes, messieurs.

L'intrus fit quelques pas vers l'avant et les chandelles illuminèrent son visage. À sa droite, Pierre entendit Adrien s'étouffer de surprise. L'instant d'après, il en fit autant.

Celui qui les menaçait d'un révolver était l'abbé Paul-Aimé Simard, celui-là même qu'il avait aperçu en quittant l'asile. Une fois encore, son regard dur et froid tranchait avec son visage rondelet et jovial. Pierre vacilla presque sous la force du souvenir qui lui avait préalablement échappé et qui venait de le frapper. Ce prêtre, il l'avait déjà vu. Il s'agissait de celui qui avait dirigé les opérations quand la police avait ramassé le corps du jésuite.

Près de lui se tenait un matamore si grand qu'il devait pencher la tête pour franchir le cadre de la porte. Il était armé, lui aussi, et visiblement désireux de presser sur la gâchette de son arme à la première occasion. Pierre n'eut même pas à se poser la question ; il s'agissait forcément d'un policier. Le taupin se détacha du prêtre et prit place à sa droite pour se donner un meilleur angle de tir.

— Comment ?... balbutia Pierre.

— La sœur portière de l'hospice, lui apprit nonchalamment le prêtre. Elle avait été avertie de nous prévenir si vous vous présentiez. Une religieuse ne se pose jamais de questions lorsqu'un prêtre lui formule une demande, surtout lorsqu'il est rattaché à l'évêché et qu'il peut invoquer l'autorité de monseigneur Fabre.

Avec l'arrogance du vainqueur, Simard avisa Adrien et releva son petit menton grassouillet.

— Tiens, monsieur Moreau ! persifla-t-il dédaigneusement. Je vous demanderais bien ce qu'un sulpicien fait ici, à déterrer une innocente religieuse, mais il se trouve que je le sais déjà : vous êtes un des deux garçons qui ont été adoptés en novembre 1866.

Il secoua la tête en rigolant. Visiblement son amusement était sincère, quoique amer.

— Nous avons tant cherché l'enfant et sa maudite breloque. Nous savons maintenant que la dernière lignée détenant la clé de l'*Argumentum* se terminait avec Pierre Moreau. Ou devrais-je dire Joseph-Bernard-Mathieu Leclair, fils de Jean-Baptiste-Michel et de son épouse, Charlotte Dugas ?

Pierre se sentit défaillir. En quelques mots, cet homme venait de lui révéler tout ce qu'il avait cherché à découvrir depuis que le tourbillon l'avait happé. Il connaissait sa véritable identité et celle de ses parents. Il savait son vrai nom, que lui-même avait ignoré jusqu'à récemment ! Par-dessus tout, il lui confirmait son lien avec l'*Argumentum*. Ainsi donc, c'était vrai : par il ne savait quelle fantaisie du destin, il était vraiment le détenteur de ce que tous appelaient « la clé ». Et cette clé, il venait de l'arracher du corps pourri d'une morte et la tenait dans sa main.

— Je ne sais comment, mais, voilà vingt ans, ton père a réussi à te sortir de son logis sous le nez des agents du *Gladius Dei*, continua Simard. Nous avons perdu toute trace de toi. Ce n'est qu'après ton passage fortuit à la paroisse Notre-Dame-de-Grâce que nous avons compris que Joseph-Bernard-Mathieu Leclair avait refait surface.

Le prêtre soupira théâtralement.

— Tu as l'air de tomber des nues, ricana-t-il. Pourtant, il n'y a rien de très sorcier dans ton nom. Leclair n'est que l'évolution de Saint-Clair, de la famille du prince Henry, celui qui a érigé la première Arcadie pour y abriter l'*Argumentum*. Quant à tes prénoms, depuis ce que l'*Opus Magnum* appelle pompeusement le *dies terribilis*, tous ceux des détenteurs de la clé débutent par les lettres J, B et M – *Jacobus Burgundus Molay*.

Tout en parlant, il saisit Adrien par la manche et le poussa vers Pierre pour les avoir en joue tous les deux.

— Les Templiers ne sont pas que des impies, continua-t-il. Ils se sont mis dans la tête que l'Église les avait trompés et ils n'auront de paix que lorsqu'ils se seront vengés d'elle. Comme si Sa Sainteté avait pu souffrir l'existence de l'*Argumentum* une fois qu'elle en avait appris l'existence. Ou le laisser sous la garde des Templiers pour qu'ils puissent faire chanter l'Église ou la trahir selon leur bon plaisir.

— Tu… Tu sais ce qu'est l'*Argumentum* ? demanda Pierre.

— Je sais qu'il menace l'Église et cela me suffit ! le coupa sèchement Simard. Je suis au service de Sa Sainteté et j'obéis à ses ordres.

Pendant que Pierre notait le fait que le prêtre ne semblait pas connaître la forme que prenait l'*Argumentum*, ou qu'il le cachait bien, ce dernier lui fit une invitation de sa main libre.

— Trêve de conversation, trancha-t-il, toute prétention à la courtoisie disparue. Lance-moi le médaillon et finissons-en.

— Si vous me rendez Julie, répliqua Pierre en serrant inconsciemment le poing autour du bijou souillé qui constituait sa seule chance de revoir sa fiancée vivante.

Le prêtre le dévisagea un instant, l'air pensif.

— Tue-le, ordonna-t-il froidement à son acolyte.

Au lieu de se résigner comme il l'avait fait avant devant sa mort imminente, Pierre se mit à chercher désespérément un argument qui lui permettrait de négocier.

— Puisque je suis lié à l'*Argumentum*, si je meurs, je ne pourrai jamais le retrouver pour te le donner ! s'écria-t-il.

— Et après ? Je ne tiens pas à le retrouver, précisa Simard. Lorsque tu seras mort et que ce médaillon sera détruit, il sera à jamais introuvable. Il ne pourra plus être utilisé contre l'Église. Il sera aussi inutile que s'il avait été brisé en mille morceaux.

Médusé, Pierre chercha quelque chose à dire, mais sa pauvre cervelle, usée par trop d'événements et d'informations contradictoires en si peu de temps, tournait à vide et absolument rien ne lui vint. Tout à coup, tout ce qui n'avait pas eu de sens jusque là s'expliquait. Le *Gladius Dei* ne s'était jamais intéressé à l'*Argumentum*. Il n'en avait toujours eu que pour la clé. Dès que ces gens avaient su qui il était, ils avaient enlevé Julie pour le pousser à retrouver le médaillon. Depuis le début, il avait présumé qu'il en était autrement, mais au fond, qu'est-ce que cela changeait ? Le résultat serait le même : le médaillon serait perdu. Julie allait être sacrifiée, tout comme lui-même, Adrien, Perreault et Demers.

Abandonnant toute velléité de résistance, il allait lancer le médaillon à Simard et signer ainsi son arrêt de mort, quand un éclair métallique traversa la pièce en sifflant. La seconde d'après, le prêtre, les yeux exorbités et le visage déformé par une souffrance qu'il était davantage habitué à infliger qu'à subir, arqua le dos et porta la main à son épaule droite. Du tissu de la soutane, qui se mouillait déjà de sang, émergeait la pointe d'un couteau. Son arme tomba sur la terre meuble et il vacilla puis s'écroula comme un arbre fraîchement coupé. Roulé en boule, il tentait d'attraper le manche de l'arme qui s'était enfoncée jusqu'à la garde dans son omoplate.

Brièvement déconcerté, le matamore se retourna pour découvrir Solomon Wolofsky dans l'entrée de la crypte. Il réagit par instinct et pointa son arme vers lui. Profitant de sa distraction, Perreault bondit sur le colosse avec une vivacité étonnante, son ciseau à froid dans la main, et le plaqua brutalement à la hauteur des côtes. En même temps, Solomon franchit les quelques pas qui l'en séparaient et lui prit le poignet pour lui faire lâcher le révolver. L'homme était costaud et luttait avec hargne contre ses deux adversaires. Sous l'effort, il appuya sur la gâchette et, dans l'espace clos de la crypte, la détonation résonna comme le tonnerre.

Grognant comme un forcené, Perreault arriva à renverser l'individu et le rabattit lourdement sur le sol. Avant qu'il ne puisse réagir, il lui enfonça le ciseau à froid jusqu'au manche dans l'œil droit. De pathétiques convulsions parcoururent l'homme des pieds à la tête et il émit un faible râlement avant de devenir flasque.

Sidérés, Barthélémy et Pierre interrogèrent Solomon du regard.

— Je les ai vus entrer par la fenêtre que vous aviez laissée ouverte, alors je les ai suivis, expliqua ce dernier, à bout de souffle.

— Fichons le camp d'ici, les pressa Perreault. Même les vieilles sœurs sourdes ont entendu le coup de feu.

Ils s'accroupirent tous trois près de Demers pour l'examiner alors qu'il reprenait conscience.

— Ça ira ? s'enquit Perreault en l'aidant à s'asseoir.

Demers grimaça en se massant la nuque.

— Au point où j'en suis, qu'est-ce qu'un mal de tête en plus ? grommela-t-il.

Ses yeux s'arrondirent à la vue des corps sur le sol. Les questions fusèrent de sa bouche en cascade.

— Qui sont-ils ? Que s'est-il passé ? Vous avez trouvé ? Vous n'avez rien ?

— Nous avons le médaillon. Nous t'expliquerons le reste plus tard, dit Pierre en l'aidant à se mettre debout.

Près de lui, Perreault se pencha sur l'abbé Simard, qui couinait toujours par terre. Il l'empoigna par la soutane et l'assit, lui arrachant un gémissement. Puis il lui abattit son poing au visage.

Prenant le prêtre inconscient à bras-le-corps, il le chargea sur son épaule et se releva.

— Tu veux l'emmener ? s'exclama Pierre, abasourdi.

— Nous devons apprendre tout ce qu'il sait et ce n'est pas ici que nous pourrons l'interroger, affirma l'avocat, le visage crispé par l'effort. Le coup de feu a certainement attiré l'attention.

— Dans l'état actuel des choses, pourquoi ne pas ajouter l'enlèvement à l'introduction par effraction, au vol, au meurtre et à la profanation de sépulture ? fit Pierre, résigné.

Il se retourna vers Adrien pour s'assurer qu'il suivait, mais ne le vit pas. L'instant d'après, il eut l'impression que son cœur ne redémarrerait plus jamais.

— Non… geignit-il, un souffle froid lui donnant la chair de poule.

Le jeune sulpicien gisait sur le dos, les bras en croix, la bouche ouverte, près de la tombe mise au jour. Pierre se précipita vers lui et se laissa tomber sur les genoux. Il cueillit doucement sa nuque dans sa main et posa sa tête sur sa cuisse.

— Adrien, dit-il d'une voix vibrante de peur en le palpant frénétiquement.

Dès qu'il toucha le ventre poisseux et chaud du sulpicien, il comprit. Il déchira la chemise mouillée de sang et ses pires craintes se confirmèrent. La balle tirée par l'homme de main de Simard avait frappé Adrien en plein ventre et le sang s'écoulait à grands flots de la blessure pour être aussitôt bu par la terre meuble.

Derrière Pierre, Perreault, Wolofsky et Demers s'étaient approchés, demeurant à une distance respectueuse. Il se retourna vers eux, éperdu.

— Belval, dit-il avec urgence. Il faut l'amener à Belval.

Adrien toussa. Pierre se retourna pour trouver ses yeux vitreux posés dans les siens. Celui qui était comme un frère pour lui sourit faiblement et un flot de sang lui sortit de la bouche pour maculer ses lèvres et son menton. Il posa une main sur la sienne et Pierre sentit qu'elle était déjà froide.

— Découvre... qui nous... sommes, exhala-t-il dans un souffle presque inaudible.

— Non! se révolta Pierre en le serrant contre lui. Adrien...

— Fais-le... pour... nous... deux.

La tête du sulpicien se renversa et ses yeux éteints se fixèrent quelque part sur le mur. Pierre l'étreignait en sanglotant. Solomon s'approcha et posa deux doigts sur la carotide du sulpicien.

— Il est mort, mon frère, dit-il en lui posant doucement la main sur l'épaule. L'emmener avec nous ne ferait que nous mettre en péril. Viens.

Le corps inerte de Simard toujours en travers sur l'épaule, Perreault insista.

— Nous devons partir. Tu peux encore sauver Julie, mais pour cela, tu ne dois pas être en prison.

La mention de sa fiancée fit émerger un peu Pierre de son désespoir. Sanglotant sans aucun scrupule, il déposa doucement la tête d'Adrien à même le sol froid et humide, caressa les cheveux blonds à cause desquels il s'était retrouvé mêlé à cette histoire et lui ferma les paupières. Puis il se releva et regarda une dernière fois celui avec lequel il avait passé toute sa vie pour en graver à jamais l'image dans sa mémoire, espérant que quelqu'un lui donnerait une sépulture décente.

Il allait se diriger vers la porte lorsqu'il s'arrêta. Malgré l'urgence, il ne pouvait pas partir sans en avoir le cœur net. Il avait besoin de voir de ses yeux. D'être certain. Il se dirigea vers l'homme mort, fit sauter les boutons de sa chemise et dénuda son épaule gauche. Il y trouva le tatouage.

Ils ramassèrent les chandelles et sortirent de la crypte. Malgré l'état second dans lequel il se trouvait, Pierre pouvait sentir, dans sa poche de pantalon, le poids rassurant du médaillon contre sa cuisse.

Puisque cet objet avait été le véritable objectif du *Gladius Dei*, il représentait sa seule chance de sauver Julie et il s'en servirait de son mieux. Et s'il pouvait faire payer au passage ceux qui étaient responsables de la mort d'Adrien, il le ferait. Sauvagement.

50

Ville-Marie, 28 janvier 1657

La messe avait été longue. Beaucoup trop longue. Déjà que Jeanne n'y assistait qu'à contrecœur, le prêtre ne pouvait-il au moins être bref? Depuis le jour de ses seize ans, elle savait que tout y était faux. Les marques de l'*Opus Magnum* sur ses poignets le lui rappelaient chaque jour. Comme pour assombrir encore son humeur, en sortant de la petite chapelle qui se trouvait à bonne distance de la palissade, elle avait constaté qu'une violente tempête s'était levée. Encore une fois. Contrariée, elle avait laissé Paul entendre les doléances de quelques colons, ce qu'il faisait consciencieusement après chaque messe comme le gouverneur qu'il était, et s'était mise en chemin seule.

La tête rentrée dans les épaules, enveloppée dans sa vieille pelisse, elle avançait contre le vent qui sifflait et la neige qui lui giflait la peau. Comme cela lui était si souvent arrivé, elle maudit ce pays neuf qui n'avait de cesse de torturer ceux qui osaient essayer de le dompter. Après presque quinze longues années à y peiner, elle ne s'était toujours pas habituée à la misère quotidienne. Pendant l'interminable hiver, le froid était si cruel que souvent, pour avoir le luxe de boire ou de se laver, le matin, on devait d'abord briser la glace qui scellait le pot d'eau. Il en allait de même du pain, dur comme une pierre. Parfois, la neige tombait tant durant la nuit qu'elle bloquait les portes et empêchait de sortir de chez soi jusqu'à ce qu'un bon Samaritain l'ait dégagée. L'été ne valait guère mieux: sur l'île, la chaleur était écrasante d'humidité. Comme si tout cela ne suffisait pas, il y avait encore la menace d'une attaque iroquoise, qui créait une tension constante chez les habitants. Nul n'avait la certitude d'être encore vivant le lendemain, pas plus Jeanne que les autres.

Tout cela éprouvait cruellement Jeanne et l'avait fait vieillir prématurément. À cinquante et un ans, elle sentait le poids de l'âge. Ses articulations lui demandaient grâce dès qu'il faisait froid ou humide et sa carcasse supportait de plus en plus mal les longues journées de travail. La peau de ses mains était gercée et ses jointures douloureuses. Ses cheveux étaient déjà plus blancs que bruns et son visage n'avait plus grand-chose à voir avec celui de la femme encore relativement jeune qui avait quitté La Rochelle. Rien n'annonçait que cette terre deviendrait un jour plus hospitalière et, si le miracle se produisait, ce serait assurément bien après sa mort.

Toutes ces misères pâlissaient toutefois devant la nécessité de mener à bien la mission qu'on lui avait confiée. Rien ne comptait, sinon préserver le secret et maintenir les apparences. Paul assumait ses tâches de gouverneur et de soldat avec une ferveur et une énergie qui le plaçaient au-dessus de tout soupçon. Quant à Jeanne, aux yeux des quelque quatre cents habitants de Ville-Marie, elle était une infirmière dont le dévouement à ses patients et la dévotion à Dieu ne faisaient jamais défaut. Elle avait fait tout ce que l'on attendait de la cofondatrice de Ville-Marie, et plus encore. Elle avait fait construire l'Hôtel-Dieu où, depuis des années, elle soignait de son mieux les nombreux blessés tombés dans des embuscades tendues par les Sauvages. Elle ne comptait plus le nombre de pointes de flèche qu'elle avait retirées de la chair des colons, les têtes scalpées et les plaies causées par des coups de hache qu'elle avait soignées de son mieux, et les malades qu'elle avait perdus en dépit de ses efforts. Sous peu, les premières hospitalières de Saint-Joseph arriveraient dans la colonie et lui procureraient enfin un peu de répit. Dès lors, elle pourrait planifier la suite des choses. Et surtout leur fin.

Paul et elle ne discutaient jamais ouvertement de leur mission, sauf dans le secret des bois. Ils savaient leurs personnes vulnérables et leur succès fragile. La moindre indiscrétion pouvait suffire à faire échouer deux siècles et demi de préparatifs. Déjà, avant leur départ de La Rochelle, des membres du *Gladius Dei* avaient tenté de s'infiltrer sur les navires. Ils avaient payé de leur vie et leurs têtes décapitées avaient été marquées selon l'usage ancestral. Trois ans plus tard, Paul, Étienne Perreault, Antoine Leclair et Jacques Aumont avaient été attaqués alors qu'ils revenaient d'Arcadie, où ils avaient récupéré l'*Argumentum*. Sans qu'ils s'en doutassent, trois colons à la solde de l'ennemi avaient passé tout ce temps tapis dans la colonie, à attendre l'occasion de frapper. Eux aussi en étaient morts.

Depuis, rien ne s'était produit et toutes les mesures avaient été prises pour assurer la sécurité de l'*Argumentum*. Tout avait été méticuleusement planifié par les Supérieurs inconnus de l'*Opus*. Dès son arrivée en Canada, en 1642, Étienne, qui était maçon, avait commencé à aménager la cache conformément aux instructions reçues avant le départ. Il y travaillait toujours et le ferait encore pour des années avant que la mission ne s'achève. Il était le seul à en connaître l'emplacement et les choses demeureraient ainsi jusqu'à la prochaine étape, qui ne viendrait que dans plusieurs années.

Jeanne pressa le pas. Ses pieds s'enfonçant jusqu'aux mollets dans la neige qui s'accumulait rendaient sa progression ardue. Il lui tardait d'être de retour bien au chaud chez elle. Une bourrasque souleva la neige poudreuse et, pendant un moment, elle eut l'impression d'être engloutie dans un nuage blanc. Lorsque le vent se calma, un homme se tenait devant elle, comme s'il avait profité de la poudrerie pour se matérialiser tel un revenant. Elle s'arrêta brusquement, en alerte. Elle le connaissait de vue. Jean Fruittier, défricheur de son état, était arrivé en 1653, dans la grande recrue que Paul avait lui-même été chercher en France. Depuis, il cultivait un modeste lopin de terre près de la palissade. Jeanne l'avait même soigné l'année précédente, lorsqu'il avait eu l'épaule percée par une flèche. Il lui avait alors paru tranquille et avenant. Un colon sans histoire, comme bien d'autres. Jusqu'à cet instant précis. Si l'*Opus* apprenait une chose à ceux qu'il accueillait en son sein, c'était de se méfier de tous ceux qui n'étaient pas descendants de Templiers. Même les amis et les beaux-parents. À plus forte raison les villageois qu'on connaissait peu et qu'on rencontrait par hasard alors qu'on était seul et vulnérable.

— Demoiselle Mance, minauda l'homme avec courtoisie. Voilà un bien vilain temps pour marcher seule.

— Je reviens de la messe comme tous les matins, répliqua sèchement Jeanne. Je connais bien le chemin.

L'homme fit quelques pas et se retrouva tout près d'elle.

— Certes, mais dans pareille tempête, il pourrait vous arriver malheur et sans que personne le sache.

— Ne craignez rien, je serai prudente, dit Jeanne en tentant de le contourner. Et puis, monsieur de Maisonneuve vient sans doute, ajouta-t-elle en espérant le faire réfléchir.

Le coup s'abattit sur le côté de sa tête avec la force d'une masse. Jeanne chuta durement sur le sol glacé. Elle sentit les os de son bras droit se rompre sous le choc et son poignet se disloquer. Un cri lui échappa et elle resta étendue dans la neige, paralysée par la douleur. L'homme se pencha sur elle, la saisit par les cheveux et lui tira la tête vers l'arrière. De son autre main, il appuya la lame d'un couteau sur la peau tendue de sa gorge.

— Où est l'*Argumentum* ?

— Je l'ignore. Et même si je le savais, je ne te le dirais pas.

Fruittier écrasa son genou sur le bras blessé. Cette fois, Jeanne hurla de toutes ses forces, le cri se terminant en pitoyables sanglots.

— Où l'avez-vous caché ? cracha-t-il en pressant encore davantage la lame.

— À l'abri des coquins de ton espèce, fit une voix derrière lui.

L'homme se retourna juste comme une épée fendait l'air. Il eut à peine le temps de reconnaître Paul de Chomedey de Maisonneuve avant que sa tête ne roule dans la neige. Son corps décapité s'écroula comme une poupée de chiffon et commença aussitôt à se vider de son sang sur la neige.

Paul s'accroupit auprès de Jeanne, dont l'avant-bras était cruellement plié au milieu.

— Je me suis laissé surprendre comme une idiote, dit-elle, les dents serrées par la souffrance.

— Nous avons toujours su que le *Gladius* tenterait de glisser des hommes dans la recrue, répliqua Paul. J'ai moi-même trié tous les engagés et il m'a quand même échappé. Si quelqu'un est fautif, c'est moi. Au moins, je suis arrivé à temps. Peux-tu marcher ? demanda-t-il avec sollicitude.

Jeanne acquiesça de la tête. Péniblement, elle se remit debout avec l'aide de son vieux compagnon en soutenant son bras fracturé.

— Et lui ? demanda-t-elle en désignant le cadavre décapité.

Paul se pencha pour saisir la tête. Avec la pointe de son épée, il traça sur le front le symbole qu'il avait déjà apposé à La Rochelle.

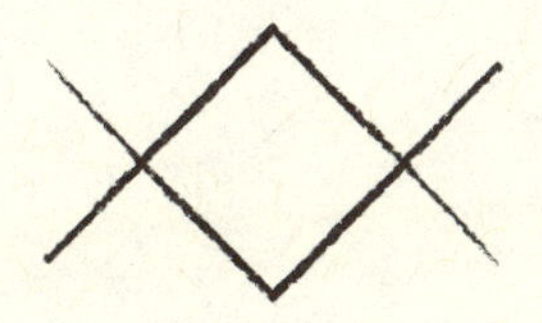

Puis il lança la tête au loin et la regarda atterrir dans la neige. Par acquit de conscience, il ouvrit la pelisse puis la chemise du corps décapité et trouva, au-dessus du sein gauche, le tatouage attendu : le Christ en croix sur le glaive.

Satisfait, il empoigna le corps par les chevilles et le tira jusqu'à l'orée des bois avant de revenir vers Jeanne.

— Les bêtes s'en occuperont, dit-il sombrement.

51

Montréal, 4 mai 1886

PERREAULT AVAIT PRIS les rênes de la voiture, qui filait maintenant dans la nuit vers le temple maçonnique, place d'Armes et Notre-Dame, les stores descendus sur les fenêtres pour cacher les occupants. L'abbé Paul-Aimé Simard gisait au fond de la cabine, là où l'avocat l'avait jeté sans ménagement, le couteau toujours enfoncé dans l'omoplate. Il avait bien repris conscience voilà quelques minutes, mais Solomon avait réglé la question avec un solide coup sur la nuque, administré avec le pommeau de la canne que Perreault lui avait laissée à cette fin.

Le Département de police ayant déjà prouvé qu'il était noyauté par le *Gladius Dei*, il n'était pas question de lui faire confiance en demandant sa protection. En moins de deux, ils se retrouveraient tous accusés de meurtre, d'entrée par effraction, de profanation de sépulture et de vol – en admettant qu'on ne les abatte pas à vue. Quant aux francs-maçons, au moins un membre de la loge Les Cœurs réunis avait fait partie du complot en transmettant la photographie aux autorités du collège. Cependant, ceux du vingt-neuvième degré étaient fiables. Solomon, Barthélémy et Maurice avaient risqué leur réputation et leur vie pour lui venir en aide. Badgley, Ouimet, Belval et Beaugrand n'avaient pas ménagé les efforts et les appuis. Bien sûr, Pierre n'était pas dupe: ils souhaitaient aussi protéger la réputation de l'ordre, qui risquait fort d'être éclaboussé par toute cette histoire si elle devenait publique. Selon Simard, Jean-Baptiste-Michel Leclair, descendant d'un Templier, avait été membre de l'*Opus Magnum*. La légende du vingt-neuvième degré disait donc vrai et elle demeurait la seule piste dont il disposait. Les frères étaient les seuls alliés qui lui restaient. Il parviendrait à sauver Julie avec leur aide ou il n'y parviendrait pas. Il n'y avait aucune autre possibilité. C'était donc vers le temple maçonnique qu'ils se dirigeaient de nouveau. Si des réponses existaient, c'était là qu'elles se trouvaient.

Dans la cabine, Demers, pâle et les cheveux plaqués sur ses tempes par la sueur, brinquebalait au rythme des mouvements de la voiture, la tête appuyée contre la paroi, les yeux clos et la bouche entrouverte.

Pierre, lui, avait l'âme meurtrie. Il devait faire appel à toute sa volonté pour chasser l'image d'Adrien, gisant ensanglanté dans la crypte. Adrien, son cousin, son frère, son *alter ego*. Il venait même d'apprendre que leur proximité remontait à plus loin qu'il ne l'aurait jamais cru. Même avant d'être des Moreau, ils avaient été ensemble. Ils n'étaient pas des véritables cousins, mais cela n'avait aucune importance. Maintenant, il n'était plus là. Pour toujours. Pierre n'avait jamais connu la vie sans lui et le choc le rendait incapable de l'imaginer.

Quant à sa propre personne, il était complètement déboussolé. Il avait l'impression d'être prisonnier d'un cauchemar sans fin et se sentait balloté comme un bouchon de liège sur une mer mauvaise. Il était prisonnier d'une histoire complexe et délirante, aux ramifications toujours plus vastes ; un véritable oignon dont chaque peau en révélait une autre, à l'infini, et dont il aurait ri s'il ne l'avait vécue lui-même.

Il inspira profondément en essayant de se convaincre qu'il devait, coûte que coûte, garder la tête froide et les idées claires. Il en allait de la vie de la femme qu'il aimait. Le temps pour les larmes et le deuil viendrait plus tard et, ce jour-là, il en verserait en abondance. Pour son cher Adrien ; pour les parents qu'il avait cru avoir et qui se révélaient n'être que de vulgaires comédiens payés pour jouer ce rôle; pour monsieur et madame Fontaine, innocentes victimes qu'il avait vraiment aimées; pour Pierre Moreau, aussi, pour le passé dont on l'avait dépouillé et pour l'identité à laquelle il devait dire adieu. Mais d'ici là, tout ce qui importait était de retrouver l'*Argumentum* ou, au moins, de négocier avec le *Gladius Dei* l'échange du médaillon contre Julie. Elle était tout ce qui lui restait; son seul lien tangible avec la réalité; son seul rempart contre la folie qui le guettait.

N'y tenant plus, il plongea la main dans la poche de son pantalon et en sortit le médaillon pour l'examiner. Si cet objet était la clé dont son père avait été le dépositaire, il portait forcément un message, quelque chose qui pourrait l'orienter vers le secret tant convoité dont il ignorait tout.

— Il reste une chandelle? demanda-t-il d'un ton morne.

Solomon fouilla dans le sac pour y trouver les allumettes, sortit de la poche de sa veste le bout de chandelle qu'il avait rapporté de la crypte et l'alluma. Sur la banquette d'en face, Demers reprit vie. Il fit un effort tangible pour s'avancer, grimaça et porta par réflexe la main à son épaule blessée, qui avait saigné à travers son pansement et ses vêtements. Ils examinèrent ensemble, dans la lumière de la flamme, l'objet banal qui avait exigé un tribut si élevé. Des immondices incrustées dans les traits gravés cachaient encore les détails du médaillon. Exaspéré, Solomon sortit un mouchoir à carreaux, prit l'objet, cracha dessus à quelques reprises et le frotta énergiquement jusqu'à ce qu'il fût raisonnablement propre et déchiffrable, son bras blessé le faisant un peu souffrir.

Parvenu depuis longtemps déjà au-delà du dédain, Pierre le reprit et en approcha la flamme pour que tous puissent l'examiner. Comme il l'avait entrevu lorsqu'il l'avait extirpé des restes de mère Marie-Marthe, l'avers portait bien une scène. Elle était petite et il faudrait une loupe pour en voir les détails, mais en se collant dessus, les yeux plissés, ils arrivèrent à en cerner l'essentiel. Elle montrait quatre personnages autour d'une structure rectangulaire indistincte: un homme debout et un autre accroupi sur la gauche, une femme et un homme à droite. Tous étaient vêtus d'une manière rappelant la Grèce antique et semblaient affairés à déchiffrer quelque chose sur le monument.

L'inscription gravée sous la scène, par contre, était bien lisible : *Pulvis es et in pulverem reverteris.*

— *Genèse*, chapitre 3, verset 19, marmonna Pierre, intrigué. « Tu es poussière, et tu retourneras dans la poussière. »

La seule mention des Saintes Écritures raviva cruellement la blessure de la mort d'Adrien.

— Pourquoi citer la Bible ? demanda faiblement Demers.

— Pour faire allusion à la mort et à la putréfaction ? suggéra Solomon. Ou pour indiquer une tombe ?

Oubliant sa souffrance, Demers se pencha jusqu'à ce que son nez touche presque l'étain. Puis il s'empara du médaillon, en gratta la surface avec l'ongle de son pouce et l'inclina pour l'observer de biais.

— Regardez, là, au-dessus de la scène, dit-il, retrouvant un peu de force. Il y a des formes. Elles sont finement gravées, mais visibles lorsque le médaillon est incliné. Comme si on l'avait fait exprès.

Ils suivirent son regard et constatèrent qu'à la lumière rasante, des formes géométriques ressortaient en effet.

— Un carré moins un triangle pointant vers le haut égale un triangle pointant vers le bas, décrivit Solomon, concentré, en essayant de maintenir l'éclairage de la chandelle malgré les mouvements de la voiture. On dirait une équation.

Dérouté, il leva les yeux vers Pierre.

— Je ne suis qu'un simple marchand de tapis et de tissus. Je ne connais rien à tout ça. Toi, tu es professeur. Tu y comprends quelque chose ?

— J'étais professeur, corrigea Pierre avec amertume. Et j'enseignais l'histoire, pas l'algèbre. Je n'ai pas la moindre idée de ce que signifie ce charabia.

— Et si c'était plutôt un code ? coupa Demers.

— Alors, sans la clé qui permet de le comprendre, il est inutile, conclut Solomon.

Pierre retourna le médaillon pour en examiner le revers. Le contenu y était beaucoup plus dépouillé : une simple étoile et une inscription.

— *Dominus pascit me* : « Le Seigneur est mon berger », psaume 23, verset 1. Ton père avait une affection pour les citations bibliques, on dirait, remarqua Demers.

— Si c'est bien mon père qui a fait faire cet objet.

Pierre considéra le symbole et les paroles, cherchant le lien qui les unissait.

— Dans la Bible, l'étoile du berger est celle qui guide les Mages jusqu'à l'Enfant Jésus, remarqua-t-il.

— « Et voici, l'étoile qu'ils avaient vue en Orient marchait devant eux jusqu'à ce qu'étant arrivée au-dessus du lieu où était le petit enfant, elle s'arrêta[1] », récita Solomon.

Les deux autres le dévisagèrent, étonnés.

— Quoi ? fit-il, pris de court. J'ai lu la Bible des gentils. C'est normal. Ils accusent le peuple juif tout entier d'avoir tué le Christ. Aussi bien savoir ce qu'ils disent, non ?

Parvenu au bout de ses faibles forces, Demers s'adossa au siège en grimaçant de plus belle.

— Le juge Badgley est très savant, dit-il en refermant les yeux. Peut-être qu'il verra plus clair dans ces divagations.

— J'espère que Belval y sera aussi, dit Wolofsky, les lèvres pincées par l'inquiétude sous sa grosse barbe. Tu as vraiment l'air mal en point.

— Ça ira, souffla l'inspecteur. J'aurai l'éternité pour me reposer.

Pierre rempocha le médaillon et s'adossa à son tour, faisant le vide et se laissant bercer par le bruit des roues ferrées sur les pavés inégaux. La voiture roula encore quelques minutes, prit quelques détours ici et là et s'arrêta enfin.

— Nous sommes arrivés, déclara Solomon en soufflant sa chandelle pour se lever aussitôt.

Il ouvrit la portière, descendit, se retourna et la tint ouverte pour Demers, auquel il tendit la main afin de l'aider à venir le rejoindre. À son tour, Pierre mit les pieds à terre et s'immobilisa, surpris. Il s'était attendu à trouver devant lui le temple maçonnique, mais il se tenait plutôt en face de l'édifice de la douane canadienne, si particulier qu'il n'eut aucun mal à le reconnaître même dans la nuit. Le majestueux bâtiment de granite, orné d'une haute tour, de colonnades et de créneaux qui lui donnaient une allure vaguement médiévale, était particulier dans le décor

---

1. *Matthieu* 2,9.

de Montréal. Il avait une forme presque triangulaire et se dressait à l'endroit précis où se rejoignaient les rues de la Commune et de Callière, qu'il semblait séparer comme la proue d'un navire fend l'eau.

Aussitôt, Pierre fut sur ses gardes, échaudé par tout ce qui lui était arrivé dans les derniers jours.

— Que faisons-nous ici ? demanda-t-il. Je croyais que nous allions au temple.

Perreault était descendu pour les rejoindre. Il passa le torse dans la cabine et empoigna le prêtre inconscient par la soutane pour le tirer à l'extérieur. Grognant sous l'effort, il le chargea de nouveau sur son épaule.

— Le temple n'est plus sûr, tu le sais aussi bien que moi, dit-il enfin en ajustant le poids de Simard. Après tout, il s'y trouve au moins une personne qui te veut du mal. Badgley préfère que nous nous retrouvions ici. C'est plus discret. Venez, nous sommes attendus.

Ils se dirigèrent vers l'entrée principale du bâtiment et gravirent prestement les cinq marches qui conduisaient au majestueux portique voûté. Ils attendirent pendant que Perreault et Demers observaient les environs, à la recherche de regards indiscrets. Lorsqu'ils furent aussi satisfaits que la nuit leur permettait de l'être, Solomon tira une clé de sa poche et déverrouilla la porte. Ils entrèrent et il verrouilla derrière eux.

Même si Hubert Moreau, importateur de son état, était un familier de l'endroit, où il venait régulièrement dédouaner les vins et liqueurs qui arrivaient par bateau au port, Pierre n'y était entré que quelques fois, mais il s'en rappelait facilement le luxe, son plafond haut, son plancher de marbre italien, ses boiseries foncées, ses comptoirs vitrés et ses impressionnantes colonnes. Dans le noir, il ne pouvait entrevoir que les contours de tout cela.

— Par ici, lui indiqua Perreault en soufflant comme un taureau.

— Tu veux de l'aide ?

— Ça ira si nous nous hâtons un peu.

Ils traversèrent le grand hall, le bruit de leurs pas se répercutant lugubrement dans la salle vide, et s'engagèrent dans un couloir qui se terminait avec une porte, au fond, que Solomon déverrouilla aussi puis tint ouverte pour les autres.

— Rien n'est plus sûr que les caves d'une douane, expliqua-t-il, sachant que Pierre se questionnait.

Il craqua une allumette et, à l'aide de cette faible lumière, ils descendirent un escalier de bois. Une fois en bas, Perreault, ployant de plus en plus sous le poids du prêtre, les mena droit devant sans hésitation, trahissant sa connaissance de l'endroit. Au fond de la pièce, Pierre aperçut les portes de métal massives de plusieurs voûtes bancaires. Ils s'arrêtèrent devant l'une d'elles. Solomon craqua une nouvelle allumette. Il fit tourner l'une après l'autre les roulettes chiffrées pour former la combinaison, puis il saisit la poignée de métal et s'arc-bouta pour faire pivoter la lourde porte. Il entra et attendit les autres.

— Un instant, s'insurgea Pierre. Je comprends le besoin de discrétion, mais nous n'allons tout de même pas nous rencontrer dans une voûte !

L'air soudain obstiné et méfiant, Pierre dévisagea Wolofsky et Demers. Dans la lumière faible et dansante de l'allumette qui se mourait, les deux lui adressèrent un sourire qui se voulait rassurant. Il fit un pas vers l'avant et se figea, indécis.

— Viens, Pierre. Tu comprendras bientôt, dit calmement Perreault. Personne ici ne te veut du mal. Nous utilisons cet endroit pour les rencontres qui exigent beaucoup de discrétion.

— Qui ça, « nous » ?

— Les frères du vingt-neuvième degré.

— Mais je ne l'ai pas obtenu, moi, votre fichu degré, protesta Pierre.

— Mais tu en connais le contenu et tu conviendras, je crois, que depuis notre passage chez les Sœurs Grises, il est assez clair que tu possèdes bien plus que ça, lui expliqua Demers.

— Êtes-vous en train de me dire sérieusement que vous prenez les légendes maçonniques au pied de la lettre ?

— Eh ! fit Solomon en haussant les épaules. Tu verras toi-même.

Après un ultime moment de tergiversation, Pierre se décida. Après tout, sans ces hommes, il serait seul et sans ressources. Si la vie de Julie pouvait être sauvée, aucun risque n'était trop élevé, aucune option trop ridicule. Il inspira profondément et franchit le seuil de la voûte. Les autres le suivirent.

Solomon craqua une autre allumette et la protégea de sa main pendant que, de sa main valide, Demers peinait pour refermer la lourde porte et la verrouiller de l'intérieur. Ainsi, seuls ceux qui connaissaient la combinaison pourraient les suivre. Ou secourir Pierre s'il en avait besoin.

Solomon décrocha du mur ce qui s'avéra, à la grande surprise de Pierre, être une torche qu'il enflamma à l'allumette dans un crépitement un peu sinistre. Aussitôt, l'odeur acre de la fumée de résine empuantit la voûte étanche. La lumière nouvelle révéla, au fond, une cloison de pierre maçonnée aux moellons effrités et d'apparence très ancienne. De toute évidence, il s'agissait des vestiges d'un bâtiment beaucoup plus vieux qui avait été intégré dans l'édifice de la douane.

Sans rien dire, le marchand s'engagea dans un escalier sur la droite, que Pierre n'avait pas remarqué. Il le suivit, les deux autres derrière lui. Gravir l'escalier en colimaçon lui parut prendre un temps interminable. Ses marches de pierre étaient inégales et humides, et il dut à quelques reprises se retenir au mur pour ne pas glisser.

Ils descendirent pendant de longues minutes et aboutirent enfin devant une épaisse porte ferrée, du genre que Pierre n'avait vu que sur des gravures et qui lui semblait vieille de plusieurs siècles.

— Bon Dieu, nous sommes dans un donjon du Moyen Âge ou quoi ? grommela-t-il. On ne pourrait pas jouer aux francs-maçons dans un endroit plus accessible ?

— C'est à peu près ça, oui, grogna Barthélémy.

— Je n'ai pas le temps pour les mascarades! s'enragea Pierre. Julie est en danger et...

Solomon enchâssa la torche dans un anneau de fer rouillé fixé au mur, puis l'interrompit en plaçant un index sur ses lèvres.

— Patiente encore un tout petit peu, mon frère. Aie confiance; bientôt, tout deviendra clair.

Il frappa trois coups.

52

Un bref délai s'écoula avant que la porte ne fût entrebâillée, les gonds émettant les grincements lugubres de circonstance. Contrairement à ce que Pierre avait anticipé, le bras qui émergea de l'ouverture ne brandissait pas une épée d'apparat, comme cela avait été le cas lors de son initiation, mais bien un révolver tout à fait fonctionnel dont il nota avec intérêt le chien armé. Ce fut tout ce qu'il entrevit de l'homme qui le tenait, le reste de sa personne demeurant dans les ténèbres qui régnaient à l'intérieur.

— Qui va là ? s'enquit une voix étouffée.

Wolofsky passa la tête dans l'embrasure et se prêta à un échange de mots de passe chuchotés dans l'oreille et de poignées de main particulières. La porte fut ensuite refermée avec brusquerie et ils attendirent. Seules la respiration de plus en plus profonde de Perreault, peinant sous le poids inerte de Simard, et celle de Demers, haletante, meublaient le silence fébrile. Lorsqu'on leur ouvrit enfin, Pierre n'en pouvait plus d'attendre et se dandinait sur place comme un enfant impatient.

Le couvreur de la loge s'écarta sans dire un mot pour leur céder le passage, se fondant dans la noirceur ambiante comme un esprit dans la nuit. Solomon entra le premier, suivi de Pierre, de Demers et de Perreault, qui fermait la marche en portant toujours son fardeau. Dès qu'ils furent à l'intérieur, ils s'immobilisèrent, en attente. Derrière eux, la porte claqua bruyamment en se refermant et fit sursauter Pierre.

Devant l'étrangeté croissante de la situation, il s'efforça de conserver son calme. Après tout, il n'était pas seul. Depuis qu'il avait été emporté dans cette aventure démente, les hommes qui l'accompagnaient lui avaient démontré une loyauté à toute épreuve. Avec lui, ils avaient bravé le danger et l'opprobre pour retracer le maudit *Argumentum*. Ils avaient tout fait pour sauver la fille d'un frère de loge, qui était la fiancée d'un autre. Demers avait même été blessé et cela ne l'avait pas arrêté. Pierre n'avait aucune raison valable de ne pas leur faire confiance, bien au contraire. S'ils l'avaient emmené dans cet endroit bizarre, s'ils y avaient traîné le prêtre qui avait tenté de leur prendre le médaillon, ils avaient forcément une bonne raison. Pour une fois, l'obsession des francs-maçons pour la discrétion était justifiée.

De toute façon, Pierre n'avait plus que ces hommes. Adrien était mort. Ses beaux-parents aussi. Sa fiancée avait été enlevée et risquait à tout moment de subir le même sort. Son père et sa mère n'avait été que des étrangers. Tout ce qui avait constitué sa vie jusque-là avait été balayé. Jamais il ne s'était senti aussi seul. Et en même temps, il découvrait en lui une force de caractère, une détermination et des ressources qu'il ignorait. Pour retrouver Julie, il avait tué, commis des sacrilèges et bravé des tabous, lui pourtant si tranquille et discret. Et il continuerait à le faire. Rien d'autre n'avait d'importance puisque rien d'autre n'était vrai.

La pièce était dans la noirceur totale. Il y régnait une forte odeur d'humidité et de moisi, caractéristique des endroits anciens et fermés que l'on aère rarement. Après un silence profond, une voix, à peine plus forte qu'un murmure, monta.

— *Fiat lux*[1].

Des pas mesurés, accompagnés d'un bruissement de tissu, montèrent dans le noir. Un à un, une dizaine de chandeliers à

1. Que la lumière soit.

plusieurs branches furent allumés le long des murs, répandant l'odeur un peu âcre de la cire fondue. Le jeune homme considéra la pièce à mesure qu'elle s'illuminait. De toute évidence, elle avait été aménagée par des constructeurs qui avaient privilégié la solidité plutôt que la beauté. Elle était carrée et de dimensions modestes. Les murs étaient en pierre de taille lézardée par endroits et liée par un mortier qui avait vu de meilleurs jours. Celui du fond était recouvert de lourdes tentures pourpres. La voûte arrondie et basse du plafond donnait une impression de lourdeur qui rappelait les constructions romanes de jadis, que le style gothique avait remplacées voilà des siècles. Quelques colonnes massives et sans fioritures supportaient le poids de l'ensemble. L'aménagement était similaire à celui de la loge où Pierre avait été initié. Des fauteuils étaient disposés tout autour et, parmi eux, un seul, celui qui faisait face à l'entrée, était surélevé de trois marches.

Au centre de la pièce se dressait un petit autel rectangulaire bas, drapé d'une nappe blanche, sur lequel reposaient deux crânes humains noircis de suie, maculés de taches sombres et enchâssés dans une base en or. Même de loin, Pierre put voir qu'ils étaient très anciens et ne douta pas un instant qu'ils fussent réels.

Il se remémora les grandes lignes du vingt-neuvième degré maçonnique, que Perreault lui avait relatées. Il en conclut qu'il se trouvait dans la loge des hauts grades, même s'il chercha en vain la mitre et la couronne, le troisième crâne coiffé de lauriers dont on lui avait parlé, ou la Bible sur laquelle il devait reposer.

Incluant celui qui leur avait ouvert, et qui était aussi celui qui allumait, cinq individus prenaient place dans les fauteuils, portant tous une cagoule noire qui leur masquait le visage et ne laissait que deux ouvertures pour les yeux. Chacun était vêtu d'une longue robe noire élégamment drapée sur ses cuisses jusqu'à la cheville. Pierre eut l'impression d'être tombé dans une réunion de moines médiévaux un peu tordus.

— *Et facta est lux*[1], commandeur, déclara solennellement l'homme lorsqu'il eut allumé la dernière chandelle, avant de retourner dignement à sa place.

Tout à coup, Pierre comprit toute la précarité de sa situation et un frisson d'appréhension lui parcourut le dos. Rituel maçonnique ou pas, dans les faits, il était virtuellement prisonnier d'inconnus cagoulés, dans une pièce souterraine dont personne à Montréal ne connaissait l'existence sauf ceux qui s'y trouvaient, et dont la seule issue était gardée par un homme armé qui semblait tout disposé à agir sans hésitation. Même si, contre toute attente, il parvenait à en sortir, il aboutirait dans une voûte bancaire verrouillée de l'intérieur et dont il ne connaissait pas la combinaison. Il tenta de se calmer en se disant que si Barthélémy, Solomon et Maurice lui avaient voulu du mal ou s'ils avaient convoité le médaillon pour eux-mêmes, ils auraient eu plusieurs occasions d'agir sans avoir à le conduire ici.

Il fut tiré de ses réflexions par Perreault qui le frôla pour s'avancer dans la pièce. Rendu devant l'autel, l'avocat laissa choir sans ménagement son fardeau sur le sol de pierre, aux pieds de celui qui prenait place à l'est. Puis, essoufflé et trempé de la tête aux pieds, il revint prendre place près de l'entrée.

Pierre tourna la tête pour jeter un coup d'œil derrière lui. Demers, que la douleur rendait de plus en plus pâle, les lèvres presque incolores, et Solomon, l'air contrit, lui indiquèrent d'un mouvement de la tête de regarder vers l'avant. Sous sa cagoule, l'homme au révolver, moins subtil, se contenta de les imiter avec le canon de son arme.

À l'orient du temple, le commandeur se leva lentement de son fauteuil surélevé. Il descendit les trois marches de son plateau et, d'un pas mesuré, ses talons résonnant dans le silence épais, traversa la pièce jusque devant la forme inerte de l'abbé Simard.

— Réveillez-le, ordonna-t-il d'une voix étouffée par la cagoule.

1. Et la lumière fut.

Trois silhouettes quittèrent leur fauteuil pour aller empoigner Simard sous les aisselles et le remettre debout. L'espace d'un instant, Pierre eut l'impression de reconnaître la démarche de l'une d'elles, puis le sentiment se dissipa. Pendant que deux des cagoulés maintenaient le prêtre debout, l'autre lui administra quelques grandes claques au visage qui eurent tôt fait de le ranimer. Pierre se raidit. Le petit curé savait forcément quelque chose au sujet de Julie, mais il ne pouvait s'empêcher de ressentir un malaise en le voyant ainsi brutalisé.

Sonné et confus, le prêtre laissa errer son regard dans la pièce. Un des hommes qui le retenaient saisit la poignée du couteau qui saillait toujours de son épaule et la fit cruellement tourner dans la blessure. Pierre grimaça d'empathie, comprenant qu'il n'était plus dans le vingt-neuvième degré de la franc-maçonnerie, comme il l'avait pensé, mais dans des circonstances infiniment plus graves. Ces gens n'entendaient manifestement pas à rire. Désemparé, il se demanda si toute cette folie atteindrait jamais ses limites.

Simard émit un hurlement de bête blessée. Il tenta bien de se débattre, mais ses gardiens étaient solides et lui-même n'avait rien d'un combattant. Haletant, il se figea dès qu'il aperçut les inconnus. Une ombre de terreur traversa son regard et sa bouche se crispa. Puis, la lame toujours fichée dans son épaule, il se redressa dignement, une moue arrogante sur les lèvres, le menton haut. Même si le petit homme rondelet avait voulu sa mort, Pierre ne put qu'admirer sa détermination alors que, selon toute vraisemblance, il avait décidé de faire face à un sort qu'il semblait déjà accepter.

Debout à quelques pieds de l'abbé, les mains calmement croisées sur la poitrine, le commandeur le détaillait, tel un naturaliste observant un spécimen. Les deux se toisèrent longuement sans que ni l'un ni l'autre baisse les yeux.

— Où est Julie Fontaine ? l'interrogea enfin le commandeur d'une voix lourde de menace.

Sans s'en rendre compte, Pierre retint son souffle, anxieux. Ses poings se fermèrent, si fort qu'ils en tremblaient.

— La fille du notaire franc-maçon ? Comment le saurais-je ? rétorqua aussitôt Simard.

En entendant ces mots, Pierre eut besoin de toute son attention pour ne pas défaillir. Dans la crypte des Sœurs Grises, ce prêtre avait lui-même admis être du *Gladius Dei* qui avait produit les notes portant son emblème et exigeant l'*Argumentum* en échange de la vie de Julie. Or, le même *Gladius* avait tenté de le tuer à deux reprises et, déjà, il avait déterminé que cela n'avait aucun sens. Mort, celui que l'on faisait chanter ne pouvait pas livrer ce qu'on demandait. Et voilà maintenant que le prêtre déclarait tout ignorer du sort de Julie. Pierre ne comprenait plus rien.

— Une note portant votre emblème a été laissée dans la chambre de la jeune fille, insista le commandeur sans pour autant hausser le ton. Elle exigeait l'*Argumentum* en échange de sa vie.

— Allons, allons, railla Simard sur le ton badin d'une conversation entre gens de la bonne société. Après presque six siècles à se guetter l'un l'autre comme des chiens de faïence, tu sais bien que le *Gladius* ne cherche plus à retrouver l'*Argumentum* depuis longtemps déjà. Nous nous contentons d'éliminer ceux qui en détiennent la clé. Dès que Moreau sera mort, plus personne ne pourra la récupérer et l'Église sera en sécurité. Pourquoi perdrions-nous notre temps à enlever des jeunes filles ingénues quand une balle dans la tête du fiancé suffirait ?

Ce qu'il déclara ensuite fut ressenti par Pierre comme un nouveau coup dans le ventre.

— Voilà vingt ans, nous croyions sincèrement en avoir fini lorsque nous avons identifié Jean-Baptiste-Michel Leclair comme membre de l'*Opus Magnum*. Sa femme et lui ont été éliminés, mais nous n'avons trouvé aucune trace du fils. De toute évidence, le père avait pris des mesures pour assurer sa sécurité.

D'un geste las, le prêtre désigna Pierre.

— Et voilà qu'après vingt ans, nous le retrouvons. Mais on dirait qu'il a plus de vies qu'un chat.

Il se retourna vers le commandeur et le dévisagea.

— Tu sais, j'imagine, qu'il a retrouvé la clé?

Le commandeur hocha lentement la tête et un soupir résigné monta à travers sa cagoule. Dans les yeux qu'il gardait vrillés dans ceux du prêtre, on pouvait lire une lueur de respect et même du regret.

Pour la première fois depuis que Pierre avait mis le pied dans cette étrange loge, le commandeur daigna lui accorder son attention. Il le dévisagea longuement puis entreprit un récit dont le jeune homme connaissait déjà des bribes.

— En l'an 1291, alors que les Templiers étaient retranchés dans Saint-Jean-d'Acre et vivaient leurs derniers moments en Terre sainte, un terrible fardeau fut posé sur les épaules déjà lourdes du maître de l'ordre, Guillaume de Beaujeu. Un document très ancien venait d'être traduit et ce qu'il disait était susceptible de détruire l'Église ou à tout le moins de la faire chanter. Entre des mains mal intentionnées, il signifiait la fin de la chrétienté. Par fidélité à son vœu d'obéissance au pape, Beaujeu décida que plus jamais ce document ne devait voir la lumière du jour. Certes, il aurait pu le détruire. Peut-être aurait-il même dû le faire. Mais la survie du Temple était la responsabilité de son *magister* et qui pouvait dire si, un jour, ce document ne devrait pas être brandi comme une arme pour empêcher que l'ordre ne soit écrasé par ceux qui l'avaient créé? La terrible révélation qu'il contenait était la meilleure police d'assurance que l'on pût posséder. Dans le plus grand secret, il fut donc envoyé d'Acre à la commanderie de Paris, où il fut placé sous garde perpétuelle, seuls les hauts gradés de l'ordre y ayant accès après avoir prêté serment sur leur vie et celle de leurs familles. Personne ne devait jamais en révéler le contenu, ni même en discuter sauf dans le plus grand secret, selon un rituel soigneusement établi. L'*Argumentum* – la preuve. C'est ainsi qu'on désigna désormais le document.

Pierre sentit un froid glacial naître dans son ventre et se répandre dans sa poitrine. Soudain, il avait du mal à respirer comme si sa bouche était remplie de sable. On s'apprêtait à lui révéler ce qu'était l'*Argumentum*. Et cela ne pouvait signifier qu'une chose : il était tombé dans un piège comme le dernier des imbéciles. Demers, Wolofsky, Perreault, Beaugrand et les autres avaient su dès le début qui il était et ce qu'il pouvait retrouver pour eux. Tous, ils s'étaient joués de lui. Ils l'avaient manipulé comme le pantin naïf et innocent qu'il était. Deux mots s'imposèrent à lui : *Opus Magnum*. Au fond, il s'en était douté sans vouloir l'admettre. Voilà. La boucle était bouclée. Sans le savoir, il avait retracé les pas du père qu'il n'avait pas connu. Paradoxalement, il se trouvait parmi les siens.

Il songea à Solomon et Barthélémy auxquels il s'était attaché depuis le soir de son initiation, au point de les considérer comme des amis. Depuis le début de ce délire, ils avaient prétendu l'accompagner fidèlement pour mieux le manœuvrer. Il aurait voulu les tuer sur place, mais il se retint. S'il n'avait été qu'un pion, il ne pouvait rien y changer. Par contre, il avait peut-être encore une chance de sauver Julie et, pour la saisir, il devait absolument jouer le jeu, entendre et comprendre. Les poings si serrés que ses ongles maculés de terre pénétraient dans la peau de ses paumes, il se concentra sur la voix du commandeur qui continuait son récit, et dont, au désespoir, il pressentait l'identité.

— Les Templiers avaient pris toutes les mesures possibles pour que jamais son existence ne soit connue, mais l'homme étant l'homme, elle finit par être éventée, continua le commandeur. C'était en 1307. Tu connais la suite. Les Templiers furent trahis par l'Église qu'ils voulaient protéger. Le roi Philippe et le pape Clément détruisirent l'ordre, le premier pour s'approprier ses richesses, le second pour s'emparer de l'*Argumentum*. Les Templiers qui survécurent au *dies terribilis* se regroupèrent clandestinement au sein de l'*Opus Magnum* et jurèrent de n'avoir aucun repos jusqu'au jour où la Vengeance sur l'Église serait accomplie. En réponse, l'Église créa le *Gladius Dei*, dont la mission était de détruire l'*Argumentum* pour étouffer la vérité. Depuis lors, les deux s'opposent dans une lutte à finir comme Bien et Mal, Lumière et Ténèbres, Vérité et Mensonge.

Le commandeur reporta sur Simard un regard sans émotion. Il tendit une main. Un homme s'approcha, fouilla sous sa robe noire et en sortit un long stylet dont la lame mince étincelait dans la lumière des candélabres. Il le présenta solennellement à son supérieur, qui s'en saisit et en examina le tranchant. Le prêtre avisa l'arme sans broncher.

— *Fac quod oportet Deus providebit*[1], soupira-t-il avec le calme résigné de celui qui sait que son sort est joué. Je ne serai pas le premier à mourir aux mains de l'*Opus Magnum*. Ni le dernier, sans doute. Bien d'autres encore viendront après moi, jusqu'au jour où l'*Argumentum* sera détruit ou introuvable.

— Pas si l'Église n'est plus qu'un tas de ruines fumantes, ricana le commandeur.

— Vous ne savez même pas ce que dit la deuxième tablette, cracha Simard.

— Vous non plus et cela ne vous a pas empêchés de courir après elle depuis six siècles comme des chiens après un os.

Hébété comme un boxeur trop souvent frappé, Pierre était le témoin silencieux de ce dialogue surréaliste. Les deux hommes raffermirent leur prise sur les bras du prêtre et le troisième lui empoigna la tête pour la renverser vers l'arrière. Simard n'opposa aucune résistance. Le commandeur appuya la pointe du stylet sous son oreille gauche et, d'un geste sec, enfonça la lame jusqu'à moitié, puis lui ouvrit la gorge jusqu'à l'oreille droite. Le sang gicla en jets puissants qui éclaboussèrent son manteau blanc et sa cagoule pendant que d'affreux gargouillements montaient dans le silence.

1. Fais ce que dois, Dieu pourvoira.

53

PIERRE SENTIT SES JAMBES le lâcher. Solomon et Perreault le saisirent par les bras pour l'empêcher de s'écraser par terre comme une poupée de guenille. Au bord des larmes, balbutiant de façon incohérente devant l'abomination dont il venait d'être témoin, et qui dépassait par son inconcevable froideur tout ce qu'il avait pu voir depuis le début de cette histoire, il ne parvenait pas à arracher son regard du supplicié. Tous ces gens étaient complètement fous. Et Julie et lui étaient à leur merci.

Les deux hommes qui soutenaient Simard le maintinrent debout à la force des bras jusqu'à ce qu'il ait rendu son dernier souffle, ce qui exigea une interminable minute. Puis ils firent pivoter le cadavre ensanglanté pour présenter sa nuque au commandeur. Avec des gestes de chirurgien, celui-ci la palpa pour repérer l'endroit qu'il cherchait. Lorsque ce fut fait, il y inséra la lame ensanglantée et la fit pivoter, disloquant dans un craquement écœurant les deux vertèbres entre lesquelles elle était logée. Il trancha ensuite méthodiquement les muscles et les tendons qui retenaient encore la tête aux épaules. Lorsqu'elle se détacha, un des deux hommes la saisit par les cheveux pendant qu'on laissait choir le corps qui finit de se vider de son sang.

— *Non nobis, Domine, non nobis, sed nomini, tuo da gloriam!* clamèrent à l'unisson les cagoulés, l'écho de leur cri se répercutant sur la pierre humide des parois. Pierre réalisa que derrière lui, Wolofsky, Perreault et Demers avaient crié, eux aussi.

En quatre coups précis de la pointe du poignard, le commandeur traça sur le front blême les droites entrecroisées dans lesquelles Pierre reconnut le symbole qu'on avait tracé sur le front du jésuite.

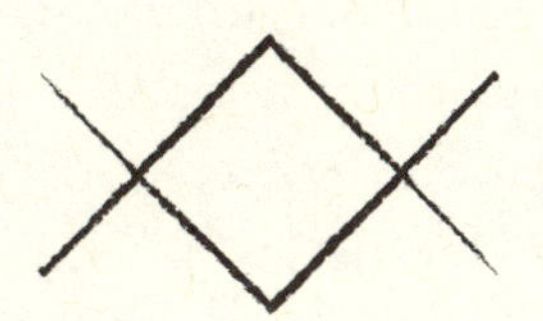

La tête de Paul-Aimé Simard fut déposée sur l'autel, entre les deux crânes déjà en place. La vue du visage exsangue, les yeux mi-clos et la bouche flasque, donna la nausée à Pierre. Il se plia en deux et vomit jusqu'à ne plus avoir que de la bile. Personne ne lui vint en aide, ni ne le réconforta. Lorsque ses spasmes cessèrent, il se redressa de son mieux, pantelant et trempé d'une sueur froide, pour constater que le commandeur, sa robe noire maculée de sang, était toujours en place et semblait attendre qu'il veuille bien lui accorder son attention, comme si tout ce qui venait de se dérouler était naturel.

— Dans le plus grand secret, reprit-il, l'*Argumentum* fut sorti de la commanderie de Paris avant l'assaut par les troupes du roi pour être emporté en Écosse. De là, en 1398, on l'emporta à Arcadie, pour le déposer dans une tour dont les ruines se trouvent toujours à Newport, Rhode Island. Mais Arcadie fut détruite et l'*Argumentum* fut abandonné là où on l'avait caché. Puis, en 1642, sous couvert de fonder Ville-Marie, l'*Opus* dépêcha Paul de Chomedey, Jeanne Mance et quelques autres dans le Nouveau Monde pour y récupérer l'*Argumentum* et le mettre de nouveau en sécurité. Cette fois, des mesures extraordinaires furent prises pour que jamais un des nôtres ne puisse être contraint à révéler son emplacement. Deux familles templières furent choisies pour veiller sur les clés qui y menaient : les Aumont et les Leclair. Les premiers ont été éliminés. Tu es le dernier représentant des seconds.

Il traversa la pièce et vint rejoindre Pierre près de la porte d'entrée où il se tenait toujours avec les autres. De sa main luisante de sang encore chaud, il lui prit l'avant-bras et l'entraîna à pas mesurés vers l'autre extrémité de la pièce, comme s'ils étaient deux promeneurs par un beau dimanche ensoleillé. Abasourdi, dépourvu de toute volonté, le jeune homme se laissa faire. Ensemble, ils contournèrent le cadavre décapité qu'il n'osa pas regarder. Arrivés devant le fauteuil du commandeur, ils s'arrêtèrent.

— Joseph-Bernard-Mathieu Leclair, dit-il d'un ton solennel, tu es premier-né de lignée templière. Grâce à toi, l'*Opus Magnum* reprend possession de la clé qui mène à l'*Argumentum* et, après vingt ans d'incertitude, la Vengeance redevient possible. Tu es le fils de notre frère Jean-Baptiste-Michel Leclair et le sang des innocents injustement sacrifiés qui coule dans tes veines t'autorise à te lier enfin aux tiens, au milieu de la seule famille que tu n'auras jamais. Joindras-tu nos rangs, de ton plein gré et consentement ?

Pierre ne fut pas vraiment surpris par l'offre. Il avait vu et appris tant d'horreurs depuis quelques semaines qu'il ne croyait plus à grand-chose. Sauf à l'amour qu'il avait pour Julie. Il n'avait rien à perdre et tout à gagner. Bien sûr, se joindre à l'*Opus Magnum* équivalait à s'associer à des meurtriers et des fanatiques qui, depuis 1307, travaillaient sans relâche à se venger d'un outrage engendré par l'esprit et les valeurs d'une époque révolue, et qui aurait dû être oublié depuis longtemps. Au contraire, ils consacraient leur vie entière à détruire l'Église – cette Église qui avait elle-même assassiné froidement ses parents ; qui avait tenté de le tuer lui aussi ; qui n'était pas ce qu'elle prétendait être et qui faisait passer son pouvoir avant la vérité. L'Église lui avait tout pris et il ne voyait aucune bonne raison de la ménager maintenant qu'il connaissait sa vraie nature.

Au-delà de ces impressions toutefois, et plus importante que tout, il y avait Julie, qu'il croyait toujours vivante. Quelque part, un doigt en moins, elle espérait. Pierre la savait forte et déterminée. Elle souffrait certainement, mais elle n'était pas désespérée. Elle attendait son fiancé. Elle résisterait sans doute aussi longtemps qu'elle en serait capable, même un peu plus. Il lui devait de faire tout ce qui était en son pouvoir pour la retrouver. Aucun compromis n'était trop vil ou répugnant. Aucun geste n'était interdit ou immoral. Désormais, tout était permis. Il trahirait, il tromperait, il tricherait, il mentirait, il torturerait et tuerait s'il le devait. Il ne lui restait que Julie et rien d'autre ne comptait.

Sans un mot, il acquiesça de la tête.

— Alors, accompagne-moi, dit l'homme cagoulé.

Une minute plus tard, Pierre était agenouillé devant l'autel, le commandeur lui faisant face, tenant dans ses mains une petite dague qu'il avait tirée de sous sa robe.

— Répète après moi, ordonna-t-il, et prononce le serment qui te liera pour toujours à l'*Opus Magnum*, comme tes ancêtres l'ont prononcé depuis le *dies terribilis*.

— Moi, Joseph-Bernard-Mathieu Leclair, s'exécuta Pierre en répétant docilement, son véritable nom résonnant étrangement dans sa bouche, descendant du prince Henry Saint-Clair, je jure sur la tête de ceux qui ont été torturés injustement, que dès à présent et pour toujours, je consacrerai ma vie entière à protéger l'*Argumentum* et à préparer la Vengeance. Je m'engage à obéir en tout aux ordres de l'*Opus Magnum*. Je déclare que, le moment venu, ma main sera sûre et que je frapperai le pape et son Église de toute ma force ; que je ne trahirai pas le secret qui m'a été confié, fût-ce pour sauver ma vie ou celle des miens ; que j'ai conscience que si je le faisais, ceux que j'ai voulu protéger paieraient de leur vie.

Le commandeur saisit la main gauche de Pierre et la retourna, paume vers le haut. Avec la dague, il y traça deux lignes droites qui formaient une équerre sur le gras du pouce. Il répéta l'opération sur la main droite.

Pierre serra les dents pour ne pas réagir à la douleur. Il se contenta de regarder le sang perler dans les coupures fraîches, puis couler le long de ses poignets pour tomber en grosses gouttes sombres sur la nappe blanche. Le commandeur lui retourna les mains et en appliqua le creux sur les deux crânes qui décoraient l'autel. Peu à peu, son sang les mouilla, coulant paresseusement en rigoles épaisses sur ce qui avait été, voilà longtemps, un visage.

— Joseph-Bernard-Mathieu Leclair, fils de Jean-Baptiste-Michel, descendant en droite ligne de Jehan de Saint-Clair et du prince Henry Saint-Clair, s'écria le commandeur d'une voix forte, répands sur les restes de Jacques de Molay et de Geoffroy de Charnay le sang pur et sans taches des Templiers qui coule dans tes veines ! Que leur mort n'ait pas été vaine et que la Vengeance vienne !

— *Non nobis, Domine, non nobis, sed nomini, tuo da gloriam !* s'écrièrent ceux qui étaient présents.

Pendant que Pierre saignait sur les restes, le commandeur exhiba sa propre main droite où apparaissait une très fine cicatrice dont la forme était identique aux plaies qu'on venait de lui infliger.

— Tous les membres de l'*Opus Magnum* portent aux mains deux angles de quatre-vingt-dix degrés, déclara-t-il. Leur opposition symbolise Dieu dans sa totalité, soit le mâle qui tend vers le haut, et la femelle qui l'accueille en elle. Ces deux contraires forment El, le dieu d'Abraham. C'est par ce signe que nous nous reconnaissons entre nous, car il ne devient complet que lorsque s'unissent les mains de deux frères de la Vengeance.

Le commandeur recouvrit avec les siennes les mains de Pierre, toujours posées sur les crânes. Pour la première fois, le jeune homme nota, sur l'annulaire droit, une chevalière maculée de sang au travers duquel il pouvait distinguer la forme d'une équerre et d'un compas entrecroisés. Dès lors, il n'eut plus de doute sur l'identité de celui qui se cachait sous la cagoule.

Le commandeur l'aida à se remettre debout.

— Maintenant, vois le visage de tes frères ! tonna-t-il.

Le premier, il retira sa cagoule ensanglantée et la laissa tomber sur le sol. Pierre n'eut aucune réaction en découvrant le visage du maire de Montréal, dont il avait déjà reconnu la bague.

— Je suis Honoré Beaugrand, descendant de Guillaume de Beaujeu, *magister* du Temple et créateur de l'*Argumentum*, déclara-t-il solennellement.

Des pas se rapprochèrent et il fut bientôt entouré. Tous ces visages, il les connaissait depuis son entrée dans la loge Les Cœurs réunis et leur vue ne l'étonna pas davantage. Un à un, ils déclamèrent ce qui semblait être une formule propre au dévoilement de leur identité au nouveau membre de l'ordre.

— Je suis Barthélémy Perreault, descendant d'Hugues de Payraud, visiteur général du Temple et survivant du *dies terribilis*.

— Je suis Maurice Demers, descendant de Ponz de Merliet, commandeur de Richerenches et survivant du *dies terribilis*.

— Je suis Solomon Wolofsky, descendant de Henry d'Haselakeby, de la commanderie de Kilbarry, en Irlande, et survivant du *dies terribilis*.

— Je suis Georges Belval, descendant du chevalier Bartolomé de Belvis, qui refusa de se rendre en 1307.

— Je suis Gédéon Ouimet, descendant du chevalier Bussière de Outard.

Lorsque tous eurent fait leur déclaration, un sourire entendu sur les lèvres, visiblement ravis de le compter parmi eux et de ne plus avoir à jouer double jeu, Beaugrand le prit par le bras et l'entraîna vers le fond de la pièce. Les autres les suivirent.

De la tête, Beaugrand fit un signal à Ouimet. L'ancien premier ministre s'empressa vers l'extrémité de la lourde tenture pourpre, saisit un cordon et se mit à le tirer vers le bas. Comme au théâtre, le rideau s'ouvrit lentement à partir du centre et ses deux moitiés s'écartèrent pour révéler un tableau au cadre ouvragé et orné de dorure. Pierre sentit que tous les regards étaient tournés vers lui, mais, alors qu'il avait cru être arrivé au bout de ce qui pouvait le surprendre, il était incapable de détacher ses yeux de ce qu'il voyait.

Le portrait était celui d'un homme aux cheveux blonds et aux yeux bleus, le regard franc et décidé, l'air modeste, la bouche et le menton volontaires. Élancé, le travail l'avait par contre rendu solide. Il était assis dans un fauteuil semblable à ceux de la loge Les Cœurs réunis dont le haut du dossier portait, sculptés, l'équerre et le compas entrecroisés. Un franc-maçon. Le siège était placé devant une fenêtre qui donnait sur une rue que Pierre reconnut sans difficulté, Saint-Paul. Sur sa gauche, un petit guéridon portait en bois quelques feuilles de papier et un verre de vin à moitié vide.

Malgré le formalisme de la pose, le peintre avait réussi à saisir toute la tendresse paternelle dans la façon dont l'homme posait la main droite sur l'épaule de l'enfant qui était assis sur sa cuisse. Le petit était encore presque un bébé, mais déjà, il était tout le portrait de son père. Blond, les yeux bleus lui aussi, le visage joufflu, ses pieds dodus dépassant de sa jolie robe ornée de dentelle, il ressemblait à ces petits bébés de cire frisés que l'on promenait en procession le jour de la Saint-Jean-Baptiste. Il tenait dans sa menotte un médaillon enfilé sur un cordon de cuir passé autour de son cou.

Hypnotisé par l'image, Pierre se dégagea de l'emprise du commandeur et, tel un automate, s'avança sur des jambes raides jusqu'au tableau. Bientôt, il eut le nez presque collé sur la toile, sachant déjà ce qu'il allait découvrir. Le médaillon était en partie masqué par la menotte de l'enfant, mais sa partie supérieure était visible. Le cube, le triangle, le torse et la tête d'un des personnages suffisaient amplement à l'authentifier hors de tout doute : il s'agissait de celui qu'il avait retiré de la carcasse de mère Marie-Marthe Théberge et qui se trouvait dans sa poche.

La voix d'Adrien résonna dans sa tête et un sanglot lui serra la gorge. « Tu possédais la clé de l'*Argumentum* quand tu étais petit et que c'est dans ta tendre enfance que tu la retrouveras. » C'était le message qu'il lui avait rapporté après les événements de la basilique. Ce tableau prouvait que ceux qui détenaient Julie en savaient beaucoup sur lui, ses origines réelles et ses liens avec l'*Argumentum*. Beaucoup plus qu'il en savait lui-même, en tout cas.

Jean-Baptiste-Michel Leclair. Pour la première fois depuis vingt ans, Pierre Moreau voyait le père dont il n'avait aucun souvenir, hormis un cauchemar dont il commençait enfin à saisir le sens. Et l'enfant qu'il avait été tenait dans sa main la clé de l'*Argumentum* qu'il avait maintenant dans sa poche.

— Baptiste était un homme prudent et prévoyant, expliqua Beaugrand en lui posant sur l'épaule une main qui se voulait amicale. Il savait que la lignée des Aumont avait été éliminée par le *Gladius* et que la sienne était la seule qui restait. Si on le retrouvait, le chemin vers l'*Argumentum* disparaîtrait pour de bon. Comme tu peux le voir, tu étais encore petit quand le portrait a été peint.

Beaugrand fit un pas en avant et vint se tenir à côté de Pierre. Il parlait sans détacher son regard du tableau.

— Comme l'avaient voulu les Supérieurs de l'ordre, depuis 1642, ceux qui détenaient la clé ignoraient où l'*Argumentum* était caché, ni comment contacter ceux qui le savaient. Mais ton père était plein de ressources. Il a fait livrer ce tableau au temple maçonnique en sachant qu'une loge servait forcément de couverture à l'*Opus Magnum*. Et il a eu raison. Dès que nous en avons compris le sens, nous nous en sommes emparé.

Beaugrand soupira longuement.

— Moins d'un an après, ton père trouvait la mort dans un incendie qui n'avait que les apparences d'un accident. Sa femme aussi, la pauvre, même si elle ignorait tout. Et toi, tu t'étais mystérieusement évaporé. Nous avons compris que le *Gladius* t'avait retrouvé.

— Depuis le début, vous m'avez utilisé, murmura Pierre, une profonde lassitude s'emparant soudain de lui. Vous m'avez manipulé comme une marionnette. Vous vous êtes joué de moi.

— Non, mon garçon, répondit le maire avec affection. Nous t'avons protégé et, dans la mesure de nos moyens, nous t'avons guidé. Nous devions d'abord être certains que tu étais bien celui que nous espérions retrouver.

Il se tourna pour faire face au jeune homme et lui mit les mains sur les bras.

— Maintenant, c'est fait, et nous en sommes tous heureux, déclara-t-il, visiblement sincère. Plus besoin de jouer la comédie. Solomon, Maurice et Barthélémy avaient ordre de te ramener ici si vous trouviez quelque chose. J'en conclus que c'est le cas ?

Sonné, Pierre extirpa le médaillon de sa poche. Le commandeur le prit et l'examina assez longuement en le comparant à ce qui était visible sur le portrait. Puis il le lui rendit, en apparence satisfait de ce qu'il avait vu.

— Il est encore certaines choses que tu dois savoir, ajouta-t-il en désignant le guéridon sur le tableau. Observe attentivement les papiers.

Pierre obtempéra. Le peintre avait représenté deux feuilles qui, à l'examen, présentaient des particularités intrigantes. On pouvait croire, de loin, qu'elles étaient couvertes d'écriture, mais en y regardant de près, on constatait que l'artiste avait représenté des gribouillis illisibles. Le jeune homme nota ensuite que, nulle part, n'étaient visibles une plume et un encrier. Et surtout, dans le coin supérieur droit de la feuille du dessus se trouvait, à peine perceptible tant il était pâle, le symbole de l'*Opus Magnum* avec, en son centre, le chiffre romain 1.

Une comparaison rapide lui permit d'établir que, dans le coin supérieur droit de la seconde feuille, qui dépassait un peu en dessous, se trouvait le même symbole, mais portant cette fois le chiffre romain 2.

— Qu'est-ce que ça veut dire ? l'interrogea-t-il, perplexe, son épuisement lui interdisant toute réflexion claire.

En guise de réponse, Beaugrand empoigna le coin inférieur gauche du cadre et le tira vers lui. Un léger déclic monta et le portrait tout entier pivota sur des charnières latérales, comme la porte d'une armoire. Derrière, taillée à même le roc, se trouvait une ouverture en ogive. Le maire y enfouit la main pour en sortir une petite tablette en terre cuite de forme arrondie et irrégulière, d'environ huit pouces de diamètre. Il l'admira un moment, l'air solennel, puis la tendit à Pierre, qui l'accepta.

— Vois toi-même, dit enfin Beaugrand. Dans le coin supérieur droit.

Le jeune homme repéra sans mal ce à quoi le maire de Montréal faisait référence : le signe de l'*Opus* enveloppant un 1 romain. Le même que sur les papiers du tableau. De toute évidence, Jean-Baptiste-Michel Leclair – il avait du mal à le considérer comme son père – avait voulu que son portrait référât à cet objet.

Puis il observa la surface de l'objet, la caressant doucement du bout des doigts, conscient, sans pouvoir l'établir avec exactitude, de l'ancienneté de ce qu'il tenait dans ses mains. Elle était couverte de signes en forme de clou qu'il reconnut comme une écriture très ancienne.

— De l'écriture cunéiforme, murmura l'historien qu'il était, sidéré de tenir dans ses mains un trésor dont il n'avait jamais osé rêver. Qu'est-ce que ça signifie ?

— Selon la traduction qu'en fit le frère Aigremont, en 1291, à Saint-Jean-d'Acre, répondit Beaugrand : « Moi, Kashtiliash IV de Babylone, je confirme par décret royal, la faveur jadis conférée au peuple de Moïse de Goshen, venu d'Égypte, par mon prédécesseur, le grand Hammourabi. »

Pierre fronça les sourcils. L'épuisement, les émotions et le manque de sommeil des derniers jours lui ralentissaient la cervelle, mais il finit par comprendre l'ampleur de ce que disait cette courte phrase.

— Moïse ? Le Moïse de la Bible ? demanda-t-il, ahuri. Celui de la sortie d'Égypte, de la mer Rouge qui s'ouvre en deux, du bâton qui se transforme en serpent et tout le reste ?

— Celui-là, oui, confirma le maire avec un calme désarmant dans les circonstances. Et avant que tu ne poses la question : oui, la tablette est authentique. Nous la conservons depuis qu'elle est entre les mains de l'ordre du Temple et son authenticité a été validée plusieurs fois au fil des siècles, par les plus grands experts.

Pierre le dévisagea, puis reporta son regard sur la tablette, et de nouveau sur Beaugrand.

— Je… Je ne comprends pas, balbutia-t-il. Qu'est-ce… Qu'est-ce que c'est ? Pourquoi une tablette antique ? Que ?…

— Tu tiens dans tes mains la confirmation de l'*Argumentum*, expliqua Beaugrand.

Devant l'expression médusée du jeune homme, le commandeur lui reprit doucement la tablette pour la remettre dans l'ouverture avant de la refermer en replaçant le portrait.

— La seconde tablette ne fait que confirmer l'existence de la première et en certifier le contenu. Elle a toujours été entre les mains de l'ordre. La première est gardée en sécurité depuis six siècles.

— L'*Argumentum*... fit Pierre.

— Qui porte sans doute le symbole de l'*Opus* et le chiffre II, comme l'indiquait le tableau, compléta Beaugrand.

Pierre se rappela ce qu'avait dit Thériault avant de mourir: « Votre maudite tablette ne veut rien dire sans l'autre. » Il porta son regard sur le médaillon. Il s'agissait de la clé qui menait vers l'*Argumentum* – une tablette ancienne sur laquelle on avait apposé le signe de l'*Opus* et le chiffre II. La scène, les mots et les formes devaient être décodés. Le jeune homme tenait littéralement dans le creux de sa main la vie de Julie. Il lui revenait, à lui et à nul autre, de déchiffrer le code que Jean-Baptiste-Michel Leclair y avait incorporé dans l'espoir que lui, Joseph-Bernard-Mathieu, le retrouve et le perce. Pour cela, il n'avait d'autre choix que d'accepter l'aide des fanatiques qui l'entouraient. Il était ignorant et coincé. Quelles que fussent leurs motivations, il avait besoin d'eux. Seul, il resterait à la remorque des événements et de ses adversaires. Il n'arriverait à rien dans les délais qui lui étaient impartis. Il devait agir et l'*Opus Magnum* était le seul outil dont il disposait. Après, seulement, il verrait bien comment lui échapper.

— Le temps presse, dit-il en examinant les quatre personnages gravés dans l'étain, comme si une solution allait en sortir par magie. Nous devons...

— Nous devons sauver Julie, coupa une voix féminine, frémissante d'émotion, que sa pauvre cervelle torturée se refusa à reconnaître.

Le souffle coupé, il releva la tête. Près de la porte, entre Perreault et Ouimet, se tenaient deux revenants. Il les avait vus, morts dans leur maison, dévisagés et décapités, baignant dans leur sang. Pourtant, ils étaient là, l'air désemparé et se tenant la main comme deux vieux amants, bien vivants.

— Je suis Gertrude Normand, descendante de Pierre le Normand, commandeur de Laon et survivant du *dies terribilis*, dit madame Fontaine d'une voix tremblante.

— Je suis Émile Fontaine, descendant du chevalier Reynard des Fontaines, torturé par les hommes du roi Philippe en 1307 et survivant du *dies terribilis*, dit le notaire.

(À suivre)

Mot de l'auteur

Ce récit est une fiction. Comme j'aime à le faire, j'ai tissé mon intrigue à travers des faits historiques. Départageons donc, par souci de précision, le « vrai » du « faux », dans la mesure où de telles notions existent. Il va de soi que des personnages comme Jacques de Molay, Geoffroy de Charnay, Guillaume de Beaujeu, Clément V, Philippe IV le Bel ont réellement existé et que leur rôle dans les derniers instants de l'ordre du Temple est bien documenté. Tout ce qui touche par contre à un quelconque trésor mettant en péril la survie de l'Église est imaginaire – même si les traités à ce sujet, les quelques bons et les nombreux mauvais, sont légion. Évidemment, Paul de Chomedey et Jeanne Mance ont existé, mais j'ai bien peur de leur avoir prêté des intentions qui n'ont jamais été les leurs. Quant à Honoré Beaugrand, Gédéon Ouimet et William Badgley, ils étaient bel et bien francs-maçons, comme la plupart des gens importants de l'époque – dont un nombre surprenant de Canadiens français. Les personnages principaux de mon roman, eux, sont tous issus de mon imagination.

Les sources utilisées sont diverses et tiennent davantage de la théorie du complot que de la pratique historienne. Je vous indique les principales. À vous, cher lecteur, de les lire et de vous faire une opinion. Pour tout ce qui à trait aux *Bergers d'Arcadie* de Poussin, à la devise que contient le tableau et aux anagrammes qu'on a tenté d'en extirper, je vous renvoie à l'ouvrage fondateur du genre, *The Holy Blood and the Holy Grail* de M. Baigent.

R. Leigh et H. Lincoln (1982). Ils ont été les premiers à s'intéresser au sens soi-disant ésotérique de l'œuvre, tissé dans un vaste écheveau d'hypothèses souvent alambiquées, mais toujours séduisantes. Tous les auteurs qui les ont suivis n'ont fait que décliner autrement leurs théories ou les prolonger.

Concernant le mythe d'une fondation templière de Ville-Marie, je vous renvoie aux ouvrages de Francine Bernier, *The Templar's Legacy in Montréal, the New Jerusalem* (2001), et de Paul Falardeau, *Sociétés secrètes en Nouvelle-France* (2002). D'une façon plus générale, nombre d'auteurs ont abordé, souvent de manière très répétitive, le thème d'une présence templière en Amérique du Nord précolombienne après la destruction de l'ordre. Parmi les plus connus : Michael Bradley, *Grail Knights in North America* (1998) ; William E. Mann, *The Knights Templar in the New World* (1999) ; et celui qui a lancé tout le mouvement, Andrew Sinclair, *The Sword and the Grail* (1992).

Enfin, l'idée de ce roman m'est venue après la lecture de l'ouvrage de Bernard Lamborelle, *Quiproquo sur Dieu* (2009), qui proposait une réinterprétation pour le moins audacieuse du dieu d'Abraham tel qu'on le trouve dans la *Genèse*. Je n'ai pas la prétention d'être un exégète et je m'abstiens de le commenter, mais il m'a intéressé. L'histoire de la franc-maçonnerie au Québec, quant à elle, reste encore à faire. À titre indicatif, je vous réfère *La pierre angulaire* de Jacques G. Ruelland (2002) et *Petite histoire de la franc-maçonnerie au Québec* de Beaudouin Burger (2009). Si le tableau demeure incomplet, on trouvera dans l'un et dans l'autre des renseignements intéressants.

Suivez-nous

Achevé d'imprimer en janvier 2013
sur les presses de Marquis-Gagné
Louiseville, Québec